CB134929

CHARLIE LOVETT

O RETRATO

Um romance de obsessão

Tradução
Bárbara Menezes

Novo Conceito

Título original: *The bookman´s tale*
Copyright © 2013 by Charlie Lovett
Copyright © 2014 Editora Novo Conceito
Todos os direitos reservados.
Nenhuma parte desta publicação poderá ser reproduzida ou transmitida de qualquer modo ou por qualquer meio, eletrônico ou mecânico, incluindo fotocópia sem autorização por escrito da Editora.

Esta é uma obra de ficção. Os nomes, personagens, lugares e acontecimentos descritos são produto da imaginação do autor. Qualquer semelhança com nomes, datas e acontecimentos reais é mera coincidência.

1ª Impressão — 2014

Produção Editorial:
Equipe Novo Conceito
Impressão e Acabamento RR Donnelley 300114

Este livro segue as regras da Nova Ortografia da Língua Portuguesa.

Dados Internacionais de Catalogação na Publicação (CIP)
(Câmara Brasileira do Livro, SP, Brasil)

Lovett, Charlie
O Retrato / Charlie Lovett; tradução Bárbara Menezes. -- Ribeirão Preto, SP: Novo Conceito Editora, 2014.

Título original: The bookman's tale.
ISBN 978-85-8163-388-6

1. Ficção norte-americana I. Título.

14-00227 CDD-813

Índices para catálogo sistemático:
1. Ficção : Literatura norte-americana 813

Novo Conceito

Rua Dr. Hugo Fortes, 1885 — Parque Industrial Lagoinha
14095-260 — Ribeirão Preto — SP
www.grupoeditorialnovoconceito.com.br

Hay-on-Wye, País de Gales, quarta-feira, 15 de fevereiro de 1995

O País de Gales às vezes era muito frio em fevereiro. Mesmo sem neve ou vento, o ar úmido do inverno permeava o sobretudo de Peter e se alojava em seus ossos enquanto ele permanecia parado do lado de fora de uma das dúzias de livrarias que lotavam as ruas estreitas de Hay. Apesar do brilho quente na vitrine que iluminava uma exposição tentadora de romances vitorianos, Peter não estava com pressa para abrir a porta. Fazia nove meses desde que ele entrara pela última vez em uma livraria; alguns minutos a mais não fariam diferença. Houvera um tempo em que tudo aquilo era muito familiar, muito seguro; quando entrar em uma loja de livros raros teria sido um momento de empolgação, encontrar outro apaixonado por livros teria sido parte de uma grande aventura.

Peter Byerly era, no final das contas, um vendedor de livros. Foi a profissão que o levou à Inglaterra repetidas vezes e a profissão que o levou a Hay-on-Wye, a famosa cidadezinha dos livros logo ao lado da fronteira do País de Gales, naquela lúgubre tarde. Ele visitara Hay muitas vezes no passado, mas, naquele dia, era a primeira vez que chegava sozinho.

Naquele momento, enquanto a dor causada pelo frio nas extremidades de seu corpo arrastava-se para dentro dele, Peter não via uma grande aventura, mas apenas um cenário desconfortável, um estranho e a probabilidade de a timidez e o nervosismo se transformarem em ansiedade e pânico. A expectativa o fez suar frio na nuca. Por que tinha ido até lá? Ele poderia estar seguro em sua sala de estar com uma xícara de chá naquele exato momento, em vez de estar parado em uma esquina fria com uma sensação de medo instalando-se no seu peito.

Antes de poder mudar de ideia, ele se forçou a agarrar a maçaneta da porta e, um segundo depois, estava entrando no que deveria ter sido um calor bem-vindo.

— Tarde — disse uma voz clara através de uma neblina de fumaça de cachimbo, que pairava sobre uma ampla escrivaninha.

Peter balbuciou algumas sílabas e, depois, deslizou por uma porta aberta até a sala dos fundos, onde livros forravam todas as paredes. Ele fechou os olhos por um momento, imaginando o casulo de livros protegendo-o de todos os perigos, inalando profundamente aquele aroma familiar de tecido e couro e poeira e palavras. Sua pulsação acelerada começou a diminuir e, quando abriu os olhos, ele os passou em um movimento rápido pelas estantes, procurando algo conhecido — um título, um autor, um design de capa empoeirado e gravado na memória —, qualquer coisa que pudesse colocar seus pés no chão do mundo que ele conhecia.

Um pouco acima do nível de seu olhar, achou uma encadernação de um lindo couro azul que lhe lembrou o couro de bezerro que usara para encadernar outro livro; poderia mesmo ter sido quase dez anos antes? Peter tirou o livro da estante, deliciando-se com o toque macio e luxuoso do couro. Ao olhar com mais atenção a impressão dourada na lombada, ele sorriu. Conhecia aquele livro. Se não era um velho amigo, com certeza era um conhecido, e a perspectiva de passar alguns minutos entre as capas dele acalmou seus nervos.

• • •

An Inquiry into the Authenticity of Certain Miscellaneous Papers, de Edmond Malone, era um monumento de análise que desmascarava um dos maiores falsificadores de todos os tempos, William Henry Ireland. Ireland forjara documentos e cartas fingindo terem sido escritos por William Shakespeare, e até mesmo "manuscritos originais" de *Hamlet* e *Rei Lear*. Peter virou as guardas estampadas até chegar à página de rosto: era um exemplar da primeira edição, de 1796. Ele adorava o toque do papel pesado do século 18 entre os dedos, a textura das depressões feitas pela impressão. Virou algumas páginas e leu:

> Já foi dito que todos os indivíduos deste país, cujas mentes tenham sido desenvolvidas em algum grau, sentem orgulho de poder ostentar nosso grande poeta dramaturgo, Shakespeare, como conterrâneo: e proporcional ao nosso respeito e veneração por esse homem extraordinário deve ser nosso cuidado com sua fama e com aqueles escritos valiosos que ele nos deixou.

Peter sorriu ao lembrar de sua leitura "daqueles escritos valiosos" de uma verdadeira edição do *Primeiro Fólio*, aquele pesado volume de 1623 das obras de Shakespeare, no qual muitas de suas peças foram impressas pela primeira vez. Peter estava mais calmo; toda a sensação de medo e pânico banida pelo simples ato de perder-se em um livro antigo. Ao lembrar-se de como aquele *Primeiro Fólio*, dada a oportunidade, sempre se abria no terceiro ato de *Hamlet*, ele abriu as capas do livro de Malone e deixou as páginas caírem onde quisessem. O livro se abriu na página 289, revelando um pedaço de papel de mais ou menos 26 cm^2. A mancha marrom nas páginas entre as quais o papel estivera apertado indicou a Peter que ele estivera lá por pelo menos um século. Mais por hábito do que por curiosidade, ele virou o papel.

A dor aguda que golpeou seu peito quase o fez derrubar o livro no chão empoeirado. Achou que havia escapado daquela dor, que podia fugir dela com distanciamento e distração, mas até mesmo no canto de uma livraria de Hay-on-Wye ela o encontrou. Com os joelhos repentinamente fracos, caiu no chão contra uma estante e observou, como se fosse um sonho, enquanto o papel flutuava até o chão. O rosto ainda estava ali; ele fechou os olhos de novo, querendo que o rosto e tudo que o acompanhava se retirassem, querendo que sua pulsação diminuísse mais uma vez e suas mãos parassem de tremer. Respirou fundo e abriu os olhos. Ela estava ali, olhando para ele, calma e serena, esperando. Era sua esposa. Era Amanda.

Mas Amanda estava morta; enterrada nove meses antes na terra vermelha da Carolina do Norte, a um oceano de distância. A uma vida de distância. E aquela pintura, tão mais velha que Amanda ou sua mãe, ou sua avó, não podia ser dela. Mas era.

Peter inclinou-se para pegar o papel do chão e examiná-lo com mais cuidado. Era uma aquarela excepcional, com a assinatura quase imperceptível das iniciais "A.I.". Olhou de novo para o livro do qual o papel caíra, esperando uma pista da origem da aquarela. Na guarda da frente havia um "C.E." entrelaçado feito a lápis, o monograma de algum dono há muito esquecido. A descrição impressa em um cartão do lado de dentro da capa não fazia menção à aquarela, apenas ao preço: 400 libras. Ele já vira exemplares catalogados por metade daquilo. Exemplares que não escondiam uma pintura com um século de idade de sua esposa morta.

Na prateleira à sua frente estava um exemplar em más condições do romance não terminado de Dickens, *O mistério de Edwin Drood*. A capa de tecido original estava gasta nos cantos e na lombada, as canaletas interiores tinham se soltado e algumas páginas estavam soltas, porém não faltava nada. Ele podia restaurá-lo com facilidade e valeria duas ou três vezes mais do que o preço pedido.

Peter olhou ao redor e viu que ainda estava sozinho na sala. Com a mão tremendo, ele colocou a aquarela dentro do *Edwin Drood*. Não podia deixar Amanda ali, tão longe de casa. Recolocou o Malone na estante e prendeu o *Drood* embaixo do braço. Vinte minutos depois, havia comprado uma pilha de livros, inclusive o de Dickens, e estava indo para o estacionamento nos arredores da cidade, duas sacolas pesadas balançando ao lado do corpo.

O caminho da fronteira do País de Gales até o chalé de Peter na vila de Kingham, em Oxfordshire, levou apenas um pouco mais de duas horas. O chalé ficava abaixo de uma viela estreita a partir do parque da vila e, como o restante do local, era construído com calcário de Cotswold. Ficava no meio de uma fileira de chalés com varanda, mas, mesmo depois de morar lá por cinco meses, Peter ainda não conhecia os vizinhos com quem dividia as grossas paredes de pedra.

Às 19 horas ele já tinha fogo na lareira, uma xícara de chá na mão e a aquarela apoiada na mesa de centro. Apesar do conselho do Dr. Strayer, ele encaixotara todas as fotos de Amanda e as deixara no sótão da casa em Ridgefield. Assim, como ela poderia estar ali, naquele que, de repente, parecia ser o chalé *dela*? Ela havia, afinal, escolhido o tecido Williams Morris do sofá e das cortinas. Ela supervisionara a reforma da cozinha e o acréscimo do jardim de inverno. Ela passara fins de semana na Portobello Road comprando os vasos da Pilkington que estavam em cada parapeito de janela e os pôsteres de Burne-Jones pendurados no hall do andar de cima. Ela fora a leilões de cidades pequenas para comprar os móveis e encontrara o carpinteiro que instalou as estantes do chão até o teto na sala de estar. As estantes foram seu presente para

Peter, o sinal público e visível da paixão dela pela paixão dele; mas todo o resto do chalé era Amanda pura. Ela nunca passara uma noite ali, e o fato de Peter ter morado lá por cinco meses e realmente passar a ver o lugar como o seu chalé parecia bobo diante do que estava na mesa de centro olhando para ele.

A pintura mostrava uma mulher sentada em frente a um espelho, penteando um longo cacho de cabelo escuro. Seus ombros estavam expostos, o cabelo apenas cobria os seios. Os fios escuros e a pele clara eram de Amanda, assim como os ombros retos e até a maneira insistente como ela agarrava a escova, mas a similaridade mais marcante estava no semblante que olhava para fora do espelho: provocante e desafiador ao mesmo tempo. A semelhança era fantástica: o rosto fino, a testa alta e clara e, acima de tudo, os profundos olhos verdes que podiam rir e exigir serem levados a sério simultaneamente. Amanda podia fazer isso. É claro que o rosto não podia ser dela. Ela nascera em 1966; a aquarela com certeza era vitoriana. Ainda assim, Peter ficou sentado encarando os olhos de Amanda, perguntando-se de onde ela viera e desejando que ela nunca tivesse ido embora.

Ele se perdeu naqueles olhos, e no passado, por alguns minutos e, depois, ergueu-se, ficou em pé e começou a andar pela sala. Durante seus anos como vendedor de livros antigos, Peter solucionara sua cota de quebra-cabeças bibliográficos, mas fizera isso com o mesmo desapego emocional com que preenchia palavras cruzadas. Aquilo era diferente. O mistério da origem da aquarela parecia extremamente pessoal, e Peter já podia sentir a curiosidade e a tristeza se transformarem em obsessão. Ele tinha de saber de onde aquela pintura viera; como um retrato com mais de cem anos de sua esposa, que nascera apenas vinte e nove anos antes, acabara enfiado em um livro do século 18 sobre falsificações de Shakespeare?

O problema era como começar. Peter nunca trabalhara com pinturas antes. Passou mais uma hora encarando a imagem e andando pela sala até lembrar o que havia na estante do quarto extra do andar de cima. Ele não colocara os pés naquele quarto desde que se mudara para Kingham. A ideia era destiná-lo ao santuário de Amanda, e, embora ela nunca fosse passar as tardes sentada na poltrona ali lendo seus livros, ainda parecia um lugar inviolável. Naquele momento, ele abriu a porta devagar e olhou para o silêncio abandonado. A distância, ouviu o sino da igreja soar as nove e esperou até a última badalada se dissolver no ar frio do inverno antes de acender a luz.

Na estante ao lado da janela havia 65 volumes idênticos, o presente de casamento de Peter para Amanda. Como fora um catálogo da exposição da Academia Real que os unira, e como Amanda amava tanto suas pinturas vitorianas, Peter decidira lhe dar uma cópia do catálogo para cada ano do reinado da rainha Vitória; uma viagem ilustrada por sete décadas de arte inglesa. Levara um ano para encontrar todos os volumes, mas Amanda levara quase o mesmo tempo para planejar o casamento. Naquele momento, os livros estavam pacientemente nas estantes do quarto que ela nunca usaria.

Peter ficou parado à porta por vários minutos, lutando contra a sinistra sensação da presença de Amanda. Não era apenas por aquele ser o quarto de Amanda, decorado com seus livros e sua poltrona favorita e o abajur que ela escolhera em um antiquário de Stow-on-the-Wold. Peter estava acostumado a viver com o gosto de Amanda. Aquilo era diferente. Era a sensação de que Amanda poderia voltar a qualquer momento; não a Amanda evanescente que às vezes falava com ele, mas a Amanda real, de carne e osso. Era uma sensação que, havia muito tempo, Peter queria aceitar, contudo sabia que devia afastar. Sentiu o mesmo enjoo e a mesma tontura que sentira quando a conheceu e teve de se inclinar contra o batente da porta para se equilibrar.

— Tudo bem — disse Amanda. — Você pode entrar.

Ela ficou parada no final do corredor, e Peter levantou o olhar bem a tempo de vê-la desaparecer. No entanto, as palavras dela deram-lhe a coragem de que precisava, e ele entrou no quarto, cruzou-o até a estante, puxou o volume etiquetado com "1837" e sentou-se cuidadosamente na borda da poltrona. São apenas livros; são apenas coisas; é apenas um quarto; e foi apenas minha imaginação, ele disse a si mesmo. E, embora não acreditasse naquilo de verdade, abriu o livro e começou a olhar as pinturas.

Antes de Peter ter partido para a Inglaterra, o Dr. Strayer lhe dera uma lista datilografada do que ele precisava fazer para seguir em frente com a vida. O segundo item era: "Estabeleça hábitos regulares de alimentação e sono". Ele fizera progresso nesse quesito... Indo para a cama às 23 horas — onde, quando o sono chegava rápido, ele adormecia à uma hora — e dormindo até por volta das 10. Não era o ideal, mas se tornara regular.

Peter abrira o primeiro volume da Academia Real às 21 horas. Fechou o último às 19 horas do dia seguinte. Não tinha dormido nem comido. Naquele momento, estava sentado, de olhos cansados e exausto, em meio a pilhas de livros no chão de Amanda. Vira milhares de pintura, lera milhares de legendas. Não vira o rosto de Amanda; não vira as iniciais A.I. nem descobrira nenhum artista com essas iniciais.

Foi apenas quando já estava na porta olhando para trás na direção dos livros que deixara empilhados no chão que percebeu que a presença de Amanda, que ele sentira com tanta força ao entrar no quarto, fora embora. Após 22 horas de falta de sono, honestamente sentia que aquilo não passava de um quarto. Tentou ouvir a voz de Amanda lhe dizendo para não deixar seus livros no chão, mas não escutou nada. Desligou a luz, deixou a porta aberta e cambaleou escada abaixo.

...

Nos primeiros dois meses, Peter saíra do chalé apenas para comprar comida na loja local. Ele se arriscara até Chipping Norton, ali perto, em algumas caminhadas sem destino antes do Natal, mas evitara a livraria, onde poderia ser reconhecido pelo proprietário. A excursão até Hay fora o início de sua tentativa de tratar do quarto item da lista do Dr. Strayer, "Restabeleça sua carreira", e ele tinha de admitir que não havia sido uma experiência desagradável por inteiro descobrir que o mundo dos livros ainda existia, que ele podia escapar do que o Dr. Strayer chamava de sua "toca secreta".

— O que quer dizer com isso? — Peter perguntara.

— Você passou a maior parte da sua vida escondido — disse o Dr. Strayer. — Sua toca secreta é o único lugar onde se sente seguro de verdade. Quando você era criança, era o seu quarto, onde se escondia para não ter de interagir com seus pais. Na faculdade, era a sala de livros raros; depois de casar com Amanda, era a sua sala de livros no porão. Você se enterra nesses lugares, Peter. Você evita a vida ali.

— Eu saía muito da minha toca com Amanda — Peter retrucou.

— Sim, *com* Amanda. Ela era sua assistente de confiança, a pessoa que tornava o mundo seguro para você. Seja honesto, Peter, o único lugar aonde você ia de verdade sem ela eram livrarias e bibliotecas; e, lá, você não precisava que Amanda interferisse porque podia colocar os livros entre você e qualquer contato humano significativo.

E, assim, ele começou o processo de emergir de sua toca secreta em Kingham com uma excursão a livrarias. E, exatamente como o Dr. Strayer previra, ele fizera de tudo para evitar qualquer conversa.

Ainda assim, o Dr. Strayer não ficaria feliz por Peter ter dado um pequeno passo para recomeçar sua carreira? Ele não olhara para seus próprios livros — a biblioteca de referências bibliográficas que montara ao longo de vários anos — desde que perdera

Amanda. Mesmo quando os encaixotara para serem enviados para a Inglaterra, tinham sido apenas sólidos retangulares a serem colocados em caixas vazias; caixas então empilhadas no abrigo de pedra do jardim.

Ele pensou que devia ter um ou dois livros sobre ilustrações vitorianas e, assim, acendeu as luzes do pequenino jardim dos fundos, empurrou a porta do abrigo para abri-la e começou a carregar as caixas para a sala de estar. Duas horas depois, abrira todas e colocara os conteúdos sem cuidado nas estantes do chão até o teto. Na mesa de centro, deixou dois livros: *A Treasury of the Great Children's Book Illustrators* e o importante estudo de Percy Muir, *Victorian Illustrated Books*. Sem saber ao certo se conseguiria aguentar outro esforço perdido sem dormir pelo menos um pouco, Peter deixou os livros onde estavam, pegou a aquarela e subiu para o quarto. Dormiu tranquilamente pelas 12 horas seguintes, sonhando com aqueles catálogos da Academia Real e com o prédio onde os viu pela primeira vez.

Ridgefield, Carolina do Norte, 1983

Quando foi aberta, em 1957, a Biblioteca Robert Ridgefield era o prédio mais alto da cidade; um gigante neoclássico de nove andares de granito e vidro, colunas e cornijas, com uma cúpula incompatível empoleirada desconfortavelmente no topo.

Os Ridgefield tinham se mudado da Escócia para a Carolina do Norte depois da revolução e passaram os dois séculos seguintes indo de sucesso em sucesso. Membros de uma família de comerciantes moderadamente rica do século 19, ficaram impressionantemente ricos com o tabaco e, depois, excessivamente ricos com tecidos e, por fim, obscenamente ricos com bancos. Ao longo do caminho, haviam transformado um seminário de dois anos, localizado em uma área isolada, na Universidade Ridgefield, de reconhecimento nacional.

A biblioteca foi construída sobre o ponto mais alto de Ridgefield: um morro no limite do campus que antes era um dos locais favoritos dos alunos para encontros românticos secretos. Dos andares superiores, podia-se ver o campo ao redor de Ridgefield por quilômetros; uma costura de retalhos de milho e tabaco, nuvens de poeira erguendo-se do horizonte conforme caminhonetes aceleravam pelas estradas de cascalho. No granito da Geórgia acima da entrada principal da biblioteca estavam entalhadas as palavras

"Aqueles que entrarem aqui busquem não apenas o conhecimento, mas a sabedoria".

No momento em que Peter entrou na biblioteca pela primeira vez, passando do sol escaldante de um agosto na Carolina do Norte para o ambiente fresco e mal-iluminado dos seus corredores estreitos, seus quilômetros de prateleiras, seu milhão e meio de livros, sentiu-se em casa. Ele tinha 18 anos e vivera sempre naquela área de fazendas muito familiar visível do topo da biblioteca, um mundo em que sempre se sentira desconfortavelmente fora do lugar. Sua família administrara uma mercearia em uma cidade pequena a 13 quilômetros de Ridgefield até que a negligência do seu pai com o negócio levou-o à falência. Depois disso, seus pais pareciam mais interessados em beber e brigar do que em passar algum tempo com o filho. Com frequência, ele olhava para o estranho prédio azul no horizonte e sonhava com uma vida diferente, uma vida livre de todos os estorvos da família e da interação diária na escola com pessoas que não o compreendiam melhor do que ele as compreendia. Sonhava com uma vida protegida de tudo fora de si mesmo, mas protegida pelo que ele não podia imaginar.

Experimentou várias maneiras de se isolar ao longo dos anos. Quando criança, passava a maior parte do tempo livre no quarto com a coleção de selos, colando-os meticulosamente e tentando não pensar no mundo mais amplo do que aquele que pequenos retângulos de papel representavam. Durante o colegial, passou a se afastar dos outros no porão com um par de fones de ouvido e uma pilha de discos clássicos. Porém, independentemente de quão meticuloso ele era ao colar os selos, independentemente de quão alto ele tocava a música, nunca conseguia escapar da verdade. Uma parte dele sempre soube que o mundo ainda existia do lado de fora de sua porta e que, no final das contas, ele não podia evitá-lo.

Peter ganhara uma bolsa de estudos em Ridgefield, e a orientação aos calouros foi uma experiência muito dolorosa, focada em "conhecer" pessoas. Peter não queria conhecer pessoas. O que ele queria era encontrar aquele mundo-dentro-do-mundo onde pudesse ser ele mesmo consigo mesmo. Depois da visita guiada pelo *foyer* da livraria e do depósito, suspeitou ter encontrado o seu lugar. Ao ficar para trás durante a visita e escorregar para o meio das fileiras de estantes que desapareciam na escuridão, Peter descobriu exatamente o que o protegeria: livros.

Levou apenas algumas semanas para conseguir um cargo de aluno-monitor na biblioteca. Era o nirvana. Peter passava quatro horas por dia recolocando livros nas prateleiras. Tecnicamente, ele fazia parte do departamento de circulação, mas trabalhava sozinho, empurrando o carrinho pelos corredores estreitos entre torres de livros, evitando com facilidade o contato com qualquer pessoa que pudesse estar procurando um exemplar.

Mesmo nas ocasiões em que tinha de empurrar o carrinho pelo salão principal de leitura, com suas grandes mesas de carvalho e vários gaveteiros com o catálogo em fichas, Peter permanecia invisível aos outros alunos. O carrinho deslizava quase em silêncio pelo chão liso de mármore, e as cabeças permaneciam baixadas sobre os livros; sua passagem não era mais marcante do que uma mudança na luz que entrava das altas janelas do clerestório conforme uma nuvem passava em frente ao sol.

Em um dia escuro e chuvoso de outubro do seu segundo ano — mais tarde ele saberia dizer a data exata, 14 de outubro —, Peter Byerly empurrou seu carrinho até o salão de leitura e pôs os olhos pela primeira vez na mulher com quem se casaria. Ela estava sentada sozinha a uma mesa, lendo com atenção uma biografia de William Morris. Ela se sentava muito ereta, o livro apoiado na mesa à sua frente, sua postura quase desafiando a obra a aproveitar o melhor dela, ao passo que, ao redor, os alunos afundavam-se com o peso das iminentes provas do meio do período. Ela vestia, no lugar do uniforme não oficial formado por jeans e camiseta, um impecável terninho sob medida, com calça de pregas e uma blusa muito branca. Nem uma mecha do seu cabelo negro que lhe chegava aos ombros estava fora do lugar.

Era magra, embora não tão magra quanto a maioria das universitárias aspirava a ser. Era alta, embora não tão alta quanto aquelas garotas cuja altura inspira inveja nas outras. Tanto sua silhueta quanto sua estatura eram realçadas por uma qualidade que estava completamente ausente na maioria das alunas, mas que ela tinha em abundância: porte.

Ele não viu logo que ela era bonita, apesar de que não levaria muito tempo para reparar. O que viu foi que ela era diferente, que ela parecia, como ele, habitar um mundo às margens da Universidade Ridgefield. Ela não se encaixava, e isso o deixou intrigado, fez com que quisesse gritar "companheira!".

Peter deslizou em silêncio para uma cadeira no canto do salão e puxou um livro do carrinho. Nos trinta segundos seguintes, fingiu ler, enquanto a observava. Exceto por virar páginas, o que fazia com frequência, ela não se mexia. Às 18 horas, ela fechou o livro, colocou-o em uma pilha com outros, pegou a pilha e sua bolsa de couro vermelha e foi para a saída. Peter a seguiu. Quando ela devolveu vários dos livros ao balcão de circulação, ele os pegou assim que foram processados.

Dez minutos depois, ele estava afastado de todos no depósito, examinado os livros dela. Além da biografia de William Morris, havia um livro sobre o pintor pré-rafaelita Holman Hunt, um volume de obras impressas de Burne-Jones e dois volumes do catálogo da exposição anual da Academia Real de Artes de Londres: 1852 e 1853. Ele correu os olhos pelos volumes de arte e pela biografia de Holman Hunt antes de devolvê-los à prateleira. A biografia de Morris ele deixou cair para dentro da sua mala sem dar baixa.

Não tinha certeza do que o fez agir assim; por algum motivo, sentia necessidade de possuir ilicitamente um livro que ela lera. Ele o devolveria à prateleira uma semana depois, com medo de que, se ela fosse tão complexa e multifacetada quanto Morris, estaria muito longe do seu alcance.

No mês seguinte, ele a observou por pelo menos meia hora todas as tardes. A programação dela era precisa: chegava à biblioteca todos os dias às 14 horas, gastava 15 minutos entre as estantes do depósito e lia no mesmo lugar do salão de leitura até às 18 horas. Nunca mudava sua postura; sempre usava roupas bonitas; fazia anotações com uma caneta fina em um diário preto.

Ela lia com voracidade... Biografias de artistas vitorianos e também poesia do período e um pouco de história. Ela avançava pelos catálogos da Academia Real na velocidade de um a cada dois ou três dias. Haviam se passado três semanas desde a primeira vez em que ele a vira quando reparou, ao guardar o volume de 1863, que a capa do volume de 1865 estava completamente solta. Não podia suportar a ideia de que ela o encontraria em tal condição e, assim, removeu com cuidado o livro e sua capa solta da prateleira e subiu seis lances de escada até uma porta robusta de madeira com a palavra Conservação.

A sala bem-iluminada na qual Peter entrou parecia-se com como ele achava que seria uma sala de autópsia; porém, em vez de cadáveres humanos, havia livros nos balcões em vários estados de desmontagem, perto de fileiras bem arrumadas de facas e pilhas de vários tipos de papel. Em uma prateleira à esquerda dele, havia mais ou menos uma dúzia de livros belamente decorados, alguns com encadernação em couro e decoração dourada. Aquela sala não era um necrotério, Peter pensou, mas uma UTI, da qual todos os pacientes um dia seriam liberados; se não curados por inteiro, pelo menos muito melhores. Um homem com um jaleco branco de laboratório estava curvado sobre um tipo estranho de morsa que segurava um livro desencadernado. Ele estava espalhando algo que parecia mingau de aveia frio na lombada exposta.

— Posso ajudá-lo? — ele perguntou, erguendo-se.

O homem olhou para Peter através dos óculos redondos de aros dourados. Parecia ter cerca da trinta anos e tinha cabelos loiros, quase brancos, alisados e arrumados com perfeição caindo até os ombros e uma barba igualmente clara lançando-se vários centímetros para fora do seu rosto. Sorriu através da barba, e o primeiro pensamento de Peter foi de que ele lembrava um Muppet. Peter não pôde deixar de sorrir de volta.

— Trouxe um livro que precisa de reparos — disse Peter.

— Precisa ser requisitado pelos funcionários da biblioteca — informou o homem, seu sorriso sumindo e seu tom de voz indicando que Peter não era a primeira pessoa a irromper pelo Departamento de Conservação sem ser convidado.

— Sou funcionário da biblioteca — Peter afirmou. — Trabalho na circulação.

— Coloque ali — disse o homem com um suspiro, acenando com a cabeça para uma pilha alta de livros danificados em uma mesa perto da porta e voltando a atenção para o seu trabalho.

— Quando acha que ele ficará pronto? — Peter perguntou.

— Estamos demorando seis meses atualmente, supondo que nada mais importante apareça das Coleções Especiais.

— Seis meses — repetiu Peter. — Mas eu tenho... Quero dizer, nós temos uma cliente... ahn, uma aluna que precisará deste livro daqui a alguns dias. Só precisa colar a capa.

Peter levantou o livro em uma das mãos e sua capa desobediente na outra. O homem com jaleco de laboratório virou-se para ele de novo e examinou tanto o livro quanto Peter por um instante. Sua expressão ficou mais suave e seu sorriso voltou.

— Vou dizer o que vou fazer — ele falou. — Vou colocá-lo na pilha das namoradas.

Ele pegou o livro e a capa de Peter.

— Pilha das namoradas?

— Geralmente, quando um cara entra aqui apressado para consertar alguma coisa é porque sua namorada precisa daquilo. O que posso dizer? Tenho um fraco por amor e cavalheirismo e tudo isso. Que tal eu prepará-lo para segunda-feira à tarde?

— Segunda-feira seria ótimo — Peter respondeu, e recuou devagar para fora da sala, vendo o jovem voltar para sua pasta de mingau.

De volta ao depósito, Peter não conseguia tirar o Departamento de Conservação da cabeça. De repente, estava vendo livros estragados por toda a parte: uma lombada desfiada aqui, uma guarda rasgada ali. Antes ele pensava nos livros apenas como seu escudo, mas naquele momento eles pareciam estar ganhando vida própria, não tanto como obras de literatura ou história ou poesia, mas como objetos, coleções de papel e linha e tecido e cola e couro e tinta.

Quando voltou ao Departamento de Conservação, na segunda-feira à tarde, o livro esperava por ele no balcão perto da porta. Peter inspecionou a capa, a lombada e a guarda da frente.

— Nem dá para perceber que tinha se soltado — comentou.

— O que posso dizer? Eu faço um bom trabalho — disse o homem de jaleco de laboratório.

— Imagino que nunca deixem alunos trabalharem aqui — disse Peter.

— Às vezes temos alunos como estagiários — contou o homem —, mas eles costumam vir das Coleções Especiais.

— Coleções Especiais?

— Sim, você sabe, o último andar. A Sala Devereaux.

— O que é a Sala Devereaux?

— Você nunca foi às Coleções Especiais?

— Não — disse Peter.

— Você é um apaixonado por livros, certo?

— Com certeza — respondeu Peter, que nunca pensara em si mesmo como um apaixonado por livros antes daquele momento.

— Bem, se você ama livros, vai adorar a Sala Devereaux — disse o homem. — Olha, acho que há uma vaga para aluno lá agora. Posso falar bem de você para Francis.

— Francis?

— Francis Leland, chefe das Coleções Especiais. Direi a ele que temos um colega bibliófilo nas mãos e talvez ele o aceite.

— Seria ótimo! — Peter concordou, perguntando-se o que exatamente alguém fazia nas Coleções Especiais.

— A propósito, meu nome é Hank — apresentou-se o homem, estendendo a mão — Hank Christiansen.

— Peter Byerly — falou, aceitando o aperto de mão firme de Hank. — Obrigado pela... pela recomendação.

— Sem problemas — Hank respondeu.

Peter virou-se para sair, mas parou na porta.

— E obrigado por isto — disse, erguendo o volume restaurado das imagens da Academia Real.

— Espero que ela goste — Hank falou.

Em 15 de novembro de 1984, um par de livros da Biblioteca de Ridgefield transformou a vida de Peter. Ele fora à biblioteca depois da sua aula das 10 horas, esperando terminar seu turno antes da entrevista às 15h30 com Francis Leland nas Coleções Especiais. Às 15 horas, pegou um carrinho de livros para guardar e procurou nele alguma coisa que pudesse ter sido devolvida pela mulher misteriosa. Em uma questão de segundos, encontrou o volume restaurado da Academia Real. Sorrindo, empurrou o carrinho na direção do elevador.

Foi apenas quando tirou o livro e estava prestes a colocá-lo no lugar certo que reparou em um pedaço de papel novo saindo dele. Ela nunca deixara um marcador de página em um livro antes. Puxou o papel com delicadeza. Na parte de cima, escrita em azul *royal*, estava a inicial “A”. Embaixo dela, em uma letra bonita, havia um bilhete endereçado “Para o meu admirador”.

> Em primeiro lugar, obrigada por ter mandado este livro para ser restaurado. Detesto manusear livros estragados; sempre tenho medo de causar mais danos. Eu reparei em você me olhando, sabe? Até o segui no depósito certo dia. Esperava que você dissesse “oi”, mas, como já se passou um mês e você ainda não fez isso, acho que eu terei de iniciar as coisas. Encontre-me hoje às 22h30 na lanchonete do Centro dos Estudantes.

A carta estava assinada apenas com “Amanda”. Peter inclinou-se contra a estante de aço e sentiu o metal frio através do tecido da sua camisa. Prendera a respiração enquanto lia a carta e, naquele momento, exalava o ar pesadamente enquanto os livros pareciam rodar em volta dele. Depois de um minuto, sentindo-se um pouco mais equilibrado, leu a carta de novo para garantir que não entendera errado. Ela queria se encontrar com ele, falar com ele. Ela havia reparado nele, e seu nome era Amanda. Onde ouvira aquele nome antes? De repente, lembrou-se do seu compromisso. Tinha apenas cinco minutos para chegar ao andar superior da biblioteca. Dobrou a carta com cuidado e colocou-a no bolso da camisa. Depois, partiu em passo rápido para a Sala de Livros Raros Amanda Devereaux.

• • •

A família Devereaux era tão antiga na Louisiana quanto os Ridgefield na Carolina do Norte, e a mais independente da família foi Amanda. Rica quase sem paralelos aos 20 anos de idade, por causa da morte prematura dos pais, ela começou a colecionar livros logo após a Segunda Guerra Mundial. Começou juntando uma das melhores coleções de literatura do século 18 do mundo. Depois, foi para livros do século 17, até que abriu o leque para cobrir a literatura em inglês de todas as eras.

Em 1939, chocou a família quando, aos 40 anos e aparentemente com a solteirice confirmada, tornou-se a segunda esposa de Robert Ridgefield, de 60 anos, viúvo e patriarca do clã Ridgefield. Houve os que suspeitaram que ela se casara com ele porque sua próspera universidade seria o repositório perfeito para seus livros, mas, de acordo com todos os sinais externos, eles tinham um relacionamento íntimo e amoroso. Sua única filha nasceu um ano após o casamento.

Fumante a vida toda, Amanda Devereaux, que manteve o nome de solteira, morreu de câncer no pulmão aos 57, duas semanas antes da cerimônia de início da construção da biblioteca. Robert Ridgefield nunca se recuperou por completo da morte da esposa, mas construiu um lar maravilhoso para sua coleção, como lhe prometera. No centro do departamento das Coleções Especiais estava a Sala de Livros Raros Amanda Devereaux, um monumento à falecida bibliófila, onde seus maiores tesouros ficavam em exposição permanente.

Às 15h30, ainda um pouco tonto por ler a carta de outra Amanda, Peter sentou-se em uma enorme mesa de carvalho no centro da Sala Devereaux, esperando conhecer o Dr. Francis Leland. A cadeira de madeira entalhada na qual estava sentado era uma bela antiguidade; abaixo dela havia um tapete oriental e, em frente a Peter, uma grande estante de vidro exibia vários manuscritos medievais iluminados. Acima dessa estante estava pendurado um retrato de Amanda Devereaux. Ao redor da sala, havia 14 estantes de mogno, cada uma encimada por um busto entalhado. De onde estava sentado, Peter conseguia ler os nomes de Júlio César, Augusto, Cleópatra e Calígula. Cada uma das 14 estantes estava cheia de livros de aparência antiga.

À frente de Peter estava um volume fino encadernado com um couro marrom escuro gasto, sem marcações na capa. Perto dele, estava um par de luvas brancas de algodão. Após alguns minutos de uma espera em silêncio que não foi interrompida nem pelo tique-taque de um relógio, Peter achou que aquilo podia ser um teste. Ele pegou as luvas e abriu o livro com cuidado. As páginas dentro dele estavam gastas nos cantos e pareciam tão macias quanto uma flanela. Peter virou até a página de rosto e leu: *A trágica história de Hamlet, príncipe da Dinamarca*. No final da página havia a data de publicação: 1603. Shakespeare ainda estava vivo na época, Peter pensou, e, pela segunda vez no dia, a simples combinação de tinta e papel literalmente lhe deixou sem fôlego. Ele se sentia empolgado, admirado, privilegiado. Quantas pessoas já tinham tido a chance de segurar um exemplar de *Hamlet* impresso enquanto Shakespeare ainda estava vivo? Com os dedos tremendo, ele virou até a primeira página do texto.

Ele lera *Hamlet* no Ensino Médio e novamente no primeiro período de Letras, mas aquele texto era diferente. Ele virara a página e lera quase até a chegada do fantasma quando ouviu uma voz suave atrás de si.

— Leitura interessante?

— Não é bem do jeito que me lembro — disse Peter, fechando o livro com delicadeza e colocando-o com reverência sobre a mesa.

Ele se virou e viu um homem baixo com cabelos grisalhos encaracolados e óculos de armação grossa de plástico. Não usava o casaco de *tweed* que Peter esperava, mas uma calça jeans e uma camisa polo vermelha.

— Chama-se quarto ruim— disse o homem. — É a primeira impressão de *Hamlet*, mas o texto é inferior a edições posteriores. Alguns estudiosos acham que foi um plágio feito de memória por alguém que assistiu à apresentação.

— Ainda assim, é a primeira edição de *Hamlet* — Peter comentou.

— Sim, um grande achado.

— Eu não queria tocar, apenas...

— Está tudo bem — o homem garantiu. — Não há por que ter essas coisas se nunca tivermos o prazer de olhar para elas. O que acha dele?

— É... É...

Peter esforçou-se para encontrar palavras para descrever a experiência de segurar aquele livro, virar aquelas páginas, ler aquelas palavras impressas enquanto o autor ainda estava vivo e respirava e andava pelas ruas de Londres. Até pouco tempo antes, os livros tinham sido apenas algo atrás do que se esconder e, depois, ele começara a vê-los como objetos confeccionados com cuidado, mas aquilo era completamente diferente. Era uma revelação. Aquele livro estava cheio de história e mistério. O simples fato de estar perto dele fazia Peter corar de emoção.

— É incrível — ele disse, enfim.

Peter colocou levemente uma das mãos enluvadas sobre o livro. Quase podia sentir a vida dele derramando-se nas pontas de seus dedos.

— Quero dizer, o primeiro dono deste livro, a primeira pessoa que leu estas páginas pode ter visto a produção original de *Hamlet*. Pode até ter conhecido Shakespeare.

— É nossa aquisição mais recente — explicou o homem. — Um exemplar recém-descoberto. A Senhorita Devereaux teria ficado emocionada.

— Você a conheceu? — Peter perguntou, balançando a cabeça na direção do retrato de Amanda Devereaux.

— Muito pouco — respondeu o homem. — Ela já estava bastante doente quando o marido me contratou para cuidar das Coleções Especiais aqui em Ridgefield. Eu me chamo Francis Leland.

Ele estendeu a mão, e Peter o cumprimentou.

— Peter Byerly — disse. — É um prazer conhecê-lo, senhor.

— Há duas coisas que você precisa saber sobre a vida aqui nas Coleções Especiais. A primeira é que você pode ficar à vontade para manusear qualquer coisa, desde que o faça do jeito certo. A segunda é que não me chamo senhor; meu nome é Francis.

— Certo. Obrigado... hum... Francis — Peter falou, sentindo-se estranho com a repentina intimidade.

Ele desviou os olhos do bibliotecário e voltou a olhar o livro na mesa.

— Então, como algo tão antigo quanto a primeira edição de *Hamlet* pode ser uma descoberta recente? — questionou Peter.

— As pessoas encontram livros perdidos o tempo todo — contou Francis. — Os estudiosos nem sabiam que o quarto ruim existia até 1823. Pensávamos haver apenas dois exemplares até este aparecer em uma biblioteca teológica da Suíça. Ninguém o tirava da estante havia uns dois séculos, e, assim, ninguém sabia que estava lá. Nós o compramos com o próprio dinheiro da biblioteca no mês passado.

— Deve ser incrível descobrir um livro do qual ninguém nunca ouviu falar ou que todos achavam que estava perdido.

— É o sonho de todo bibliófilo — disse Francis, e Peter soube logo que era o seu sonho.

Não conseguia imaginar nada mais glorioso do que encontrar um tesouro literário perdido — o manuscrito de alguma peça desconhecida de Shakespeare ou talvez uma edição de *Hamlet* mais antiga do que aquela que acabara de segurar — e preservá-lo para o mundo. Mesmo a possibilidade remota de algo assim acontecer levou uma onda de adrenalina às veias de Peter.

— Então — Francis começou —, quando poderá se libertar da circulação e começar a trabalhar aqui?

— Quer dizer que consegui o emprego? — Peter perguntou.

Francis puxou um par de luvas de algodão brancas do bolso e colocou-as enquanto falava.

— Peter, ou você é um homem dos livros raros ou não é. Não posso mudar isso. Você sentiu o poder disto.

Ele pegou o quarto de *Hamlet*.

— A maioria dos alunos vê apenas um livro velho, mas você sentiu seu significado profundo. Não se escolhe esta carreira; ela o escolhe. Agora, eu posso ajudá-lo e posso ensiná-lo, mas saiba uma coisa: depois de hoje, você nunca mais olhará para os livros da mesma maneira. Nada do que eu faça ou não faça vai mudar isso.

Peter ficou em silêncio por um instante, olhando estante após estante, cheias de livros, e pensando no fato de que cada um daqueles livros poderia lhe dar o tipo de choque emocional que recebera de *Hamlet*. Ele se sentiu como um viciado que acabara de descobrir um suprimento infinito da droga perfeita. Francis colocou o *Hamlet* na prateleira de uma estante encimada pelo busto de Cleópatra.

— Todas as impressões elisabetanas ficam aqui na estante da Cleópatra — ele explicou. — Era a parte favorita da Senhorita Devereaux. Esse é seu *Primeiro Fólio*.

Ele indicou um volume alto e grosso deitado de lado na prateleira mais alta da estante.

— Acho que você vai gostar dele.

— Por que há bustos em todas as estantes? — perguntou Peter.

— Ah, você reparou nisso? — disse Francis, sorrindo. — Um tributo da Senhorita Devereaux ao colecionador que mais admirava. Veja, a Senhorita Devereaux também sonhava encontrar um tesouro desconhecido, e ela tinha grande respeito por aqueles colecionadores que guardaram um pedaço de cultura para as gerações futuras. Sabia, Peter, que foi por causa de um colecionador de livros que você pôde ler *Beowulf* na sua aula de inglês do primeiro ano? Um homem guardou o único manuscrito do primeiro grande poema inglês. E ele guardou muito mais do que isso. *Dom Galvão e o cavaleiro verde*, os *Evangelhos de Lindisfarne* e alguns dos maiores tesouros do mundo dos livros. Sua biblioteca em Londres foi dividida em 14 estantes, cada uma com o busto de um imperador romano ou imperatriz em cima. A Senhorita Devereaux me pediu para organizar esta sala da mesma forma.

— Quem era esse colecionador? — Peter quis saber.

— Ele foi um desses que, como você disse, devem ter conhecido Shakespeare. Seu nome era Robert Cotton.

Southwark, Londres, 1592

Bartholomew Harbottle caminhou pela Borough High Street, irrompeu pela porta do George and Dragon e sacudiu do seu gibão novo a poeira da rua. Do bar dos fundos, podia ouvir os sons familiares da diversão à base de álcool... E mal eram quatro da tarde. Deu passos pesados pelas tábuas do chão, abriu uma porta com violência e revelou-se para os amigos.

— Barty! — gritou Lyly. — Pensamos que estivesse em Winchester.

— E eu pensei que vocês estivessem sóbrios — disse Bartholomew, tomando um lugar à mesa e uma caneca de ale oferecida por Peele.

— Não há por que ficar sóbrio — disse Peele. — Não há trabalho.

— Mas é a alta temporada — comentou Bartholomew. — Pensei que os teatros ficariam lotados todo dia com tal clima.

— Ele não soube — falou Lyly. — Os teatros ficaram fechados nestes dois meses. Primeiro um tumulto e, depois, a peste.

— Não faço questão da peste — começou Bartholomew —, mas fico triste por ter perdido o tumulto. E quanto a você, Lyly? Ainda não é mestre de cerimônias da rainha?

— Edmond Tylney recusa-se a morrer. Farei o pedido à rainha de novo na primavera. Talvez 1593 seja meu ano de sorte.

— Bem, diga a ela que tumultos são bons para os negócios, sabe? — sugeriu Peele, com uma risada alta.

— Mas quem é este que eu vejo voltar do bar carregado como um cavalo de carga? — questionou Bartholomew. — Pode ser o rosto de Christopher Marlowe atrás de todas essas canecas?

— Ninguém mais — respondeu Marlowe, derrubando ale em Bartholomew enquanto colocava a rodada seguinte na mesa.

— Estou surpreso por encontrá-lo aqui, com a peste na cidade.

— Minha visita será breve, eu garanto — afirmou Marlowe.

— Se fosse eu — disse Peele —, seria apenas longa o suficiente para uma boa bebida e uma prostituta melhor.

— Não seria nada longa, então — falou Bartholomew —, pois a sua nunca dura muito.

A mesa caiu na risada, Bartholomew tomou um longo gole de ale e olhou ao redor para os rostos brilhantes daquelas mentes cultas, o tipo exato de homem que ele esperara ter como amigos quando entrou no negócio de livros, apenas três anos antes. E lá estava ele, bem recebido no seio dos melhores de Londres; educados e talentosos, eles formavam talvez a melhor coleção de escritores que já beberam juntos.

Lá estava Thomas Nashe, sentado quieto no canto. Bartholomew vendera centenas de cópias dos panfletos de Nashe em sua livraria na Paternoster Row. E lá estava George Peele, cuja peça *O juízo de Paris* fora apresentada à rainha. O jeito palhaço e selvagem de Peele datava dos seus dias em Oxford, e ele conseguia beber, jogar e arrumar prostitutas tanto quanto o próprio Bartholomew, e isso era significativo. O paciente John Lyly era tão bom escritor quanto qualquer um deles na opinião de Bartholomew, exceto, é claro, Kit Marlowe. Não havia páreo para Marlowe.

Que ele, Bartholomew Harbottle, que nascera e fora criado em uma vila sem qualquer alfabetização, pudesse estar sentado ali, aos 26 anos, bebendo e rindo com os maiores dramaturgos da época parecia incompreensível. Porém, Bartholomew sempre teve talento para melhorar sua sorte, primeiro ligando-se à casa de uma das boas famílias locais; depois, forçando o cavalheiro daquela casa a reconhecer seu intelecto e mandá-lo para Cambridge e, por fim, indo para Londres, onde seu sucesso no mundo dos livros levara-o a tão nobres círculos literários. Ele ganhara dinheiro de Marlowe trapaceando no jogo de cartas. Ele até ganhara prostitutas de Marlowe trapaceando no jogo de cartas. Ele, cuja família havia muito esquecida conseguia tirar sua mísera sobrevivência de uma mísera fazendinha, tinha alegremente brincado com meretrizes pagas pelo maior escritor inglês da história.

— Então todos os poetas estão sem trabalho? — perguntou Bartholomew. — Mesmo o filho do luveiro?

— Will Shakespeare? — disse Peele. — Não sem trabalho, exatamente. Quero dizer, ele não está escrevendo peças.

— O que ele está escrevendo? — questionou Bartholomew, sabendo que falar mal do novato de sucesso Shakespeare, que não viera de Oxford ou Cambridge, mas de uma escola de línguas de um lugar chamado Stratford, era um dos passatempos favoritos daqueles homens inteligentes.

Peele olhou ao redor da mesa, esperando até todos os olhares estarem nele para entregar sua frase de efeito.

— O filho do luveiro está escrevendo sonetos!

Uma onda de risadas varreu o local.

— Sonetos, podem imaginar? Veja quantos deles consegue vender, Barty.

— Mas você precisa nos contar sobre Winchester — disse Lyly. — Julgo, pela beleza do seu novo gibão, que sua viagem não ficou sem recompensas.

— Cavalheiros — começou Bartholomew, inclinando-se para trás na sua cadeira —, eu hoje fiz mais dinheiro como vendedor de livros do que em todos os últimos 12 meses. Fiz tanto dinheiro que não apenas vou pagar a próxima rodada de ale enquanto conto a história, mas, para quem quiser finalizar a sessão no andar de cima depois, comprarei uma rodada de entretenimento carnudo também.

Ele absorveu a alegria dos amigos, soprou a espuma de outra caneca de ale e começou sua narrativa.

Contou como conhecera Robert Cotton, um jovem colecionador de livros e manuscritos, em uma reunião da Sociedade Elisabetana de Antiquários. Nem uma semana depois, ele estivera bebendo com um cônego de Winchester quando o reverendo deixou escapar uma lenda local que fez Bartholomew empacotar seus pertences e ir para Hampshire.

— Levei quase dois meses para traçar meu plano, mas não se pode apressar esse tipo de coisa. Eu precisava, afinal, de um imbecil musculoso e de um sacristão senil, e os dois tinham de ter uma afeição pela bebida. O sacristão provou ser uma tarefa fácil. Tive apenas de beber durante algumas noites na taverna perto da catedral. O imbecil foi um desafio maior. Enfim, encontrei um empregado de fazenda que se encaixava com perfeição nos meus requisitos. Ele não confiou muito em mim no início, mas, após uma ou duas semanas em que eu paguei rodadas de ale para ele toda noite e algumas visitas a um bordel, ele estava pronto para me seguir para qualquer lugar. Escolhi uma terça-feira à noite quando tudo nas redondezas estava quieto.

Bartholomew deu três goles sôfregos de ale e continuou.

— Como sabem, minha família é de Wickham.

— Não é, de jeito nenhum — disse Peele.

— Sim, mas isso não é nem de longe um fato conhecido em Winchester. Quando bati na porta do meu velho sacristão, que eu deixara bem bêbado mais cedo naquela noite, eu era um pobre peregrino de Wickham que fora rezar pela saúde do pai na tumba do bispo mais famoso da nossa cidade.

— William de Wykeham — falou Lyly.

— Ninguém mais. Vejam bem, de acordo com o cônego que eu entretivera nesta exata estalagem, uma lenda pouco conhecida de Winchester diz que Wykeham foi enterrado com um livro antigo nos braços.

— O tipo de livro que atrairia o jovem Robert Cotton? — perguntou Nashe.

— Isso mesmo — respondeu Bartholomew, sorrindo. — O sacristão não parecia preocupado com o fato de, apesar do clima quente da noite de verão, tanto meu "irmão" quanto eu estarmos envoltos em capas pesadas. Ele nos deixou entrar no transepto sul e voltou cambaleando para seus aposentos.

— E sob as capas? — questionou Marlowe.

— Bem, eu havia rezado para o bispo William antes, sabe? Passei longas tardes na sua capela medindo seu túmulo, avaliando cada dimensão. Levei algum tempo para encontrar um bom carpinteiro que fosse confiável, mas acabei achando um que fez para mim algo que parecia o cavalete de uma grande mesa. Estava desmontado, para que o imbecil e eu pudéssemos montá-lo perto do túmulo do bispo. Depois, precisamos de toda a nossa força, além de umas barras de ferro, para tirar a efígie e a placa de mármore de cima do túmulo e deslizá-las para o suporte de madeira.

— E o que vocês encontraram? — perguntou Lyly.

— Poeira, o cheiro de alguns séculos de deterioração e o bom bispo. Era enervante a maneira como ele olhava para mim com aqueles buracos de olhos vazios, e juro que ouvi um gemido ecoar pela catedral quando olhei para ele pela primeira vez.

— O vento? — disse Peele.

— Foi o que eu disse a mim mesmo — contou Harbottle.

— E quanto ao livro? — quis saber Marlowe.

— Preso à sua mão direita, onde estivera por quase duzentos anos. Levei um minuto para forçá-lo e tirá-lo de lá, e temo ter quebrado alguns dos dedos episcopais no processo, mas, quando o libertei e soprei a poeira, bem... Era um saltério com iluminuras tão belo quanto se pode imaginar. Século 12, eu diria, talvez até antes. Depois de colocá-lo na bolsa, foi apenas questão de empurrar de volta a parte de cima do túmulo, sair da catedral e dar bebida o bastante para meu companheiro, para que ele não se lembrasse de nada pela manhã.

— E o que Robert Cotton achou da sua descoberta? — perguntou Peele.

— Ele tinha apenas duas coisas a dizer — disse Bartholomew. — Que ele não queria saber de onde viera e se 20 libras bastavam.

— Vinte libras! — gritou Peele, derramando ale em toda a mesa. — Por um livro?

— Vinte libras nos manteriam mergulhados em ale até a peste ir para muito longe — comentou Marlowe, batendo sua caneca vazia na mesa. — O que diz de nos comprar outra rodada e fazermos um brinde ao falecido bispo de Winchester?

Quando a rodada seguinte foi servida, Bartholomew, corando com o triunfo da sua história e com sua terceira caneca de ale, virou-se para o grande dramaturgo.

— Ouça, Marlowe — ele disse. — Você ainda não me disse o que o trouxe a Londres com a peste espalhada.

— Vim me despedir de nosso querido amigo Robert Greene — respondeu Marlowe.

— Greene? Por quê? Para onde ele vai?

— Uma ótima pergunta — afirmou Lyly. — Porque ele está hoje em seu leito de morte.

Bartholomew apoiou sua caneca e sentiu o sangue fugir do seu rosto. Entre todos eles, não houvera melhor beberrão, melhor cliente de prostitutas, ninguém tão inclinado a perder meia coroa em um jogo de cartas e rir da perda enquanto mijava no Tâmisa quanto o poeta Robert Greene. Bartholomew teve a incomum sorte de nunca ter perdido um amigo próximo, e, apesar de seu estilo de vida, era capaz de sentir afeição. Que Greene não fosse mais estar presente em uma noite amigável de libertinagem o atingiu com mais força do que ele teria esperado.

— Peste? — ele sussurrou.

— Vida desregrada— contou Marlowe. — Ele acredita que foi um jantar de arenque em conserva que o derrubou, mas acho que todos nós sabemos que foi necessário mais do que um jantar para empurrar Robert Greene para fora deste mundo.

— Onde ele está? — perguntou Bartholomew.

— Hospedado com um sapateiro em Dowgate — informou Marlowe. — Um tal Sr. Isam. A esposa cuida dele. Parece gostar dele, eu diria. Greene não tem um centavo para recompensá-la.

— Eu gostaria de vê-lo — afirmou Bartholomew.

— Você não é o único — disse Peele, rindo. — Emma Ball esteve aqui não faz uma hora procurando por ele.

— Amante dele? — perguntou Bartholomew.

— Mais do que isso, a julgar pelo pacotinho chorão nos seus braços — Peele respondeu.

— Eu mostro o caminho — ofereceu Marlowe, secando sua caneca e empurrando sua cadeira para trás.

Bartholomew não tinha vontade de revelar sua ternura de sentimento para seus companheiros bêbados e, assim, bateu a caneca na mesa com entusiasmo falso.

— Vá na frente — disse a Marlowe. — Porque, apesar de ele dizer que morre pobre, um vendedor de livros costuma encontrar lucro em um leito de morte.

Bartholomew separou-se de Marlowe em frente à casa estreita de Downgate onde Robert Greene estava morrendo. A Sra. Isam o deixou entrar.

— Ele está recebendo muitas visitas hoje — ela comentou. — Embora nenhuma possa pagar suas dívidas.

Ele estava prestes a bater na porta no final da escada quando ouviu uma voz aguda lá de dentro.

— Claro que ele é seu, seu inútil. Seria de esperar que, moribundo como está, você estivesse disposto a admitir. Ele não pode lhe fazer nenhum mal agora. Apenas quero que o pobre bastardo possa dizer que teve pai um dia.

Bartholomew apertou a orelha contra a porta, mas não pôde ouvir bem a resposta baixa de Greene àquele desabafo. Logo, a voz da mulher estourou de novo. Só podia ser Emma Ball.

— Que vergonha, então, que vergonha. Você só me deu duas coisas na sua vida toda: nosso filho e este inútil maço de papel.

Ele ouviu um barulho seco quando ela aparentemente lançou algo contra a parede.

— Bem, pode ficar com isso, mas não vai adiantar muito lá para onde você está indo. Vai queimar rápido lá. E eu vou escolher um cadáver mais decente para pai do meu filho.

Bartholomew ouviu passos nervosos irem em direção à porta e quase não teve tempo de se jogar contra a parede antes de ela ser aberta com violência e uma mulher de aparência selvagem, com roupas imundas, agarrada a um rolo de farrapos choroso, sair rápido do quarto e descer as escadas. Depois de esperar até ouvi-la passar pela porta da saída, Bartholomew entrou no quarto.

— Sua mãe, eu presumo — ele disse para o velho amigo.

— Barty! — exclamou Greene, explodindo em algo entre um ataque de tosse e uma gargalhada. — Que bom vê-lo.

O rosto geralmente vermelho de Robert Greene estava pálido e doentio. Era difícil acreditar que aquele era o mesmo homem que produzira grandes romances como *Mamillia* e *Pandosto* e escrevera aqueles maravilhosos panfletos sobre a vida no submundo de Londres. Aquele era o homem que vivera com vigor todas as aventuras devassas sobre as quais escrevera; mas, naquele momento, seu característico cabelo cheio de pontas não era nada além de um pequeno emaranhado, sua barba estava embaraçada e sem cuidados e ele usava uma camisola emprestada, tendo vendido, ele contou a Bartholomew, seu amado gibão verde-cocô-de-ganso para pagar algumas de suas muitas dívidas.

— Ainda escrevendo, pelo que vejo — falou Bartholomew, reparando na caneta e no papel na mesa rústica ao lado da cama de Greene.

— Minhas confissões de leito de morte — disse Greene. — Você vai gostar dessa parte, acredito eu. É sobre o filho do luveiro.

Greene alcançou os papéis ao lado da cama e leu em um estranho eco da sua voz antes robusta.

— Há uma gralha emergente, embelezado com nossas penas, que com seu coração de tigre *envolto em pele de dramaturgo* acha que é tão capaz de soltar um verso branco rebuscado quanto os melhores de vocês; e é, em sua própria presunção, o único sacode-cenas do país.

A voz de Greene novamente se dissolveu em tosse e risada.

— Será uma pena vê-lo partir — disse Bartholomew —, pois ninguém ri com mais vontade do seu humor do que você mesmo.

— Verdade, verdade — concordou Greene, caindo de volta contra o travesseiro. — Duvido que o Sr. Shakespeare ria disto.

— E quanto à sua outra visita? — perguntou Bartholomew.

— Marlowe?

— Aquela com a voz aguda e o pacotinho nos braços.

— Ah, cuidado com quem divide a cama, caro Barty, pois no deitar muitas vezes há o procriar.

— Bem falado, senhor — afirmou Bartholomew. — E aquele pacotinho que cheirava a merda e leite azedo... Aposto que é sua cria.

— É o que diz a vadia da mãe dele. Fortunatus, ela o chama, embora não haja motivo para isso. O infeliz mais desafortunado que já foi colocado neste mundo, e não vou reconhecê-lo quando estou saindo.

Greene explodiu em outro ataque de tosse, mais prolongado do que os outros. Pela primeira vez, Bartholomew sentiu de verdade que o amigo estava prestes a morrer. E, de novo, sentiu uma onda de emoção; não pela devassidão perdida, mas, surpreendentemente, pela alma perdida. Era claro que, depois da vida que ele tivera, Robert Greene não podia esperar uma recompensa no paraíso.

— Faça-me um favor, Barty — pediu Greene quando a tosse acalmou.

— Qualquer coisa, velho amigo — respondeu Bartholomew.

— Há um livro ali no chão.

Apontou para o outro lado da cama, e Bartholomew recuperou um pequeno volume no formato in-quarto.

— *Pandosto*. Um dos seus romances.

— De fato — disse Greene. — Em um momento de insensatez, dei-o para aquela irmã de bandido e ela o devolveu para mim em meu leito de morte. Venda-o, por favor, Barty. Não vale muito, mas venda e dê o dinheiro à Sra. Isam. Sem ela, eu morreria na rua, e a dívida com ela eu não poderia pagar neste mundo.

— Está feito — garantiu Bartholomew, enfiando o exemplar debaixo do braço.

— Agora, vá — falou Greene. — Há mulheres em Southwark que sentirão minha falta esta noite, e alguém tem de cuidar delas.

Ele riu de novo, e Bartholomew descobriu que não conseguia responder; assim, ele apenas fez uma grande reverência ao pé da cama e saiu do quarto, fechando a porta com delicadeza. Na escada escura, olhou para o livro que Greene lhe entregara. Ele lhe daria alguns xelins, talvez mais com a morte do autor. Enquanto saía para a luz do fim de tarde, de repente pensou que gostaria de ficar com o exemplar para si, como lembrança do amigo que logo morreria. Procurando em seu gibão, tirou meia coroa e jogou-a para a Sra. Isam, sentada em frente à casa depenando um frango.

— Pelas despesas do seu hóspede.

— Deus o abençoe, senhor — agradeceu a Sra. Isam. — Pelo menos é um começo.

Bartholomew devolveu o livro para debaixo do braço e saiu andando na direção da Catedral de São Paulo, o sol da tarde embaçado pelas lágrimas em seus olhos.

Kingham, sexta-feira, 17 de fevereiro de 1995

Peter limpou o sono dos olhos enquanto esperava o pão torrar e a chaleira ferver. Ele olhara os índices dos seus livros sobre ilustradores, mas nenhum o ajudou a identificar A.I. Naquele momento, olhava para a lista do Dr. Strayer presa ao quadro de avisos da cozinha. Suas instruções originais datilografadas estavam quase ininteligíveis por causa das anotações que Peter rabiscara nas margens ao longo dos últimos meses. Sob uma mancha circular de chá e outra de marmelada, ele ainda conseguia ler a lista:

1. Sofrer por Amanda; reconhecer seus sentimentos
2. Estabelecer hábitos regulares de alimentação e sono
3. Conhecer pessoas
4. Restabelecer sua carreira
5. Usar a carreira para se aproximar das pessoas, não para mantê-las afastadas
6. Desenvolver uma paixão além dos livros
7. Aprender algo novo
8. Entrar em contato com velhos amigos
9. Restabelecer o relacionamento com a família de Amanda
10. Não correr para longe, correr em direção a

Ao lado de "Desenvolver uma paixão", ele escrevera e, depois, riscara "poesia" e "pintura". Quase se esquecera de que procurara um conjunto de aquarela em Chipping Norton dois meses antes. Tinha desistido depois de tentar uma pintura. Ao lado de "Entrar em contato com velhos amigos" estava o telefone de Francis Leland, embora Peter não tivesse ligado para ele desde que chegara a Kingham. Ao lado de "Conhecer pessoas", ele rabiscara os horários da missa na igreja local, mas não tinha intenção de comparecer. Peter não fizera um bom trabalho com as suas tarefas.

Decidiu esquecer o retrato em aquarela. Naquele dia, iria trabalhar no item quatro. Iria restabelecer sua carreira. Afinal, comprara umas duas dúzias de livros em Hay-on-Wye para os quais tinha clientes nos Estados Unidos. Passou o resto da manhã organizando seus livros de referência. Com cuidado, desembalou suas compras em Hay e colocou-as em uma prateleira própria. O *Edwin Drood* dentro do qual contrabandeara a aquarela precisava de reparos, e, assim, ele ia consertá-lo. Hank fora um bom professor e, embora Peter não fosse um especialista em conservação, com certeza poderia fazer um trabalho como aquele. Arrastou-se pela escuridão do armário embaixo da escada e começou a tirar caixas que guardavam suas ferramentas e materiais. Quando já estava com tudo na luz, percebeu que também pegara seu conjunto de aquarela abandonado.

Estava prestes a guardá-lo de novo quando, de repente, lembrou-se de algo que a vendedora dissera quando ele o comprara: "Tem outro artista que mora na região. Compra aqui o tempo todo. É um especialista. Até vende aquarelas velhas no centro de antiguidades." Sem parar para tirar as caixas do caminho, Peter correu escada acima, pegou o retrato em aquarela e as chaves do carro e saiu correndo.

Chipping Norton, ou "Chippy", para os moradores locais, era a cidade de mercado mais próxima a Kingham e o local onde Peter comprava tudo o que não conseguisse na loja da vila. Não era tomada de turistas e, assim, era muito mais agradável do que muitas das cidades mais famosas de Cotswold. A praça do mercado, em um morro íngreme, era contornada dos dois lados por antigos prédios de pedra. Além das lojas comuns da rua principal, havia um pequeno teatro, a que Peter nunca fora, vários restaurantes bonitos, nos quais Peter nunca comera, e um centro de antiguidades.

O sino na porta que balançou quando Peter entrou não chamou nenhuma atenção, e, assim, ele avançou por um labirinto de móveis, porcelanas, abajures, vasos e mais, à procura de aquarelas. Ao passar por uma pilha de livros velhos, disse a si mesmo que voltaria outro dia para olhar com mais atenção. No segundo andar, encontrou o que procurava: cerca de duas dúzias de peças belamente enquadradas e com *passe-partout*, a maioria vitoriana, mas algumas do século 18. Ele não tinha o olhar de um especialista, mas suspeitava de que apenas uma ou duas delas estivessem no mesmo nível que a de Amanda. Do canto de cada uma pendia uma etiqueta de preço atrás da qual estava carimbado: Sr. Wells, Chalé Rosa, Churchill.

Peter tinha dirigido pela vila de Churchill todas as vezes em que fora a Chippy, mas nunca parara ou prestara atenção aos chalés. Ainda assim, levou apenas cinco minutos para achar o Chalé Rosa, um pouco recuado em relação à estrada de Kingham.

Enquanto ficou parado à entrada naquele intervalo incerto entre bater na porta e ouvir o movimento no interior, ocorreu a Peter que, ao ver o Sr. Wells, estava seguindo a terceira orientação do Dr. Strayer: conhecer pessoas. Logo que pensou nisso, o familiar aperto no estômago, as mãos frias e suadas e a tontura que sempre acompanhavam o encontro forçado com estranhos o atingiram. Com uma mão apoiada contra o contorno de pedras da porta do

Chalé Rosa, ele se esforçou ao máximo para afastar as sensações e se concentrar no quadrado de papel que estava no bolso do casaco. Talvez, se ele pudesse tornar a investigação da aquarela sua nova paixão, riscasse dois itens da lista de uma vez.

A porta foi aberta e revelou um homem alto com o cabelo branco penteado para trás que parecia não se barbear havia uma semana. Usava uma malha marrom manchada de tinta e comida por traças e tinha uma expressão irritada.

— Vendendo alguma coisa? — perguntou.

— Não — respondeu Peter.

— Veio falar de Deus, então, não veio?

— Não. Eu queria falar com você sobre uma aquarela.

O homem examinou Peter como se fosse um móvel que estivesse pensando em comprar. Por fim, virou e, com uma pequena suavizada em sua expressão, disse:

— Certo, acabei de colocar a chaleira no fogo. Venha tomar uma xícara, então.

Peter seguiu o homem por uma sala de estar escura e bagunçada até um grande e ensolarado jardim de inverno. Uma bela mansão jacobina fora construída no lugar onde, então, algumas árvores se erguiam.

— Casa Evenlode — disse o anfitrião de Peter. — Não dá mais para ver, as árvores cresceram muito, mas ainda está lá, pelo menos partes dela.

— Eu não fazia ideia de que havia uma mansão tão bonita perto de Kingham — disse Peter.

— Você é de Kingham, então?

— Não — Peter respondeu. — Quero dizer, sou dos Estados Unidos. Moro em Kingham. Meu nome é Peter Byerly.

— Martin — disse o artista, sem oferecer o sobrenome nem a mão e desaparecendo para o que Peter presumiu ser a cozinha. — Você não vai achar a Casa Evenlode tão bonita... — soou a voz de

Martin do aposento ao lado — Se a achar, de qualquer forma. A família não tem dinheiro já há algumas gerações. Não tenho nem certeza se moram na casa principal ainda. Mesmo assim, eles não são orgulhosos demais para afastarem os buscadores de curiosidades com uma boa carga de balas.

Martin voltou com uma bandeja na qual havia um bule de chá, duas xícaras e dois biscoitos digestivos. Colocou a bandeja na mesa, entregou uma xícara de chá a Peter e pegou os dois biscoitos para si.

— E então, Sr. Byerly... É em uma aquarela nova ou antiga que está interessado?

— Antiga — Peter contou. — Mas não estou procurando comprar. Pensei que você poderia me ajudar com isto.

Tirou o retrato do bolso e o colocou na mesa.

— Estou tentando descobrir quem é o artista.

Martin franziu as sobrancelhas, apoiou a metade de biscoito que ainda não comera e pegou a aquarela. Ficou olhando a pintura por quase um minuto, examinando com cuidado os dois lados.

— Vitoriana — disse. — O papel parece dos anos 1870 ou 1880. Vejo muito dele em blocos de desenho. Bom trabalho. Boas linhas. Não é fácil fazer detalhes assim em aquarela. Alguém que sabia mesmo manusear um pincel. Um ótimo artista, eu diria.

Ele parou e apertou os olhos para a pintura.

— A.I. Nunca ouvi falar dele. Em que dia estamos?

— Hum... sexta-feira — Peter respondeu, desnorteado pelo comentário desconexo.

— Terceira sexta-feira do mês?

— Acredito que sim.

— O que você deve fazer é ir a Londres, então.

— Desculpe? — disse Peter.

— A Sociedade Histórica de Aquarelas se reúne na terceira sexta-feira de cada mês. Às 18h30 no Salão Haldane, da University College. Talvez alguém lá possa ajudá-lo.

— Obrigado — Peter falou. — Agradeço pelo conselho. E, se encontrar outras pinturas de A.I., eu ficaria muito agradecido se me ligasse.

Ele puxou um cartão de visitas apenas com os dizeres "Peter Byerly, Vendedor de livros antigos, Kingham, Oxfordshire" e também o número de telefone. Martin Wells não mostrou nenhuma inclinação de pegar o cartão da mão estendida de Peter, e, assim, Peter colocou-o na mesa e saiu sozinho. Vinte minutos depois, estava passando da plataforma da estação de Kingham para o trem das 13h21 em direção à estação de Paddington, em Londres.

Quando ele e Amanda alugaram um flat em Chippy na primavera anterior, durante as reformas do chalé, tinham andado naquele trem muitas vezes; passando os fins de semana em Londres para visitar museus e ir ao teatro. Na sua última viagem à cidade, tinham dado um longo passeio pela margem sul do Tâmisa. Peter levara Amanda à catedral Southwark, onde encontraram o túmulo do irmão de Shakespeare, Edmund. Eles cruzaram o rio em Westminster e terminaram a tarde na Tate Gallery, paixão de Amanda. Peter não visitara Londres desde então.

Quanta coisa mudara em menos de um ano. Antes, Peter e Amanda sempre se sentavam um de frente para o outro no trem e, assim, podiam se provocar com os pés sob a mesa. Como sempre, Amanda se sentava superereta, com um livro apoiado na mesa à sua frente. Ela gostava de viajar virada para a frente do trem, e, assim, Peter ficava virado para trás, olhando por passagens pela quais o trem já passara. Naquele momento, ele estava sentado sozinho no final do vagão em um assento voltado para a frente, encarando sem emoção o que estava diante dele.

Embora Martin Wells tivesse sido um pouco rude e levemente desagradável, fora inofensivo. Era sempre a expectativa que colocava Peter em encrenca; seu medo patológico do desconhecido. O Dr. Strayer tinha milhares de explicações para as fobias de Peter, mas apenas Amanda fora capaz de deixar Peter à vontade entre estranhos. Com ela ao seu lado, ele havia sido capaz não apenas de cruzar oceanos, mas de frequentar coquetéis e bater papo. Amanda fazia tudo parecer fácil. Ela podia senti-lo ficando tenso do outro lado do salão e aparecia ao seu lado, colocava a mão no braço dele e eliminava a tensão do marido.

Peter chegou à estação Paddington às 15 horas e percebeu duas coisas: tinha mais de três horas antes da reunião da Sociedade Histórica de Aquarelas e a reunião provavelmente seria parecida com um coquetel. Sem pensar muito no assunto, deixou seus pés o levarem até a estação de metrô, um hábito que desenvolvera quando ele e Amanda se separavam pela tarde antes de se encontrarem na Fortnum's para tomar chá. Amanda seguia para o Victoria and Albert Museum ou para a National Gallery ou a Tate. Peter sempre ia a Bloomsbury.

Ele emergiu da linha Piccadilly na Praça Russel e, dez minutos depois, estava subindo os degraus do Museu Britânico. Um milhão de coisas a ver em Londres e Peter sempre ia não apenas ao mesmo museu, mas para o mesmo conjunto de galerias: as exposições da Biblioteca Britânica, à direita da entrada principal. Conhecia cada estante de cor. Quando *Alice no país das maravilhas* saiu da prateleira de livros infantis para a de Literatura Inglesa, Peter percebeu.

Alice estava aberto na cena em que ela cresce e fica tão grande que mal cabe no corredor. Na página ao lado da impressão meticulosa de Lewis Carrol havia uma ilustração de página inteira de Alice curvada em um espaço muito pequeno para seu corpo. O desenho fez Peter estremecer, não por causa de seus surtos de claustrofobia, mas porque, ao olhar para ela, Amanda sussurrou:

— Está vendo o cabelo pré-rafaelita? Carroll era amigo de Rossetti.

Amanda era assim, ficava quieta por algum tempo, deixava Peter em paz e, depois, sem aviso, estava ao lado dele com um comentário.

Peter parou apenas um pouco para admirar *Alice*. Ele sempre fazia isso — olhava rapidamente algum artefato amado, como a partitura manuscrita de *O Messias*, de Handel, ou a Bíblia de Gutenberg — como aperitivo para o prato principal, o verdadeiro motivo de ter ido ao museu. O prato daquela vez era a coleção preservada para a posteridade de Robert Cotton. Embora apenas alguns dos tesouros de Cotton ficassem em exposição permanente, por causa deles Peter sempre voltava. Ficara intrigado com Cotton desde o momento em que Francis Leland mencionara pela primeira vez o grande colecionador. Ele aprendera o inglês antigo para poder ler um fac-símile de *Beowulf* que Cotton recuperara. Naquele dia, Peter estava em pé diante do original, homenageando seu ídolo em silêncio. Apesar de as páginas estarem chamuscadas nos cantos por causa de um incêndio em 1731, conseguia ler a letra marrom caprichada com facilidade. Não era uma tradução nem um fac-símile, mas *o Beowulf*, o manuscrito que modificou para sempre a literatura inglesa.

De alguma forma, a comunhão com Cotton sempre fazia Peter se sentir melhor. As conquistas de Cotton faziam Peter acreditar que tudo era possível, não apenas na coleção de livros, mas na vida. Amanda entendera isso. Ela esperava por ele na rua em frente à Fortnum's e, quando ele chegava com passo confiante pela calçada, ela dizia "Estava visitando o Robert, pelo que eu vejo".

Peter pensou que seria bom conseguir um pouco dessa confiança induzida por Cotton quando estava sentado em uma lanchonete na Great Russel Street às 18h10, sabendo que chegaria atrasado à reunião, mas sem pressa para terminar o sanduíche tostado de presunto e queijo. Eram quase 18h30 quando ele enfim se aventurou a sair para a noite e começou a caminhada curta até a University College.

A reunião da Sociedade Histórica de Aquarelas já estava em andamento quando Peter deslizou para dentro do Salão Haldane. O salão estava desagradavelmente quente e tão escuro quanto as ruas secundárias de Londres pelas quais acabara de andar. Na parte da frente, uma voz monótona soava enquanto uma série de slides era projetada em uma parede vazia. Em várias fileiras de cadeira, que poderiam já ter mobiliado um elegante salão de jantar, mas eram então o que Amanda chamaria de "inadequadas para uma venda de garagem", sentavam-se talvez 30 pessoas. Algumas faziam anotações, algumas assistiam imóveis, algumas se contorciam, pelo menos duas pareciam dormir. Ao longo das paredes havia sofás e poltronas de estofado grosso, mas eles atraíram apenas dois membros ociosos.

Em um sofá do outro lado do salão em relação a onde Peter estava, sentado e inseguro em uma poltrona, descansava uma mulher que pareceu a Peter o oposto exato de Amanda. Ao passo que Amanda estaria sentada ereta na fileira da frente com um caderno apoiado nos joelhos, a mão direita correndo pela página e registrando quase todas as palavras que o palestrante pronunciasse, aquela mulher relaxava em um canto do sofá, as pernas sobre uma otomana. Uma mistura de livros e papéis estava espalhada ao lado dela, junto a um cachecol de lã e a uma malha amarrotada. Como o sofá no qual ela se reclinava, seu corpo se curvava de maneira não convidativa. Seu cabelo castanho-claro tinha faixas de loiro e estava bagunçado o suficiente para Peter supor que ela não o tinha penteado desde que estivera parada em uma plataforma do metrô, na qual os trens que chegavam varriam o vento pelo túnel e pelas massas que aguardavam. O que ele podia ver do rosto dela na escuridão parecia agradável: era mais redondo e suave que o de Amanda, mas não menos atraente. Ela olhava para a parede em um local um pouco acima da cabeça de Peter, e a luz do projetor às vezes brilhava em seus brincos elaborados. Amanda usava apenas os simples botões de diamante que ganhara do pai no seu aniversário de 16 anos. A mulher não parecia reparar em Peter e, ainda que não olhasse nem para o palestrante nem para os slides, ele sentia que ela estava prestando mais atenção à apresentação do que qualquer outra pessoa do lugar. Nesse único detalhe ela se parecia com Amanda.

De alguma forma, a ideia de conhecer somente uma pessoa, em especial alguém tão diferente de Amanda, era menos intimidadora do que a ideia de fazer o papel do convidado americano em um salão cheio de excêntricos entusiastas britânicos das aquarelas, e, assim, quando a palestra acabou e o orador começou a ouvir as perguntas, Peter seguiu a mulher, que reunira seus pertences assim que o projetor de slides fora desligado, até o espaçoso saguão do lado de fora do Salão Haldane. Ela havia vestido a malha e estava enrolando o cachecol em volta do pescoço quando ele a alcançou. Sua bolsa, transbordando de papéis, estava no chão ao lado de uma mesa dobrável cheia de chá, café e biscoitos.

— Com licença — disse Peter.

— Você também? — falou a mulher, sem olhar para ele, mas ainda arrumando o cachecol. — Eu sempre fico com claustrofobia ali, em especial quando há uma palestra com slides, e na Sociedade de Aquarelas sempre se usam palestras com slides. O que achou do Richard?

— Desculpe?

— O professor Richard Campbell... Nosso palestrante desta noite.

— Para ser sincero, eu não estava ouvindo de verdade. Não sei muito sobre aquarelas.

— Ele sabe do que fala, mas tem a personalidade de uma batata assada — ela comentou.

Peter imaginou uma batata assada em pé com um chapéu-coco dando uma palestra para um grupo de alunos sonolentos. Parecia uma pintura de Magritte; Amanda detestava Magritte. Ela dizia que a pintura morrera com a Exposição Internacional de Arte Moderna de 1913.

— Meu nome é Peter Byerly — ele disse, estendendo a mão.

A mulher o cumprimentou com firmeza.

— Byerly — ela disse devagar, deixando a palavra rolar pela sua boca como se degustasse um vinho fino. — Teve uma Amanda Byerly que escreveu um artigo para o nosso jornal uma vez. Mulher americana. Uma estudiosa da pesada.

Amanda tinha mania de fazer isso, aparecer inesperadamente e surpreendê-lo com uma conquista antes desconhecida. Ele se lembrou de repente de uma noite em Londres dois anos antes, quando ela dissera que estava "indo a uma reunião com amantes da arte". Peter ficara em um quarto de hotel e assistira a um filme americano ruim. Talvez Amanda tivesse ido ao Salão Haldane. Ele nunca perguntara.

— Minha esposa — Peter murmurou e, depois, quase por reflexo, quando reparou nos dedos nus da mão esquerda da mulher, ele acrescentou: — Minha esposa falecida.

— Bem, Peter Byerly, viúvo americano misterioso que vem a uma reunião da Sociedade Histórica de Aquarelas apesar de não saber nada sobre aquarelas ou aparentemente não se importar, o que acha de ir comer alguma coisa?

Peter ficou admirado com a natureza casual, quase leviana, do convite, mas ficou intrigado com alguma outra coisa. Quando dissera "minha esposa falecida", ela não dissera "sinto muito". As pessoas sempre dizem "sinto muito", e Peter descobrira que a compaixão o estava incomodando naqueles dias. Ela conseguia se infiltrar nas conversas e definir limites fixos para os relacionamentos. Embora seus únicos relacionamentos de então fossem com o carteiro e o jardineiro, ainda assim ele estava cansado de ser tratado como uma escultura de vidro delicada.

— Ouça — disse a mulher —, em um minuto todos eles vão sair em bando por aquela porta e passarão cerca de dez minutos garantindo que comam cada biscoito e bebam cada gota de chá e, depois, partirão para o Spaghetti House, onde passarão mais tempo discutindo quem deve dar 50 *pence* a mais porque comeu um palito de pão da segunda cesta do que jantando de verdade. Por isso, gosto de sair cedo, mas isso significa que eu quase sempre como sozinha. Você é um homem misterioso e não se parece muito com um *serial killer*, então, pergunto de novo: Que tal irmos jantar? Tem um restaurante indiano não muito longe daqui.

Peter estava dividido. Se aquele tal Richard "sabia do que estava falando", como ela dissera, talvez Peter devesse esperar e pará-lo enquanto os outros tomavam chá e comiam biscoitos. Por outro lado, se aquela mulher lia o jornal da sociedade com cuidado o bastante para se lembrar de Amanda, talvez pudesse ajudá-lo, ou pelo menos mandá-lo na direção certa.

— Existem restaurantes indianos na América?

Ela parecia não reparar na hesitação dele.

— Eles fazem um vindalho excelente. Os americanos gostam de comida apimentada, certo? Se não, você pode pedi-lo mais suave.

"Por que não?", pensou Peter. Por que diabos não? Lá estava ele, conversando com, ou pelo menos ouvindo, aquela mulher perfeitamente simpática e, por algum motivo, suas palmas não estavam suando e seu estômago estava calmo. Na verdade, ele estava com fome. Comera muitíssimo pouco nos dois dias anteriores. Além disso, comer alimentos apimentados enquanto tenta conversar com uma pessoa parecia uma perspectiva muito melhor do que ficar perdido em uma multidão de trinta indivíduos discutindo por palitos de pães.

— Parece ótimo — Peter falou.

— Fantástico — ela disse. — Eu me chamo Liz, a propósito. Liz Sutcliffe. E, não, não sou parente.

— Parente de quem? — perguntou Peter.

— Stu Sutcliffe — respondeu Liz, acrescentando quando Peter apenas a encarou sem emoção: — O quinto Beatle.

— Pensei que fossem apenas quatro — Peter comentou, abrindo a porta e deixando Liz sair para a noite fria.

— Um americano que não sabe nada de aquarelas nem dos Beatles — disse Liz, rindo. — Sobre *o quê* vamos conversar?

Peter pensou, enquanto a seguia para a rua deserta, o casaco apertado contra o frio, que ele não reagira de nenhuma forma incomum quando sentira a carne macia da mão dela. Ele não conseguia se lembrar de ter tocado em uma mulher nos meses desde que deixara a Carolina do Norte, mas apertar a mão de Liz Sutcliffe não foi algo tão importante. Era apenas uma mão bonita, ele analisava naquele momento, reconfortante. Porém, quando a apertara, ele só tinha pensado "Como vai?".

No restaurante, Peter decidiu que gostava de Liz. Não estava atraído por ela, mas sentia-se confortável na sua companhia. Perguntou-se se poderia estar aprendendo a fazer uma amiga. O Dr. Strayer ficaria animadíssimo. O que ele mais gostava era de que ela fora direto ao ponto logo que se sentaram. Assim, Peter não precisou puxar um bate-papo vazio.

— Então — ela disse —, você não dá a mínima para aquarelas; não prestou atenção ao palestrante. Por que veio esta noite?

Peter colocou a mão dentro do casaco e tirou a aquarela, que guardara em um envelope de papel alcalino. Tirando-a com cuidado, ele a colocou na mesa em frente a Liz.

— Bela moça — Liz comentou, sem tocar na pintura, nem ao menos se inclinar sobre ela. — Trabalho maravilhoso. Ela parece familiar.

— De fato — disse Peter.

Liz pegou a aquarela e examinou-a com mais atenção.

— Jesus, eu a conheci, não? Eu conheci sua esposa. Foi há dois... não, três anos. Ela foi a uma reunião e sentou-se na primeira fileira e fez anotações o tempo todo, e fez umas seis perguntas depois... perguntas excelentes. Ela não se parecia nem um pouco com você, não é?

— Em nada — Peter concordou.

— Esta é ela, certo? Esta é sua esposa.

— Sim — Peter respondeu —, mas é uma aquarela de cem anos de idade.

— Ela envelheceu bem — Liz falou, impassível, enquanto apoiava a pintura na mesa.

Peter sentiu como se ela tivesse dado um tapa na cara dele e, depois, sem conseguir se controlar, começou a rir. Ele riu bastante e com tanta vontade que atraiu a atenção de vários clientes de mesas próximas. Ele não ria com tamanha liberdade desde... Bem, desde a última vez em que Amanda dissera algo engraçado.

Quando enfim recuperou o fôlego, Liz, parecendo um pouco envergonhada, disse:

— Desculpe. Sou um pouco insensível às vezes.

— Foi engraçado — Peter afirmou. — Obrigado por isso.

— Então você foi à reunião porque quer que um especialista diga como sua falecida esposa acabou parando em uma pintura de cem anos de idade?

— Algo assim.

— Por que isso é importante?

Peter pensou na pergunta por um instante. Era um questionamento que ele tivera o cuidado de não fazer a si mesmo até então — era mais fácil ser levado pelo mistério —, mas sabia que Liz fora bem ao coração da questão.

— Acho que é porque venho tentando me despedir há tanto tempo — ele respondeu, escolhendo bem as palavras — que preciso que esta não seja ela. Preciso descobrir quem é para que não seja mais ela. E aí talvez ela realmente se vá.

Liz pegou a aquarela de novo e olhou para ela em silêncio. Peter tomou um grande gole da sua cerveja. Nunca tomara cerveja indiana antes. Estava gelada e tinha o gosto de casa.

— Isto é uma assinatura? — perguntou Liz.

— Sim — disse Peter. — A.I.

— Desculpe?

— A.I. Não é uma pista muito boa, sabe?

— Puta que pariu — disse Liz, de repente com o rosto corado.

A cabeça dela desapareceu para debaixo da mesa e, quando voltou, estava segurando uma grande bolsa de tecido, um braço enterrado dentro dela. Liz tirou um par de óculos de leitura e colocou-os desajeitadamente. Peter observou o rosto dela ficar pálido.

— O que foi? — ele quis saber, com um medo estranho da resposta que ela podia dar.

— Você é mesmo o Peter Byerly? — ela perguntou, encostando-se na cadeira e cruzando os braços em frente ao corpo. — E sua esposa morreu mesmo? — A voz dela tinha um toque sutil de acusação.

—Sim — Peter respondeu, com frieza. — Posso mostrar meu passaporte se quiser; deixei a certidão de óbito em casa, que bobagem a minha.

— E realmente não sabe merda nenhuma sobre aquarelas, pintores vitorianos e A.I.?

— Não vou dizer que não sei “merda nenhuma”, como você falou com tanta delicadeza — afirmou Peter. — Amanda era apaixonada por arte vitoriana, e um pouco do conhecimento dela caiu em mim. Mas com certeza não faço ideia de quem é A.I.

— Bem, foi bom pra burro você não tirar essa pintura do bolso na reunião.

— Por quê?

— Sr. Byerly, posso confiar em você?

— Você pode me chamar de Peter.

Ele cruzou os braços sobre a mesa e inclinou-se na direção dela.

— E, sim, pode confiar em mim.

Ridgefield, 1984

Peter ficou do lado de dentro da lanchonete do Centro de Alunos de Ridgefield, à espreita na sombra da máquina de Coca-Cola. Em uma mesa contra a parede mais distante, ele viu a figura familiar da garota que agora sabia ser Amanda. Ela estava de costas para ele e, como sempre, sentava-se bem ereta, mas, em vez de ter um livro apoiado na mesa à sua frente, apenas encarava suas mãos entrelaçadas com cuidado.

As palmas de Peter estavam suando. Ele observava Amanda enquanto o relógio da parede passava das 22h35. Ele seguiu o giro do segundo ponteiro de mais um minuto lento e agonizante. Seu estômago dava pulos, e seu corpo parecia cair para um dos lados. Encostou-se na parede e arriscou outra espiada em Amanda. Duas garotas entraram, rindo, e Peter rapidamente desviou a atenção para a máquina de Coca-Cola.

— Vai comprar alguma coisa? — perguntou uma das garotas.

— Hum... N-não — balbuciou Peter.

Ele se virou, deu um passo na direção de Amanda e, depois, rodou feito um pião e mergulhou porta afora para o ar fresco da noite. Gastou um tempo no pátio até o ritmo da sua pulsação diminuir um pouco. Quando entrou de novo na lanchonete, o relógio marcava 22h40. Amanda não se mexera. É como tirar um Band-Aid, ele pensou. Apenas tenho de fazer. Sem pensar mais, ele deu uma dúzia de passos rápidos e parou ao lado da mesa de Amanda.

Ela se virou para olhá-lo, e, pela primeira vez, ele viu os olhos dela: profundos e verdes e salpicados de dourado, cheios tanto de confiança quanto de medo. Por um momento, ele não conseguiu fazer nada além de devolver o olhar. Ela enfim quebrou o silêncio, estendendo uma mão na direção dele e dizendo "meu nome é Amanda".

Peter sabia que devia apertar a mão dela, mas suas palmas estavam suando de novo, e, além disso, ele sentia que podia cair a qualquer minuto e precisava se equilibrar. Olhando para baixo, ele plantou os pés separados com firmeza, tomou um grande fôlego, limpou a mão no jeans e estendeu-a para Amanda. Sua visão estava começando a ficar embaçada quando sentiu os dedos frios e delicados dela escorregarem em volta dos seus e os apertarem com delicadeza.

— Não se preocupe — ela disse suavemente. — Estou nervosa também.

Peter tentou responder, mas descobriu que não conseguia falar. Era como se todos os átomos do seu ser estivessem focados naquele lugar onde a pele dela estava em contato com a dele. Todo o resto desapareceu, inclusive seu estômago agitado, sua cabeça girando e seus pés instáveis.

— Por que não se senta? — ela falou.

Amanda deslizou a mão para fora do aperto, e Peter voltou à realidade.

Conseguiu balbuciar "OK" e escorregou para o outro lado da mesa. Ficou sentado por um minuto eterno olhando as mãos dela sobre a mesa.

— Estou um pouco nervoso — ele conseguiu falar enfim, xingando-se mentalmente por começar a conversa com algo que ela já sabia.

— É engraçado — disse Amanda. — Eu não esperava estar.

— Eu me chamo Peter, a propósito. Peter Byerly.

— Oi, Peter — ela respondeu.

Ele levantou o olhar, viu que ela estava sorrindo e, de repente, sentiu como se um grande fardo fosse tirado do seu corpo. O sorriso de Amanda simplesmente dissolveu sua ansiedade.

— Você não é aluno do primeiro ano — comentou Amanda. — Eu me lembraria de você do dia da orientação.

— Segundo ano — Peter explicou. — Desculpe-me pelo atraso.

— Eu estava um pouco preocupada — afirmou Amanda. — Você não me observou hoje. Sabe, na biblioteca.

— Tive uma entrevista. Consegui um novo emprego.

Amanda permaneceu imóvel, sorrindo para ele. Ele olhou nos olhos dela de novo e se sentiu relaxar ainda mais. Inclinou-se para trás contra o banco e, por fim, desviou os olhos para baixo, tremendo com a intimidade do olhar dela. Amanda mordeu o lábio com muita suavidade e olhou as mãos dele, entrelaçadas como as dela sobre a mesa.

— Conte-me sobre seu novo emprego, Peter Byerly — ela pediu.

E, assim, Peter contou tudo sobre sua tarde na sala dos livros raros. Contou como Francis tirava volume atrás de volume da estante, mostrando a ele apenas algumas joias da sua coleção. Ele fez o melhor que pôde para explicar como se sentira ao segurar o *Primeiro Fólio* de Shakespeare, ou os trechos originais publicados mensalmente de *David Copperfield*. Confessou seu sonho de encontrar e preservar um importante artefato literário, de permitir que estudiosos e alunos conhecessem algo maravilhoso que não teriam conhecido sem ele. Acima de tudo, tentou transmitir para ela a reação emocional inesperada ao quarto ruim de *Hamlet*.

— Foi como quando a vi pela primeira vez — ele disse. — Não apenas a descoberta de algo belo e precioso, mas a abertura de um mundo completamente novo.

— Foi assim quando me viu pela primeira vez? — perguntou Amanda, com um largo sorriso.

— Bem — começou Peter —, sim. Não consigo explicar. Eu apenas soube na mesma hora que havia algo especial em você. Para ser sincero, nunca me interessei de verdade por uma garota antes.

— Fico feliz por estar abandonando esse hábito — comentou Amanda.

— Eu também — Peter concordou.

— Agora — disse Amanda, quando seus pratos já haviam sido retirados havia bastante tempo e os copos estavam vazios —, conte-me alguma coisa que não tenha nada a ver com livros. Fale dos seus irmãos e irmãs.

— Não tenho — Peter falou.

— Certo, então sobre seus melhores amigos.

— Não tenho nenhum desses também.

— Então você é solitário ou apenas um ermitão?

Peter nunca pensara nisso antes, mas, sem ponderar nada, respondeu:

— Um pouco dos dois, eu acho.

Amanda estendeu o braço pela mesa e pegou a mão dele na sua. A pele macia dela envolvendo a sua causou uma sensação tão elétrica quanto antes.

— Por que é tão sozinho, Peter? — ela perguntou.

Pela primeira vez desde que se sentara, Peter sentiu-se desconfortável. Ela encontrara a pergunta que ele não queria responder, não queria nem fazer a si mesmo, e podia ver no rosto dela que ela devia estar sentindo seu desconforto.

— Não precisa me dizer — ela falou, apertando a mão dele, mas sem soltar.

— Não tenho certeza — respondeu Peter. — Se outra pessoa tivesse me perguntado, eu apenas diria que passei a infância me escondendo dos meus pais bêbados, mas essa não é a resposta completa. A verdade é que é culpa minha tanto quanto deles. Sempre tive medo de conhecer pessoas. Medo ou talvez preguiça.

— Preguiça?

— É, como se eu não quisesse me esforçar para conhecer alguém, se podia ficar sentado no porão ouvindo discos e colecionando selos. Era fácil.

— Você está fazendo um esforço comigo — Amanda disse.

— Talvez eu estivesse esperando por você — comentou Peter. — Economizando aquela energia social para este momento.

— Está tentando ser romântico no primeiro encontro? — disse Amanda, sorrindo.

— Eu... Eu não tive a intenção — Peter gaguejou. — Digo... Eu apenas quis falar que...

— Tudo bem, Peter — ela disse. — Eu não me importo.

— Ah — soltou Peter, e eles ficaram sentados em silêncio por um instante, os dois olhando para as próprias mãos ainda entrelaçadas sobre a mesa de fórmica.

— Sabe — começou Peter —, descobri duas coisas na Biblioteca de Ridgefield que me fascinam: livros raros e você.

— Fico feliz por fasciná-lo, Peter Byerly — ela falou. — Nem me importo de ser a segunda da sua lista.

Peter adorou a forma como ela o provocava suavemente. Nem sentiu a necessidade, no momento, de dizer a ela que abandonaria seu sonho, abandonaria os livros raros, abandonaria até a segurança da biblioteca se isso significasse que poderia ficar com ela.

— Tenho a sensação de que este é um dia importante — ele afirmou.

— O mais importante — disse Amanda, e, inclinando-se para a frente, ela lhe deu um beijo leve nos lábios.

Por um instante, Peter achou que poderia desmaiar de pura alegria.

Na metade do semestre de primavera, Peter estava passando bastante do seu tempo com as duas Amandas. Nas Coleções Especiais, estudava e trabalhava sob o olhar duro do retrato de Amanda Devereaux. Quanto à Amanda viva, ela era tudo menos dura. Carinhoso e receptivo era como Peter classificaria o sorriso que o cumprimentava toda noite na lanchonete.

Francis Leland não era apenas o chefe do departamento de Coleções Especiais, também era membro do corpo docente e conseguiu que Peter criasse sua própria especialização por meio do departamento de Humanidades: Bibliografia e Artes do Livro. Além de um curso de Letras sobre Shakespeare, Peter estava fazendo um estudo direcionado com Francis ao qual deram o vago título de "Introdução aos Livros Raros", além de uma aula com Hank Christiansen sobre reparos e restauração de livros.

— É melhor chamarmos de curso básico — Hank dissera —, porque levarei pelo menos dois anos para dar a você uma introdução adequada ao assunto.

Peter não poderia ter ficado mais feliz.

Ele leu tudo o que precisava de Shakespeare no exemplar do *Primeiro Fólio* de Amanda Devereaux e, quando a turma leu *Hamlet*, ele também leu o texto completo do quarto ruim. Quando comentou isso em classe, o professor não fazia ideia do que Peter estava falando.

— Eles não sabem o que há aqui — disse Francis quando Peter lhe contou sobre a ignorância do professor. — Membros do corpo docente ficam presos no aqui e agora; simplesmente não têm tempo de explorar as Coleções Especiais.

— Mas, se você dá aulas sobre *Hamlet* — disse Peter — em um prédio a 180 metros de um exemplar da primeira publicação, como não vai querer lê-la, segurá-la nas mãos?

— Você é de uma raça especial, Peter — afirmou Francis.

Peter costumava ficar constrangido com sua própria ignorância. Um dia, ele puxou uma primeira edição de 1607 de *The Whore of Babilon,* de Thomas Dekker, da estante de Cleópatra. Tentou abrir o volume, mas não conseguiu.

— Não é um livro — avisou Francis, indo ajudá-lo. — É uma caixa de proteção.

Do que devia ser o lado em que o livro se abre, Francis puxou uma capa de pano dobrada. Peter viu que o que ele tomara por um livro era apenas uma caixa coberta de couro com um lado aberto para colocar a capa que Francis estava desdobrando na mesa. A capa tinha um design elaborado, mas, depois de desdobrada, revelou um exemplar um pouco desgastado da peça de Dekker.

— Não é apenas para proteger um livro frágil — Francis explicou. — Tem o benefício extra de fazer o livro parecer muito maior do que é na verdade.

Peter percebeu que isso era possível com o design inteligente da capa dobrável de dentro. Um dos lados foi engrossado em quase 2,5 centímetros de espessura, enquanto o outro guardava o fino exemplar de Dekker.

— Quando você terminar seu curso com Hank — disse Francis —, poderá fazer uma destas.

— Por que você gosta de mim?— Peter perguntou a Amanda certa noite, enquanto caminhavam da lanchonete de volta ao dormitório dela.

O aroma da primavera pairava bem presente no ar, e, apesar de poucos alunos estarem por perto, Ridgefield parecia mais viva do que nunca, mais cheia de potencial. Era a vida nova por todo lado que deu a ele a coragem de fazer a pergunta.

— Tive um namorado no colegial — disse Amanda.

Peter adorava a forma como ela respondia a uma pergunta com uma longa resposta que não parecia relacionada com o assunto até a resposta emergir de repente no final da narrativa.

— Ele jogava futebol, mas não era uma estrela. Tirava notas decentes, mas não era um intelectual. Bebia cerveja de vez em quando, mas não era um bêbado. Era um cara comum e legal, e eu gostava dele de uma forma comum. Eu via o que a maioria das garotas achava extraordinário no colegial e não me interessava. Grandes esportistas, carros rápidos, bebida e maconha e coisas piores. Sexo desengonçado na cama dos pais com um garoto que mal conheciam. Eu estava muito feliz com meu cara comum.

— E o que aconteceu com ele? — Peter quis saber.

Eles tinham parado sob um bordo com galhos esparramados, longe das luzes artificiais que eram despejadas sobre o caminho pelo campus. Apenas o luar filtrado pelas folhas iluminava o rosto de Amanda; seu cabelo parecia quase prateado, e Peter ansiava por puxá-la em seus braços e enterrar o rosto naquelas madeixas.

— Nós nos formamos — explicou Amanda, enrolando uma mecha fina e separada do cabelo no dedo. — Ele seguiu seu caminho e eu segui o meu. Ele me ligou uma vez no verão, me convidando para um show, mas eu disse que estava ocupada. Acho que ele ficou aliviado. Era simplesmente mais fácil. Digo, eu gostava que ele fosse comum, mas o relacionamento era comum também.

— Você ainda não respondeu a minha pergunta — disse Peter, estendendo a mão e tirando a mão dela do cabelo, prendendo-a na sua e puxando-a perto o suficiente para o seu aroma deixá-lo tonto. — Por que você gosta de mim? Porque sou comum?

— Ao contrário — falou Amanda, inclinando a cabeça no ombro dele. — É porque você é extraordinário; mas um tipo de extraordinário que eu nunca soube que existia.

Southwark, Londres, 1609

Bartholomew Harbottle apertou o casaco contra o corpo apesar do calor grudento do verão. O cheiro de incenso pairava no ar, como costumava acontecer durante um ano de peste, mas Bartholomew passara a se considerar imune à epidemia. Afinal, sobrevivera ao surto de 1592, quando houvera morte por toda a sua volta. Era extraordinário que todos aqueles amigos que haviam comemorado seu retorno triunfante de Winchester naquele verão estivessem mortos, mas nenhum por causa da peste. Greene morrera no dia seguinte à visita de Bartholomew. Ele deixou um bilhete para a esposa abandonada pedindo que ela pagasse dez libras ao Sr. Isam, mas o débito nunca foi saldado. Peele morrera alguns anos depois, de sífilis, e Nashe sucumbira a uma porção de peixe estragado perto do final do reinado de Elisabeth. Ao longo dos anos, Bartholomew perdera o contato com Lyly, que nunca virou mestre de cerimônias, mas ouviu dizer que aquele velho amigo morrera pobre e abandonado, sem motivo em especial. Talvez tenha morrido de vergonha ou impaciência.

A morte de Marlowe fora a mais chocante de todas. Menos de um ano depois de Greene morrer, Bartholomew entrara cambaleando no George and Dragon e fora recebido por um bar cheio de rostos tristes e a notícia de que Christopher Marlowe fora esfaqueado em uma briga em Deptford. Ele tinha apenas 29 anos. Bartholomew ficara doente e preso à cama por uma semana e, depois, andara até Deptford para visitar o túmulo não identificado de Marlowe.

Bartholomew fizera novos amigos, mas a vida nas tavernas de Southwark nunca mais foi a mesma sem Greene e Marlowe. Ele ainda parava no George and Dragon ocasionalmente e ainda era conhecido na cena teatral. Ele e Richard Burbage, o grande ator e dono do Globe, tinham comprado bebidas um para o outro e, em várias ocasiões, Bartholomew ficara sentado ouvindo Will Shakespeare contar a história da sua próxima peça. O filho do luveiro tinha superado todos eles, e Bartholomew soubera disso no dia em que se sentou sob o sol do verão no Globe para assistir à apresentação de *Hamlet* da companhia King's Men. Comparados ao filho do luveiro, a maioria dos antigos amigos de Bartholomew fora insignificante. Porém, para Shakespeare, pensava Bartholomew, ele não passava de um companheiro de segunda classe. O grande dramaturgo permitia que Bartholomew comprasse uma rodada de bebidas e se sentasse ao lado da lareira com o pessoal da King's Men para ouvi-lo tecer uma história, mas Bartholomew sabia que nunca faria parte do círculo íntimo de Shakespeare.

Mal pareciam ter se passado 20 anos desde que ele começara a carreira de vendedor de livros em 1589, mas a vida tinha a mania de passar rápido. Em todos aqueles anos, ele nunca tivera outra descoberta como o saltério roubado que vendera a Robert Cotton. Cotton ainda colecionava e se mudara para uma bela casa em Westminster, mas Bartholomew não lhe vendera mais nenhum livro. Ainda assim, aqueles dias de juventude, quando toda a Londres parecia estar a seus pés, estavam tão frescos em sua memória quanto sua última visita a uma nova garota chamada Penelope, em um quarto no andar de cima do George and Dragon.

A viagem daquele dia à taverna era para uma rara transação de negócios ao sul do rio, pois Bartholomew iria encontrar o próprio Shakespeare e mostrar-lhe o livro que trazia enfiado em seu manto: um livro que Bartholomew guardara por quase 17 anos. Pensara que nunca se separaria dele, mas, quando vira por acaso Shakespeare e um pequeno grupo de atores do lado de fora do Globe fechado alguns dias antes, o dramaturgo estava reclamando da falta de fontes para uma nova peça. Bartholomew lhe dissera que tinha aquilo de que ele precisava.

Enquanto deslizava para um banco no bar dos fundos do George and Dragon, Bartholomew estava muito ciente de que era a primeira vez em que ficava a sós com o grande dramaturgo. Lá estava um homem que ele e os amigos antes ridicularizavam, e o coração de Bartholomew estava acelerado como se tivesse recebido permissão para uma audiência na corte.

— Então — disse Bartholomew —, alguma novidade sobre quando os teatros poderão reabrir?

— A temporada está perdida — contou Shakespeare. — Teremos de esperar mais sorte em 1610. Ainda assim, uma nova temporada, quando quer que aconteça, tem de trazer uma ou duas peças novas. Não posso esperar que o público volte para ver *Hamlet* e *Romeu e Julieta* para sempre.

Bartholomew, que achava muito provável a audiência voltar a ver aquelas grandes tragédias para sempre, apenas balançou a cabeça, concordando.

— Agora, o que você tem para mim? — perguntou Shakespeare.

Bartholomew puxou o fino volume in-quarto de dentro do seu manto. Estava um pouco gasto nos cantos, pois ele o tirara da prateleira muitas vezes quando o sono não chegava tarde da noite em um mês de inverno. Colocou o livro na mesa.

— É de Robert Greene — disse.

— Greene — falou Shakespeare, com uma risada. — Ele era seu amigo, não?

— Era — confirmou Bartholomew.

— Um amigo que certa vez me chamou de gralha emergente, segundo me lembro.

— E que vingança melhor — disse Bartholomew, inclinando-se para a frente — do que usar a história dele na sua próxima peça? Uma história que ninguém mais lê torna-se uma peça que todos em Londres se juntam para ver. A gralha emergente dá a última palavra.

— Sobre o que é? — Shakespeare perguntou.

Bartholomew pegou o livro, abriu na primeira página e leu.

— "Entre todas as paixões com as quais as mentes humanas ficam perplexas, nenhuma machuca tanto com maldade sem fim quanto a mágoa infecciosa do ciúme."

— Escrevi uma peça sobre ciúmes — afirmou Shakespeare. — Burbage propõe remontá-la na próxima temporada.

— Esta é diferente — alegou Bartholomew, que não estava certo se era diferente; afinal, assim como Desdêmona, a esposa do personagem principal do *Pandosto*, de Greene, morria no final.

Ainda assim, Bartholomew defendeu sua posição.

— Além disso, você pode mudá-la. Pode transformar em comédia. A esposa volta para o marido e todos ficam felizes.

— Você é um velhaco, não é, Harbottle?

— Gosto de beber e de visitar os quartos lá em cima deste belo estabelecimento, embora não com tanta frequência quanto na minha juventude, mas sou um homem de negócios.

— O maior velhaco de todos — disse Shakespeare, rindo. — Soube de suas aventuras na Catedral de Winchester.

— Uma história que, sem dúvida, aumenta a cada pessoa que a reconta.

— E agora você quer me vender este livro para eu ter minha vingança contra o pobre e esquecido Robert Greene. Talvez eu devesse colocá-lo na peça. Um ladrão, um velhaco, mas um homem de quem as pessoas gostam. Um velhaco cômico, se quiser chamar assim. Não bem um palhaço, mais sombrio do que um palhaço, e um estrategista. Um vendedor.

— Você me honra, senhor, ainda que eu duvide ser tudo isso.

— O palco faz de todos nós o que não somos — afirmou Shakespeare. Os dois homens tomaram grandes goles de ale enquanto aquela proclamação permaneceu no ar. Por fim, Bartholomew empurrou o livro pela mesa.

— Sua vingança será ainda mais doce ao saber disto — ele começou. — O próprio Greene me deu este exemplar do *Pandosto* na noite antes de morrer.

Shakespeare pegou o volume e o deixou cair aberto na mesa.

— E espera que eu o compre? — pergunto.

— Você me entendeu mal — disse Bartholomew. — Não quero lhe vender este livro. Quero emprestá-lo a você por quanto tempo precisar.

— Mas você é vendedor de livros.

— Na maioria dos dias, sou. Hoje, sou apenas um membro da plateia que vai se deliciar com uma nova peça de William Shakespeare.

— Isso, e um bajulador.

Shakespeare riu.

— É justo — disse Bartholomew.

— Muito bem — Shakespeare falou, fechando o livro e puxando para junto de si. — Lerei o que seu amigo Sr. Greene tinha a dizer. Mas vou avisá-lo: se eu decidir transformar esta história em uma peça, talvez tenha de marcar o livro um pouco.

— Fique à vontade — respondeu Bartholomew —, marque tudo o que precisar.

— *Pandosto* não é nome para uma peça — comentou Shakespeare.

— Sempre o leio no inverno — contou Bartholomew. — Que tal chamar de *Conto de uma noite de inverno*, para combinar com *Sonho de uma noite de verão*?

Shakespeare enfiou o livro sob o braço e bebeu todo o ale de sua caneca. De pé, piscou para Bartholomew e disse:

— Eu me concentraria na venda de livros se fosse você.

Bartholomew encostou-se na cadeira e sorriu depois de Shakespeare ter saído do salão, pois o vendedor de livros era mesmo um velhaco estrategista e tinha orgulho disso. E ele estava fazendo planos mais profundos do que apenas a produção de outra peça da gralha emergente.

A rua do lado de fora do Globe agitava-se com uma multidão. Nada de peste, clima perfeito e uma nova peça de Shakespeare haviam atraído londrinos suficientes pela ponte para encher o teatro até sua capacidade de três mil pessoas. Bartholomew Harbottle temia que, se seu companheiro não chegasse logo, não haveria espaço para eles nas galerias, e ele não imaginava que Robert Cotton estivesse disposto a ficar em pé na seção barata por três horas.

Bartholomew levara semanas para persuadir Cotton a ir ao Globe naquele dia, e apenas a afeição do colecionador pelo saltério de Winchester e a insinuação de Bartholomew de que outra grande aquisição pudesse estar no horizonte o convenceram a fazer a viagem, vindo de sua casa em Westminster. O barulho de cascos e o chacoalhar de carruagens às vezes eram mais altos do que a cacofonia da multidão quando um nobre ou outro era vomitado perto da entrada do teatro, mas os olhos de Bartholomew estavam treinados na direção do rio. De Westminster, Cotton com certeza faria a viagem de barco. Eram quase 14 horas quando Bartholomew enfim teve um vislumbre do gibão familiar azul e dourado brilhando ao sol enquanto Cotton caminhava para o teatro sem pressa, aparentemente, para chegar em boa hora. Bartholomew procurou desajeitado pela bolsa quatro *pence*, que deram entrada para ele e o amigo nas galerias, e os dois haviam acabado de se apertar no final de uma fileira quando um trompete soou, o barulho da multidão diminuiu para um murmúrio que permaneceria de fundo durante toda a apresentação, e dois homens, belamente vestidos com roupas de bordados refinados, pisaram no palco.

— Que nome ele deu à peça? — perguntou Cotton.

— Chama-se *Conto de inverno* — disse Bartholomew, e Cotton se acomodou no banco e assistiu ao desenrolar da peça sem mais comentários.

Bartholomew não mencionou sua participação na gênese da peça, apesar de ter apontado o quanto ela era parecida com a história do *Pandosto*. Ele não falara com Shakespeare desde aquele dia, quase três anos antes, quando sugerira o romance de Greene como fonte. Ouvira dizer que uma peça nova, apresentada à corte em novembro do ano anterior, era intitulada *Conto de inverno* e teve alguma esperança, com um título tão parecido com o que ele sugerira, que Shakespeare tivesse mordido a isca. Só teve certeza em abril. Em um dia frio e úmido, um mensageiro levou um pacote à sua loja na Paternoster Row. Dentro, Bartholomew encontrou o exemplar do *Pandosto* que emprestara a Shakespeare e uma carta breve.

> Harbottle,
>
> Desculpe-me pelo mensageiro, mas tenho negócios a tratar em Stratford. Acho que vai encontrar um pouco de você mesmo em *Conto de inverno*. Peço perdão por danificar o seu *Pandosto*, mas o devolvo com esta carta e meu agradecimento.
>
> W. Shakespeare

Bartholomew abriu o livro e virou com rapidez várias páginas. As margens estavam cheias de anotações rabiscadas do dramaturgo. Naquela mesma tarde, partiu para Westminster, para visitar Robert Cotton.

Bartholomew quase se esqueceu de Cotton enquanto assistia a *Conto de inverno*. A história do rei Leontes, que acusa sem motivo a esposa, Hermíone, de adultério, prende-a e bane sua suposta filha bastarda, Perdita, manteve a maior parte do público atenta, embora houvesse uma briga ou um acesso de raiva ocasional entre os ocupantes da área sem assentos. Quando, nos últimos estágios do terceiro ato, chegou a notícia da morte do jovem filho de Leontes, Mamílio, e, depois, da própria rainha Hermíone, Bartholomew viu lágrimas brilhando em muitos rostos e até ouviu choros tristes de um ou dois espectadores dos lugares baratos. Ele começou a se perguntar se Shakespeare aceitara seu conselho de mudar o final, pois a história tinha todas as marcas de uma tragédia. Também não viu nenhum personagem criado à sua imagem. Ainda assim, essas questões eram insignificantes. Shakespeare escrevera a peça, e Bartholomew tinha então tudo de que precisava para garantir sua fortuna.

Perdido nesses pensamentos, Bartholomew não reparou, em um primeiro momento, quando um novo personagem apareceu no palco no começo do quarto ato, cantando. Quando Autólico, o caixeiro-viajante, chamou a si mesmo de "batedor de coisinhas sem importância" e vangloriou-se de ganhar seu dinheiro enganando os tolos, Bartholomew esperou sinceramente que Cotton não reconhecesse seu companheiro, o vendedor de livros, no palco. "Um ladrão, um velhaco, mas um homem de quem as pessoas gostam", Shakespeare dissera. Bartholomew esqueceu por um instante seus planos bem traçados e imaginou apenas uma plateia, dali a anos, assistindo àquela peça e vendo o maldisfarçado Bartholomew Harbottle atuar, rindo, cantando e roubando.

Conforme os dois últimos atos se desenrolavam, Bartholomew viu, admirado, como ele, ao que parecia, tomava controle da peça no personagem de Autólico. Aquele velhaco não vendia livros, mas vendia baladas. Bartholomew, no início, ficou um pouco ofendido quando Autólico, ao decidir não ajudar a jovem Perdita e seu amado, disse: "Se eu achasse que seria honesto contar ao rei o que se passa, não lhe contaria nada. Acho mais canalhice guardar segredo e, assim, sou coerente com a minha profissão". Era a desonestidade realmente a profissão de Bartholomew? Claro que os momentos de mais orgulho de sua carreira não transbordavam de honestidade, mas Bartholomew não acreditava que já tivesse causado algum mal de verdade e nem Autólico, e ficou feliz em ver como a peça avançava para a conclusão. Quando Perdita foi devolvida ao pai e Hermíone voltou à vida para dar à peça o final feliz que Bartholomew sugerira, as maquinações de Autólico acabaram contribuindo para a felicidade dos personagens.

À medida que a multidão jorrava para a rua depois da apresentação, Bartholomew puxou Cotton em direção ao George and Dragon. A maioria dos espectadores estava indo na direção da ponte, mas uma quantidade suficiente espalhou-se pelas tavernas de Southwark, a ponto de Bartholomew ficar feliz por ter arranjado com o barman, com antecedência, um canto privado para esperá-lo. Uma caneca de ale para ele e uma taça de vinho para Cotton estavam na mesa quando os dois homens se sentaram.

— Você ouviu o grito de aprovação da multidão? — disse Bartholomew.

— Não é surpresa alguma — respondeu Cotton. — Shakespeare é famoso. Mas você ainda não me disse o objetivo desta tarde. Gosto de uma boa peça tanto quanto qualquer um, mas você me fez acreditar que havia uma aquisição no futuro próximo.

— E há, mas tenha paciência, meu bom amigo. Agora, diga-me, vai admitir que Will Shakespeare é o maior dramaturgo do nosso tempo?

— Não discordarei disso — afirmou Cotton.

— Eu diria que ele é o maior dramaturgo de qualquer época — Bartholomew comentou —, e é provável que continue sendo.

Ele podia imaginar a risada de seu velho amigo Robert Greene se ouvisse tal alegação, mas Greene não vivera para ver a ascensão meteórica da gralha emergente.

— Tenho alguns manuscritos medievais dos dramaturgos gregos que podem contradizer essa afirmação — disse Cotton. — Mas vou admitir que ele é um escritor importante. Ainda que eu não ache que o esforço de hoje foi seu melhor.

— Há um motivo para isso — começou Bartholomew, sentindo uma oportunidade. — O rumor entre os atores é o de que Shakespeare está doente. Ele planeja se aposentar em Stratford no final da temporada e não deve sobreviver ao inverno.

Bartholomew não ouvira nenhum boato do tipo, mas ocorreu-lhe que seria útil começar um.

— Fico triste em ouvir isso — afirmou Cotton. — Ele usou minha biblioteca uma vez, anos atrás. Acredito que estivesse trabalhando em *Henrique V*. Uma de suas melhores peças, na minha opinião. Inspiradora. Ele era um homem quieto; não era afeito a bebedeiras e ao comportamento amoral como muitas das pessoas do teatro.

Bartholomew achou que era bom Cotton não conhecer as escapadas menos comportadas de Will Shakespeare. Tomou um gole de ale e limpou a boca na manga com um gesto amplo.

— Haverá uma grande disputa pelos seus manuscritos quando ele morrer — disse. — Alguns vão querer publicá-los, imagino, mas muitos também vão querer destruí-los.

— Destruí-los? — perguntou Cotton. — Por que alguém faria algo assim?

Bartholomew sabia que Cotton veria a destruição de qualquer relíquia literária como heresia.

— Ciúme, é claro — ele respondeu. — Nós certamente vimos o poder dessa emoção na apresentação de hoje. Mas talvez você não saiba o que outros dramaturgos pensam de Shakespeare; um garoto que nunca foi à universidade roubando o brilho das mais finas luzes que Oxford e Cambridge podem oferecer. E por que a King's Men faria objeções? Se as peças forem publicadas, poderão ser encenadas por qualquer um. Da forma como estão hoje, os atores sabem seus papéis. Por que não destruiriam os manuscritos e garantiriam o monopólio?

— Mas as peças dele foram publicadas. Já as vi — argumentou Cotton.

— Algumas — disse Bartholomew. — Uma dúzia, talvez. Porém, há pelo menos mais 30 que não foram publicadas.

Ele sabia que nada menos que 18 peças de Shakespeare haviam sido publicadas, e o resto somava não mais de 20, aproximadamente, mas Bartholomew confiava no poder do exagero.

— E há outras — ele continuou, aquecendo-se para a enganação que planejava —, ainda não encenadas. Vi as páginas de uma tragédia que deixaria na sombra até mesmo *Hamlet* e *Rei Lear*. E pode ser sua.

— Perdão? — disse Cotton, sem perceber que Bartholomew enfim chegara ao ponto alto da questão.

— Tenho uma oportunidade, pequena, de adquirir todos os manuscritos de Shakespeare. Ele tem dívidas em Stratford que gostaria de saldar antes da morte e quer cuidar da família.

— E está se oferecendo para comprar esses manuscritos em meu nome? — Cotton quis saber, inclinando-se para a frente pela primeira vez na conversa.

— Exatamente — confirmou Bartholomew.

— Mas sabe que não coleciono literatura contemporânea.

— Pense no futuro. Você poderá ser o homem que salvou as obras do maior dramaturgo inglês. Pense como esses manuscritos vão ficar nas suas estantes ao lado de seus amados gregos. O lugar deles é na sua biblioteca, não no fogão de alguém.

Bartholomew tinha anos de experiência em vendas e sabia quando um cliente passara do ponto sem volta.

— Se não for para a glória da sua própria coleção — disse —, faça pela Inglaterra. Para que o mundo saiba que ninguém pode brilhar mais que nossos poetas.

O apelo combinado de patriotismo e poesia brilhou nos olhos da sua vítima. Cotton mordeu o lábio por um momento e, depois, perguntou:

— Quanto?

— Cem libras — disse Bartholomew, com calma. — Metade adiantada, o resto na entrega.

— Cem libras! — Cotton exclamou. — É um roubo! Você é tão velhaco quanto o vendedor daquela peça.

O choque de Cotton não preocupou Bartholomew. Ele sabia que, quando o cliente começava a reclamar do preço, a venda estava feita.

— O que posso dizer? O homem tem dívidas. Garanto que minha porcentagem sobre o preço será uma mixaria. Faço isso apenas pela amizade com Shakespeare e o amor pela literatura inglesa.

— Você sabe que não carrego 50 libras comigo pelas ruas de Southwark.

— É claro que não.

— E precisarei de alguma indicação de que você pode mesmo me fornecer a mercadoria.

— Uma amostra — disse Bartholomew.

— Terça-feira, então — Cotton falou, levantando-se da cadeira. — Leve sua amostra à minha casa. Se eu gostar, estarei preparado para fazer o primeiro pagamento, mas apenas se o restante dos materiais for entregue em uma semana.

Não esperou Bartholomew se despedir, e abriu caminho pelo bar lotado na direção da porta.

Na mesa em que Cotton a deixara, estava sua taça de vinho, intocada. Bartholomew pensou que talvez devesse tentar atuar no palco do Globe. Sem script, sem figurinos nem acessórios, ele conseguira fazer a atuação da sua vida. E a plateia estivera tão sóbria quanto um bispo.

Londres, sexta-feira, 17 de fevereiro de 1995

— Sr. Byerly — disse Liz, tirando os óculos, apoiando a aquarela na mesa ao lado de sua taça de vinho e inclinando-se na direção de Peter com ar conspiratório. — Peter. Meu mundo é um mundo pequeno. Pode não parecer muito importante para alguém que não vive nele, mas garanto que, para aqueles de nós que o habitam, é importantíssimo. Parece que você não habita esse mundo. Talvez sua falecida esposa vivesse nele, ou pelo menos ela o entendesse. O meu mundo é o mundo da arte vitoriana. É um mundo de colecionadores e professores e negociantes e amadores entusiastas e algumas pessoas como eu: editores de pequenas editoras que esperam encontrar aquele manuscrito que deixará uma marca duradoura. Não restam muitos segredos no mundo da arte vitoriana. Assim, você pode imaginar o que significaria para alguém como eu estar envolvido na publicação de um segredo que vai balançar esse mundo, um escândalo do qual as pessoas vão falar por anos a fio.

Peter podia imaginar com exatidão como seria. Seria como encontrar uma edição não descoberta de *Hamlet* mais antiga que o quarto ruim. Poderia não significar muito no mundo maior, mas, no mundo dos livros raros, deixaria uma marca para sempre.

— Sim — ele respondeu. — Posso imaginar.

— Bem — continuou Liz. — A.I. está destinado a ser a minha bomba.

— Então você sabe quem fez esta pintura? — perguntou Peter, contendo uma tremedeira que tentou invadir sua voz.

— Não exatamente — disse Liz. — Veja bem, há um membro da sociedade que vive na Cornualha, um senhor mais velho que é um estudioso amador. Minha empresa publicou duas monografias dele; bem pesquisadas, bem escritas e entediantes. Há dois anos, ele me ligou e disse que tinha uma pista sobre um pintor vitoriano que assinava como A.I. Não quis me contar muito a respeito, apenas que, se suas suposições estivessem certas, aquele livro não seria entediante. Seria sexy. Foi a palavra que ele usou. Desde então, ele tem me provocado com pistas de vez em quando. Sempre por telefone, nunca por escrito. E, pelo que ele me disse, posso afirmar duas coisas: A.I. esteve envolvido em algum tipo de escândalo que fará uma pequena monografia sobre um pintor obscuro virar um livro que as pessoas podem querer ler de verdade.

— E por isso está feliz? Por eu não ter mostrado a pintura na reunião? — questionou Peter.

— Se Richard Campbell tivesse visto sua aquarela, ele poderia ter começado a mexericar, tentando descobrir algo sobre A.I.

— E qual é a segunda coisa? — disse Peter.

— Meu estudioso da Cornualha mataria para ter sua maldita pintura como ilustração do livro. Parece que ele tem tido problemas para conseguir a permissão para reproduzir as obras de A.I.

— Quem era esse A.I.? — Peter perguntou.

— Não posso dizer.

— Não confia em mim?

— Não é isso. É que eu não sei mais do que já contei... Apenas o suficiente para adivinhar que é uma boa história.

— Então está propondo que eu entregue a pintura a você e, depois, espere pacientemente até o livro sair para descobrir como minha falecida esposa conseguiu estar em dois séculos de uma vez?

— Eu não ficaria com ela. Apenas fotografaria e devolveria para você em alguns dias.

— E quanto tempo tenho de esperar para ler essa história escandalosa?

— Na verdade, estou esperando receber o manuscrito finalizado pelo correio a qualquer dia. Vamos apressá-lo e, assim, deve sair em cerca de seis meses.

— Senhorita Sutcliffe — começou Peter, apoiando-se em seus braços cruzados e preparando-se para fazer seu próprio discurso. — Sou um homem de paixões, algumas pessoas até podem chamar de obsessão. Pelo que você diz do seu amor pela arte vitoriana, acho que pode me entender. Tive duas paixões na vida. Não, não é um modo exagerado de dizer. Durante uma década, duas paixões *eram* minha vida; não havia mais nada. Essas paixões eram livros raros e Amanda Byerly. Desde que minha esposa morreu, minha vida tem estado vazia. Minha capacidade de me apaixonar morreu com ela, ou era o que eu acreditava. Agora, bem, quando comecei a sentir o mais leve brilho do retorno da minha paixão por livros, descubro isto.

Ele bateu o dedo na aquarela.

— Dentro de um livro raro, encontro um retrato da minha esposa que não pode ser minha esposa. Minhas duas paixões unidas em um único quadrado de papel. E esse papel... Bem, de alguma forma, sinto que tem o potencial de me libertar de uma dessas paixões e lançar-me de volta para a outra. Ele já realizou feitos incríveis. Deixou-me animado e curioso de novo; até me fez sentar aqui e conversar com você, uma estranha para mim. Então você pode ver que não é uma curiosidade sem motivo, Senhorita Sutcliffe. Este não é um papo casual. É uma questão de vida ou morte para mim; e, se não de vida ou morte, pelo menos vida e nada de vida. Porque viver como tenho vivido nos últimos nove meses não é vida.

— Como sabia que sou Senhorita Sutcliffe? — disse Liz, sorrindo.

— Não tem anel. Eu apenas presumi.

— Presumiu certo. Mas não está certo quanto a um ponto. Não me parece que sua capacidade de se apaixonar esteja morta. Admiro a paixão, Peter, e você tem isso. Assim, proponho um meio-termo.

— Um meio-termo?

— Exato. Você me deixa pegar emprestada esta pintura e fotografá-la para o livro do senhor da Cornualha. Devolverei para você na próxima semana e, assim que as páginas de prova do livro ficarem prontas, enviarei cópias para você. Você verá antes dos revisores.

— Parece justo — concordou Peter, tentando evitar que a decepção escapasse em sua voz; ele não estava se sentindo muito paciente.

— Esse não é o acordo todo — continuou Liz.

— Hã?

— Você também precisa terminar de jantar comigo, começar a me chamar de Liz, dizer com sinceridade o que achou do vindalho e me levar para um passeio pelo Embankment antes de pegar o trem para voltar para casa.

Ela sorriu e tirou rapidamente a aquarela da mesa enquanto o garçom servia dois pratos de um *curry* cheiroso.

E Peter fizera exatamente aquilo. Esquecera por completo a aquarela e os livros raros e Amanda e passara uma noite agradável com Liz Sutcliffe. Depois do jantar, eles andaram até o rio e ao longo do Embankment na direção de Westminster. O vento havia parado e a lua saíra detrás das nuvens bem quando o Big Ben soara as 22 horas.

— Deve ser bom morar em Londres — disse Peter. — Poder andar ao longo do rio, observando os barcos e olhando a incrível vista do Parlamento.

— Acho que sim — comentou Liz. — A verdade é que quase nunca venho para cá. Moro em Hampstead e trabalho em Bloomsbury e é muito raro eu ir para qualquer outro lugar.

— Que pena — Peter falou e, na mesma hora, sentiu-se um hipócrita por criticar a existência encasulada de outra pessoa.

— Bem, mas é assim que funciona em Londres — Liz contou. — Tudo de que você precisa está bem no seu bairro. Nós não valorizamos as atrações.

Ela parou no topo da escada da Ponte de Westminster e olhou para a face do famoso relógio brilhando acima.

— Mas você está certo... É maravilhoso.

Passava um pouco da meia-noite quando Peter virou a chave na fechadura e avançou de uma garoa fria para sua sala de estar, iluminada apenas pelo aviso luminoso de mensagem da secretária eletrônica. Ele quase caiu sobre a caixa de materiais para reparo de livros, que deixara no meio do chão, enquanto cambaleava na direção do interruptor. Xingando em silêncio o eletricista que achara certo colocar o interruptor do outro lado da sala em relação à porta, acendeu as luzes e começou a se debater com o termostato. O sistema de aquecimento do chalé era temperamental, para dizer o mínimo. Naquele momento, parecia mais estarem seis graus negativos do que os 20 graus que o termostato alegava. Amanda nunca teria aguentado aquilo. Cansado demais para esperar ver se sua remexida no aparelho resultaria em calor para a casa, encheu uma garrafa de água quente na cozinha e subiu a escada com passos pesados para uma cama fria e vazia. No andar de baixo, a secretária eletrônica piscava no escuro.

Peter não costumava receber mensagens com frequência e, quando recebia, geralmente eram de Francis Leland ou Hank Christiansen, ou da melhor amiga de Amanda, Cynthia. Peter podia imaginar os três se reunindo para tomar café e tirando no palitinho de quem seria a vez naquela semana. Quem quer que fosse, a pessoa sempre tinha uma pergunta que parecia legítima, mas Peter sabia que o verdadeiro motivo da ligação era verificar se ele estava vivo e capaz de retornar o telefonema. Ele nunca retornava. Em raras ocasiões, um cliente ligava, pedindo conselho em uma compra ou ajuda para achar um volume em especial. Esses telefonemas ele às vezes retornava.

Foi apenas quando Peter terminou o café da manhã no dia seguinte que pensou em ouvir a secretária eletrônica. Esperava que a mensagem fosse de um cliente dando-lhe alguma desculpa para voltar a Hay. Ele acordara cedo e, enquanto estivera na cama ouvindo a chuva, não conseguira tirar o exemplar de *Inquiry* do Malone, o livro em que encontrara a aquarela, da cabeça. Por que não procurara em cada página anotações nas margens? Por que não tinha simplesmente comprado o livro? Com certeza poderia pagar por um único livro caro. E não teria virado ladrão.

A mensagem foi deixada por uma voz desconhecida: inglesa, masculina, clara e elegante.

— Sr. Byerly — disse a voz —, espero ter ligado para Peter Byerly. Meu nome é John Alderson. Soube por um amigo que o senhor entende um pouco de livros raros. Faz algumas vendas, pelo que ouvi. E acho que está bem aqui em Kingham. Tenho pensado em vender alguns itens específicos da minha biblioteca e fiquei pensando se o senhor gostaria de cuidar da tarefa para mim. Estou em casa na maioria das manhãs. Sinta-se à vontade para aparecer por aqui para tomar um chá e poderá ver se está interessado. Aqui quem fala é John Alderson. Estou na estrada a caminho de Cornwell. Em Evenlode...

A secretária desligou. Como o sistema de aquecimento, parecia ter uma mente própria e não gostava de trabalhar demais.

Poderia ser a Casa Evenlode, a mansão deteriorada de que Martin Wells lhe falara? A voz de John Alderson não parecera ser a do tipo de homem que mantém os curiosos afastados a bala. A chuva parara e Peter estava na Inglaterra fazia tempo o bastante para, no meio da manhã de um dia frio, estar com bastante vontade de tomar uma xícara de chá. Cornwell ficava a apenas três quilômetros de distância e, assim, a Casa Evenlode devia ficar mais perto. Decidiu andar até lá.

A estrada para Cornwell mal era larga o bastante para um único veículo e era contornada por cercas-vivas altas que barravam não apenas o vento, mas o mundo. Peter sentiu uma solidão deliciosa enquanto andava até um portão de ferro enferrujado no qual uma placa com letras grandes e vermelhas proclamava: Casa Evenlode — Mantenha distância! O portão mal estava preso a dois pilares de pedra em ruínas, e Peter entrou com facilidade, esperando que a placa não valesse para convidados. Seguiu um caminho de lama com marcas profundas morro acima, cruzando um campo, e, depois, desceu passando por outra cerca-viva onde o caminho virava de repente para a esquerda, revelando o que restava da Casa Evenlode. Parecia já ter sido uma impressionante mansão jacobina, mas com certeza não era habitável no estado em que se encontrava.

Uma ala tinha desmoronado e formado uma pilha de entulho que dois cachorros cheiravam; à procura de ratos, Peter imaginou. A maioria das janelas estava quebrada, e grama e pequenas árvores cresciam no telhado, exceto onde as telhas de ardósia haviam desabado. Muitas das chaminés que se elevavam acima do telhado tinham caído em pilhas de pedras no chão lá embaixo, deixando tocos partidos de onde não saía fumaça. Não deixou em Peter a impressão do tipo de propriedade onde ele provavelmente encontraria ótimas raridades bibliográficas.

Ainda assim, já estivera em mais de uma casa na Carolina do Norte cujo exterior contradizia o valor dos livros do lado de dentro. Ao dar a volta pela lateral da casa, Peter percebeu que devia, de fato, ser inabitada, pois estacionados no que já fora uma horta estavam dois grandes *trailers* de acampamento: caravanas, ele ouvira os moradores locais as chamarem. Lá, ele pensou, devia ser a casa verdadeira de John Alderson. Bater na porta não parecia ser um bom plano. Ele já estava preocupado porque os cachorros poderiam atacá-lo pelas costas.

— Sr. Alderson! — ele gritou, com alguma esperança de que ninguém respondesse.

Depois, sem aviso, o ar rompeu-se em um urro. Sem pensar, Peter caiu no chão, sentindo o frio infiltrar-se na mesma hora em sua calça cáqui. Seus ouvidos tiniam com dor enquanto ele rolava e via um homem velho e grisalho de pé, com as pernas afastadas sobre a pilha de entulho que fora a ala oeste. Os dois cães salivantes agacharam-se em frente a ele, que segurava uma espingarda fumegante apoiada na dobra do braço.

— Foi um aviso — disse o homem, com grosseria.

— Sr. Alderson, você ligou para mim — Peter respondeu depressa. — Sou Peter Byerly.

— Espingarda ou cachorros, pode escolher, ianque, se disser esse nome mais uma vez. Mantenha distância significa mantenha distância.

O homem abriu a espingarda ao meio e tirou alguns cartuchos do bolso do casaco. Peter decidiu que seria inútil continuar negociando e ficou em pé.

— Desculpe-me por invadir, senhor — disse. — Devo ter cometido um erro.

Peter virou-se e começou a subir de novo o caminho lamacento na direção do portão. Ouviu um barulho metálico quando o homem encaixou a espingarda de volta.

— Você consegue se mexer mais rápido do que isso, ianque! — o homem gritou, a voz ecoando pelo vale. — Os cachorros vão mostrar para você.

Peter não esperou para ver como os cachorros poderiam fazê-lo entender aquelas instruções. Com os pés escorregando na lama, correu morro acima o mais rápido que pôde. Atrás de si, ouviu o som de risadas e latidos, mas não se virou para ver se os cachorros o perseguiam. Assim que chegou ao topo do morro, outro tiro soou na atmosfera silenciosa. Peter escorregou morro abaixo na direção do portão e cambaleou, ofegante, para a estrada.

Enquanto caminhava de volta para Kingham, com frio, molhado e enlameado, mas com a respiração voltando ao normal aos poucos, ocorreu-lhe que não estivera nervoso naquela manhã quando fora visitar o misterioso Sr. Alderson. A única vez, pensou, em que ter medo de um estranho teria valido a pena.

Duas horas depois, tendo tomado banho e colocado roupas limpas, Peter ouviu novamente a mensagem na secretária eletrônica. A voz com certeza não era daquele homem nada hospitaleiro da Casa Evenlode. A voz parecia convidativa, o tipo de voz que Peter odiava ignorar. Pensou em perguntar para a proprietária da loja da vila onde o Sr. Alderson morava, mas ele havia cumprimentado aquela mulher com um aceno de cabeça e nenhuma palavra quase todos os dias dos cinco meses anteriores, enquanto comprava pão e leite e jornal, e não podia imaginar nada mais constrangedor do que, de repente, quebrar aquele silêncio bem estabelecido. As duas únicas pessoas da vizinhança com quem Peter podia alegar que conversava eram o jardineiro, que realizava tarefas aleatórias no seu pequeno quintal uma vez por semana em troca de uma nota de 20 libras, e o carteiro. Não conseguia se lembrar do nome de nenhum daqueles homens. Depois, veio-lhe a ideia de que talvez Martin Wells pudesse ajudar. Martin estava na lista telefônica local, e Peter ficou contente ao ouvir o suspiro exasperado com o qual o pintor aceitou um convite para o chá.

— Para recompensá-lo por sua hospitalidade e seu conselho sobre a Sociedade de Aquarelas — Peter afirmara.

— É melhor eu ir e resolver logo isso — dissera Martin. — Chegarei mais ou menos em meia hora.

— John Alderson — falou Martin, pegando seu terceiro biscoito. — Você não deve ir à Casa Evenlode falar com ele. O Sr. Alderson vive na Mansão Evenlode, mais para a frente na estrada. É uma surpresa você ter conseguido sair da Casa Evenlode depois de ter usado o nome dele.

— Quase não saí — contou Peter.

— A família Alderson e a Gardner se odeiam há séculos — explicou Martin. — Não sei bem quando começou, mas não trocam uma palavra civilizada desde antes da rainha Vitória.

— E são vizinhos? — Peter perguntou.

— Moram em lados opostos do rio — disse Martin. — Nada os impede de matar um ao outro a não ser alguns metros de água. Você estará seguro com Alderson, no entanto. Dizem que a Mansão Evenlode é muito bonita.

— Então, como a Mansão Evenlode é uma casa elegante com uma biblioteca e a Casa Evenlode é uma pilha de entulho?

— Depende de quem responder a pergunta. Gardner dirá que os Alderson os levaram à pobreza, mas não dirá por quê. Alderson dirá que sua família trabalhou no último século, enquanto os Gardner bebiam, jogavam e atiravam em camponeses. Não que os Alderson vivam como reis. Soube que tiveram de vender todo tipo de coisa para manter aquela casa em bom estado. As pessoas podem fazer um passeio por ela às terças-feiras no verão.

Martin parecia ter pressa para ir embora depois de acabados os biscoitos digestivos de chocolate, mas sua atitude ficara um pouco mais suave durante a meia hora de visita. Ele não agradeceu quando saiu de volta para o sol de inverno, mas disse algo muito mais generoso ao anfitrião:

— O primeiro americano que já conheci que sabe fazer um bule de chá decente.

Ridgefield, 1985

Parte do trabalho de Peter nas Coleções Especiais era ser anfitrião de estudiosos visitantes. Era uma de suas tarefas favoritas por dois motivos: geralmente lhe dava a chance de examinar livros e manuscritos que, de outra forma, não teriam cruzado seu caminho quando os buscava para os pesquisadores, e mostrava-lhe que havia mais finalidades nas Coleções Especiais além da preservação. Embora ficasse frustrado com quão pouco os membros da comunidade de Ridgefield usavam os materiais das Coleções Especiais, as visitas regulares de estudiosos de lugares tão distantes como Europa e Japão consolavam Peter com a ideia de que a coleção era um organismo vivo: recebendo novas informações quando aquisições eram feitas e distribuindo conhecimento na forma de novos estudos.

Foi durante sua preparação para uma dessas visitas que Peter manuseou a primeira edição do *Greene's Groatsworth of Wit*, uma confissão de 1592 no leito de morte de Robert Greene, um autor menos conhecido, que incluía a primeira referência a Shakespeare como membro da comunidade teatral de Londres. O Dr. Yoshi Kashimoto, da Universidade de Tóquio, solicitara o panfleto ao lado de vários outros itens elisabetanos.

Peter ergueu o delicado panfleto da sua capa dobrada e começou a ler o texto de Greene. Seu entendimento da linguagem elisabetana estava ainda longe de ser fluente, mas não teve problemas para encontrar, perto do final do texto, a referência a Shakespeare como uma "gralha emergente".

— Tudo pronto para o Dr. Kashimoto? — perguntou Francis, que entrou na sala quando Peter estava devolvendo o panfleto à capa.

— Com certeza — afirmou Peter. — Vi que ele estava interessado em dramaturgos elisabetanos menos renomados e, assim, peguei alguns itens que nós tínhamos e não aparecem em bibliografias padrão.

— Tenho certeza de que ele ficará agradecido — disse Francis. — Você vai fazer a prova de Connely sobre Shakespeare neste semestre, por isso pode ser útil ir à palestra aberta de Kashimoto. Penso que você vai achá-lo provocativo.

— Engraçado — comentou Peter —, Connely não mencionou nada sobre uma palestra a respeito de Shakespeare no campus.

— Não me surpreende. Kashimoto é oxfordiano.

— Então ele é da Inglaterra? — perguntou Peter.

— Não — respondeu Francis. — Um oxfordiano é alguém que acredita que Edward De Vere, conde de Oxford, escreveu as obras comumente atribuídas a William Shakespeare de Stratford.

— Como é que é? — disse Peter.

— Há uma dúvida significativa e legítima sobre a autoria das peças de Shakespeare — Francis explicou.

— Nunca nos disseram isso nas aulas de inglês do colegial — contou Peter.

— Bem — começou Francis —, os oxfordianos tiveram dificuldade para começar a ter efeito sobre a versão acadêmica já estabelecida.

— Como podem dizer que Shakespeare não foi Shakespeare? — questionou Peter, confuso com tal bobagem.

— Por dois motivos, na essência. Para começar, o homem de negócios conhecido como William Shakspere, que nunca escreveu seu nome com um "e" depois do "k", tem uma vida razoavelmente bem documentada, e, ainda assim, não existe evidência de que ao menos fosse escritor, quanto mais o grande William Shakespeare, cujo nome sempre teve um "e" depois do "k".

— Mas foi há muito tempo — argumentou Peter. — Na época, as pessoas não sabiam que precisavam guardar cartas ou manuscritos.

— Verdade — disse Francis. — É o argumento dos stratfordianos. São os que acreditam que as peças foram escritas pelo William Shakespeare de Stratford.

— E foram, não?

— O outro problema — disse Francis — é que não há evidência de Shakespeare ter estudado, embora seja provável que ele tenha frequentado a Stratford Grammar School. Com certeza nunca foi a Oxford, Cambridge ou qualquer outra universidade da Europa.

— Então — começou Peter, intrigado porque parecia estar, pela primeira vez desde que se conheceram, em uma discussão com Francis — ele era um gênio, não precisou que lhe ensinassem a escrever.

— Mais uma vez, bom argumento — respondeu Francis. — Mas não é a qualidade de sua escrita e sim o conteúdo que apresenta o problema. O escritor das peças de Shakespeare tinha um conhecimento significativo de direito e arte, música, medicina, táticas militares, filosofia e uma dúzia de outros campos especializados e, em especial, da vida na corte italiana. Ele usou fontes em várias línguas, inclusive latim e grego. Uma pessoa pode nascer um gênio, mas onde o Senhor Shakespeare de Stratford adquiriu toda essa informação?

— Então você realmente acha que Shakespeare não escreveu suas próprias peças? — questionou Peter, sem saber ao certo como refutar aquele argumento.

— Ora, não. Eu continuo sendo stratfordiano. Mas admito que há espaço para dúvida. Eu poderia até dizer que não seria razoável não duvidar.

— Acha que um dia saberemos? — perguntou Peter.

— Talvez — disse Francis — quando um caçador de livros esforçado descobrir evidências sólidas a favor do Senhor Shakespeare, ou Edward De Vere, ou Christopher Marlowe, ou Francis Bacon. Todos já foram sugeridos como possíveis autores.

Peter sentiu o piso geralmente sólido da Sala Devereaux se mexer sob seus pés. Olhou para a pilha de livros e panfletos à espera da chegada do Dr. Kashimoto. Não tinha esperado ter suas noções preconcebidas do mundo desafiadas quando chegara à faculdade, mas ter uma dúvida daquelas apresentadas pelo seu mentor, sobre um princípio tão básico da cultura ocidental, era como se lhe dissessem que a verdade não era verdadeira ou que a realidade não era real. Mas, então, sentiu Francis colocar uma mão em seu ombro e ouviu uma voz tranquilizante transformar o pesadelo bizarro em uma fantasia gloriosa.

— Não seria incrível, Peter, descobrir uma página de um manuscrito da mão de Shakespeare, de Stratford? Ou uma carta a Anne Hathaway na qual reclama dos problemas que o terceiro ato de *Hamlet* estão lhe causando?

— O Santo Graal — Peter falou, com reverência.

Ele ficou surpreso de ouvir as palavras saírem de sua boca. A comparação fora instintiva.

— Exatamente — concordou Francis. — O Santo Graal.

Kingham, sábado, 18 de fevereiro de 1995

Peter pegou o carro dessa vez. Se tivesse de fugir de novo, não estava interessado em fazê-lo a pé novamente. Algumas centenas de metros depois da nada convidativa entrada da Casa Evenlode, a estrada arqueava-se sobre uma pequena ponte de pedra. Abaixo, o rio Evenlode corria; 3,5 metros de largura, lamacento e cheio com as chuvas recentes. Mais 400 metros pela estrada e, à direita, Peter chegou a um par de pilares de pedra cercado por vasos ornamentais. Uma pedra gravada em um pilar trazia escrito "Mansão Evenlode". O portão de ferro estava aberto, e um bonito caminho de cascalho levava por uma fileira de árvores até o topo de um pequeno morro. Peter virou o carro para o caminho e logo parou, fazendo barulho nos pedregulhos, em frente à Mansão Evenlode. Não era o Palácio de Blenheim, mas estava muito longe da sua vizinha decrépita. Olhando para cima pela fachada georgiana de três andares, com degraus subindo para enormes portas de madeira, Peter sentiu como se tivesse entrado em um romance de Jane Austen. A grama estava cortada com perfeição, e um campo de *coquet* à esquerda da casa foi apoiado por arbustos ornamentais que levavam a mais uma parte dos jardins. Peter sentiu a confiança de que, daquela vez, estava no lugar certo.

Foi atendido à porta por uma empregada que o levou até a sala de estar e lhe disse com um profundo sotaque irlandês que ficasse à vontade enquanto ela informava o Sr. Alderson de sua chegada. Os móveis eram um pouco franceses demais para o gosto de Amanda, Peter pensou, mas a vista ela teria adorado. Janelas altas estavam voltadas para o amplo e verde vale do Evenlode. Peter se perguntou por que, durante o verão que eles haviam passado em Chipping Norton, Amanda nunca fora até ali em uma terça-feira e, depois, pensou que talvez ela tivesse ido, algum dia em que ele estivera mergulhado em um livro e ela anunciara apenas: Vou sair um pouco.

— Senhor Byerly — disse uma voz clara e amigável atrás dele.

Peter virou-se e viu um homem extraordinariamente alto com uma onda bem penteada de cabelo branco.

— Eu sou John Alderson — disse o homem, estendendo a mão.

— É um prazer conhecê-lo, Senhor Alderson — falou Peter, aceitando o aperto de mão firme.

— Por favor, pode me chamar de John. Não temos formalidades aqui na Mansão Evenlode, apesar do que a Senhorita O'Hara possa ter lhe dito.

— Ela foi muito gentil — afirmou Peter.

— Não desperdiçarei seu tempo, Senhor Byerly. A verdade é que quero vender alguns livros. Acabei mencionando o fato para o vigário no domingo e ele me disse que havia um camarada americano em Kingham que trabalhava no ramo de livros. Presumo que seja você.

— Sou sim — respondeu Peter, tirando um cartão do bolso e apresentando-o a John.

Fora o único que ele encontrara naquela manhã, um pouco amassado, com um canto rasgado, mas serviria.

— Bem — disse John. — Tenho uma biblioteca modesta cheia de livros antigos para os quais não tenho uso e tenho três quartos nos quais empilhei todos os meus livros sobre jardinagem e arte e direito;

livros que eu realmente leio. A organização atual parece ser um uso bastante ineficiente tanto de fundos quanto de espaço. Assim, pensei que talvez você pudesse dar uma olhada pela biblioteca e ver se há algo que valha a pena vender. Libere uma ou duas estantes.

— Seria um prazer — disse Peter, que, de repente, sentiu uma animação familiar, mas quase esquecida, pulsar em suas veias: a expectativa de uma caça ao tesouro.

Poucas vezes comprara livros em um ambiente que parecesse tão propício para encontrar tesouros quanto a Mansão Evenlode.

John mostrou a Peter a biblioteca, onde oito estantes de um tom avermelhado escuro preenchiam duas paredes do aposento, enquanto duas outras ladeavam a lareira. Em uma grande mesa no centro do quarto havia uma pilha de volumes enormes. As estantes ao lado da lareira iam do chão ao teto; as outras se estendiam para o teto a partir de armários embutidos.

A maioria das encadernações parecia ser do século 19, apesar de algumas serem claramente mais velhas. Peter soube na mesma hora que não teria problema para movimentar uma ou duas estantes daqueles livros com bastante rapidez. Mesmo se eles se revelassem medíocres em conteúdo, ele os venderia para outro negociante pelas encadernações. Parecia provável encontrar algumas raridades. Apenas uma estante não estava cheia. Pela falta de poeira, Peter adivinhou que alguns livros haviam sido retirados havia pouco tempo. Depois, lembrou-se do rosto fechado da Senhorita O'Hara e concluiu que ela devia tirar o pó da biblioteca pelo menos duas vezes por semana.

— Bem — disse John —, se você quiser dar uma olhada nos livros, vou voltar ao meu trabalho. Talvez você possa vir tomar chá comigo dentro de umas duas horas.

Peter sabia que levaria muito mais que duas horas para examinar a biblioteca com detalhes suficientes para recomendar o que fazer, mas poderia pelo menos dar uma passada pelos livros e ter uma ideia de com que estava lidando. Sentiu as engrenagens enferrujadas da sua mente de livreiro começarem a girar devagar, e o pensamento sobre uma misteriosa aquarela foi sumindo.

Sua primeira descoberta aconteceu quase imediatamente. Por já estarem colocados sobre a mesa, começou com a pilha de livros enormes. No final dela, Peter encontrou dois volumes irmãos. A encadernação em couro de carneiro marrom escuro claramente tinha pelo menos cem anos a mais que os outros volumes e, na lombada, em letras douradas, estavam as palavras *Dicionário da língua inglesa*. Qualquer outro bibliófilo poderia ter ficado decepcionado porque o conjunto, embora em excelente condição, não era da primeira edição; Peter ficou animado ao ler na página de título da magnífica obra de Samuel Johnson "Quarta edição". A quarta edição, Francis Leland explicara anos antes, incluía as correções e adições finais de Johnson.

— Eu adoraria ter uma para a coleção Devereaux — Francis dissera.

Peter decidiu naquele momento que não venderia os volumes a Ridgefield; compraria de Alderson a um preço justo e doaria para a Sala Devereaux em memória de Amanda... Sua Amanda. Embora tivesse milhares de livros para olhar, não resistiu a demorar-se sobre o Johnson por alguns minutos. No "Anúncio", leu palavras de consolo para um viúvo do século 20 que temia sua própria fraqueza: "A perfeição é inalcançável, mas podemos chegar cada vez mais perto; e, tendo meu dicionário prestes a ser reimpresso, esforcei-me, com uma revisão, para torná-lo menos repreensível". Um nobre empreendimento, pensou Peter. Perguntou-se se teria feito um progresso mais rápido caso o Dr. Strayer tivesse lhe dito simplesmente: Peter, acredito que, com uma revisão, você possa se tornar menos repreensível.

Com estantes cheias de livros acenando para ele, deixou o Johnson de lado e voltou-se para o trabalho. Após uma hora, tinha encontrado alguns bons títulos do século 18 e passado por várias prateleiras de sermões sem valor do século 19. Acabara de se sentar no chão para começar a trabalhar nas prateleiras mais baixas quando escutou uma batida na porta. Levantou o olhar e viu uma mulher retraída, os ombros curvados, mechas de cabelo voando em todas as direções, parada na porta. Usava um vestido cinza simples que tinha o caimento de um saco de batatas e seus pés estavam fechados em um par de galochas enlameadas. Ele pensou a princípio que podia ser uma das jardineiras, mas, depois, ela tirou as mechas de cabelo do rosto e ele viu a mesma testa alta e o mesmo queixo agudo do seu anfitrião. Era velha demais para ser filha dele; Peter pôde apenas supor que fosse a irmã de John Alderson.

— Estava andando — ela disse, quase inaudível, como se essas duas palavras balbuciadas fossem explicar não só a lama nas botas, mas tudo a respeito da mulher, desde sua escolha de roupa até sua postura defensiva, os braços cruzados sobre seus seios pequenos.

— Ainda está fazendo sol? — perguntou Peter, que sabia que, na Inglaterra, sempre que uma situação social deixava alguém sem ter o que dizer, sempre se podia falar do tempo.

Usou essa frase rápida para se levantar do chão, mas nem a postura dela nem seu tom de voz o convidavam para chegar mais perto.

Ela ficou encarando-o por um longo momento e, depois, olhou ao redor da sala, o olhar pousando na prateleira que fora esvaziada antes de Peter começar o trabalho. Em seguida, quando Peter quase tinha esquecido sua pergunta, ela resmungou:

— Não.

— Que pena — disse Peter, forçando um sorriso.

Em uma conversa com uma pessoa estranha, costumava ser ele o desajeitado. Achou irritante ele ser melhor em bate-papos vazios do que outra pessoa.

Após outra pausa longa, e ainda sem se mexer, ela falou:

— Meu irmão mostrou a caixa?

Seus olhos não se desviaram dos seus próprios pés enquanto murmurava a enigmática pergunta.

— Não — respondeu Peter, incapaz de pensar em frase melhor, já que não fazia ideia do que ela estava falando.

A mulher soltou um pequeno grunhido de desagrado e, depois, andou devagar pela sala até a escrivaninha ao lado da janela. Não era o andar, pensou Peter, de alguém que caminha no campo. Ela abriu uma gaveta, tirou uma pequena chave de latão e voltou ao outro lado da sala, onde inseriu a chave na porta de um armário. Com um clique, abriu a porta e, depois, parou e tirou uma caixa de madeira com dobradiças, seus cantos cobertos em faixas de latão desbotado até uma enfadonha cor acinzentada. Uma etiqueta colada na parte de cima da caixa quase tinha se soltado toda, e a mulher tirou-a rapidamente e amassou-a na mão; mas não antes de Peter ler as letras do século 19: Nunca vender.

Ela colocou a caixa no meio da biblioteca e abriu a tampa.

— Não gaste tempo olhando toda essa porcaria — ela disse, indicando as estantes perto de onde Peter estava com um movimento da cabeça. — Dou a você uma semana para fazer uma oferta e, depois, farei meu irmão ligar para outra pessoa.

Com aquela ameaça misteriosa, ela se virou e saiu da sala.

Peter abriu a tampa empoeirada da caixa e logo sentiu que, mesmo se tivesse tomado um tiro naquela manhã, teria valido a pena, se o levasse até aquilo. A caixa era uma mina de ouro. Apesar de sua experiência limitada com documentos, Peter suspeitava de que o conteúdo pudesse valer mais do que todos os itens encadernados da biblioteca juntos. Uma olhada rápida pelos papéis da caixa já revelou uma comissão assinada por Carlos I, uma carta de Walter Raleigh e um acordo assinado por Francis Bacon. Havia documentos da igreja assinados por arcebispos de Canterbury e uma estrofe de poesia manuscrita assinada por Robert Greene. É claro que todos precisariam de um estudo cuidadoso e de autenticação, mas havia o suficiente para manter Peter ocupado por meses.

Tirou os documentos da caixa um por um, empilhando-os com cuidado na mesa da biblioteca, e, quando estava prestes a devolvê-los para dentro, viu mais alguma coisa no fundo da caixa. No início, Peter pensou que fosse um livro, mas, depois, percebeu que era uma capa dobrável feita sob medida, muito mais elaborada do que qualquer uma que ele vira nas estantes da coleção Devereaux. O trabalho parecia do século 19... Meados da era vitoriana, Peter supôs. Levou vários minutos para abri-la e teve o cuidado de memorizar cada etapa do desdobramento para conseguir remontar a capa. Dentro, havia um volume no formato in-quarto fino com uma encadernação simples de couro.

Peter levantou a capa com delicadeza. Quando leu a página de título, parou de respirar. Sabia que encontrara algo que fazia o resto do conteúdo da caixa parecer insignificante. Se o texto estivesse completo, poderia ser o tipo de tesouro que sempre sonhara encontrar. Quando começou a virar as páginas e seus olhos de repente compreenderam as marcações manuscritas que preenchiam as margens, o ar jorrou dos seus pulmões tão repentinamente quanto se ele tivesse tomado um soco no estômago. Sem perceber, aquele ar expelido pronunciou duas palavras.

— Santo Graal.

Westminster, Londres, 1612

Nuvens grossas pairavam sobre Londres, e Bartholomew estava grato por elas. A pesada porta de carvalho da casa de Robert Cotton não apresentara mais trabalho do que a tampa de pedra do sarcófago de William de Wykeham, que abrira tantos anos antes. Aquela ele abriu sozinho. Apenas quando estava seguro do lado de dentro, com a porta fechada atrás de si, acendeu a lamparina.

Bartholomew já havia ido à casa de Cotton várias vezes: primeiro, alguns meses antes, quando começara a conversar com o colecionador sobre Shakespeare, e, mais recentemente, três dias antes, quando entregou o *Pandosto*. Naquele momento, estava subindo depressa as escadas e entrava na biblioteca. Na luz fraca da lamparina, os bustos dos imperadores o encaravam lá de cima, suas faces iluminadas ameaçando-o enquanto ele começava a examinar as prateleiras em busca da sua presa. Fora um golpe de sorte Cotton ter deixado escapar que ficaria em Cambridge por alguns dias, mas Bartholomew não foi tolo de achar que a coleção estaria desprotegida. Com certeza, algum grandalhão local a quem Cotton tivesse pagado alguns xelins verificaria a porta da frente a qualquer momento; ele precisava trabalhar rápido.

Na estante de Nero, reconheceu o saltério de Winchester, que vendera a Cotton 20 anos antes. Perguntou-se se deveria pegá-lo também e devolvê-lo ao túmulo de Wykeham, como penitência por suas outras más ações. Mas o saltério era um livro grande, e com certeza Cotton daria pela falta dele imediatamente. Além disso, ponderou Bartholomew, tirar o saltério da tumba não fora um crime; ele salvara um belo livro para as futuras gerações. Melhor que ficasse preservado na biblioteca de Cotton do que se decompondo até virar pó em uma caixa de pedra em Winchester.

Bartholomew tentou não pensar no que estava fazendo como roubo. Afinal, não havia vendido exatamente o *Pandosto* para Cotton; em vez disso, apresentara-o como prova de seu acesso aos papéis de Shakespeare. Que tivesse depois aliviado Cotton do pagamento inicial de 50 libras por papéis que podiam nem existir, Bartholomew via como um ato desonesto em vez de roubo. Ele esperava fazer jus aos padrões definidos para ele por Shakespeare na pessoa de Autólico: se ladrão, um ladrão inofensivo; se safado, um safado esperto e divertido, agradável, embora não totalmente moral.

Na segunda prateleira da estante de Augusto, Bartholomew viu o *Pandosto*. Puxou-o, embrulhou-o com cuidado em um pano e, quando estava se virando para sair, ouviu vozes na porta do andar de baixo. No instante seguinte, botas pesadas subiam desajeitadamente as escadas. Havia uma única janela no final da biblioteca, voltada para o Tâmisa, a cerca de 30 metros de distância. Bartholomew não teve tempo de pensar e, quando a porta da biblioteca foi aberta com violência, pulou da janela para as pedras do pavimento lá embaixo.

Ouviu o osso quebrar um instante antes de a dor queimar pela sua perna e, naquele instante, foi invadido por uma paz que nunca sentira. Não havia mais dúvida se seu plano daria certo ou não, se conseguiria escapar e se aposentar e terminar a vida com conforto no interior. Algumas pessoas se recuperavam de pernas quebradas, algumas evitavam a infecção que com frequência envenenava o corpo, mas Bartholomew sabia com uma certeza feroz que não seria assim com ele. Naquele instante, soube que falhara, que morreria, provavelmente em alguns dias, mas a paz que veio com aquela sentença definitiva envolveu-o como um casulo enquanto estava caído sobre as pedras, a perna dobrada sob o corpo. Depois, a dor chegou.

O barqueiro o esperava a algumas dezenas de metros, e Bartholomew sabia que devia correr para não ser capturado. Demoraria talvez um minuto para que seus perseguidores percebessem para onde ele tinha ido e corressem para a frente da casa e pela viela que levava ao rio. Sem pensar em sua agonia, e sem um barulho, ele se levantou contra a lateral da casa e foi pulando até a água. Cada movimento elevava a dor a alturas maiores do que ele pensara possíveis, mas Bartholomew focou todo o seu ser em não fazer barulho, mordendo a parte de dentro da boca até sentir o sangue quente fluir com liberdade. Ao chegar ao barco, caiu sobre a amurada e murmurou para o barqueiro correr na direção da corrente. Conforme o barco se movia para o centro do rio e era envolvido pela escuridão, Bartholomew ouviu o barulho de botas nas pedras e não teve consciência de mais nada.

Acordou nos seus aposentos, a dor da perna irradiando por todo o corpo. A senhoria segurava um pano úmido na cabeça dele e o barqueiro estava perto dos dois. Bartholomew sabia que teria de dar conta de mais uma tarefa antes de escorregar de novo para a escuridão. Sussurrou as instruções para o barqueiro e deu a ele o livro enrolado no pano e o saco de ouro que tirou de dentro do seu gibão, além de um bilhete que preparara para um incidente exatamente como aquele.

Depois de o barqueiro sair, Bartholomew caiu de novo contra os travesseiros e rendeu-se à ajuda da senhoria, que cuidava dele com a atenção de alguém que tinha memórias afetuosas de, às vezes, ter dividido a cama com ele.

Ao longo do que supôs terem sido vários dias, Bartholomew saiu e voltou para este mundo. Estava agonizantemente acordado quando o médico foi ver o ferimento. Conforme sua perna ficava cada vez mais inchada, o boticário lhe fazia várias visitas, toda vez banhando a perna de Bartholomew com vinagre para combater a infecção, toda vez balançando a cabeça em negativa para a senhoria ao sair.

Era manhã quando Bartholomew acordou, sentindo os pensamentos claros pela primeira vez desde o acidente. A dor diminuíra um pouco, mas ele sentia a escuridão acenando para ele. Ocorreu-lhe que poderia ser um bom momento para se arrepender de seus pecados, mas, antes de o pensamento se tornar ação, a escuridão crescente consumiu-o e ele escorregou para o seu abraço.

O túmulo de Bartholomew no adro da Igreja de Saint Paul não foi marcado com uma lápide. Embora a senhoria gostasse dele, tinha ficado com os poucos xelins que ele lhe dera para esse preparativo a fim de quitar parte de sua dívida com ela. No entanto, ela chorou quando ele foi baixado para a terra fria.

Matthew Harbottle nunca soubera a origem de seu sobrenome. Antes de sua mãe morrer, dois anos antes, ela sempre mudava de assunto quando ele perguntava sobre seu pai ou seu nome. Sua mãe sempre havia se chamado apenas de Lil. Ela morrera ao dar à luz no quarto acima do George and Dragon; a criança morrera também. Na época, Matthew tinha 16 anos e trabalhava havia muitos anos como cavalariço na taverna. A mãe, ele sabia, tocava outros negócios lá, mas ele sempre vivera com esse conhecimento e não parecia vergonhoso nem imoral para ele. Pouco depois da morte dela, ele começara sua carreira entre os atores. Um homem do teatro Globe fora à taverna procurando por Matthew e, mesmo sem Matthew nunca saber por que o homem chegara procurando por um cavalariço específico, aceitou com alegria o trabalho oferecido.

Matthew era pequeno, mas os anos de trabalho o tinham deixado forte, e ele era perfeitamente adequado para a nova carreira.

Agachado no espaço parecido com um sótão sobre o teto do Globe, rolava bolas de canhão quando precisavam de um trovão e baixava os atores que interpretavam fadas ou deuses até o palco. Em outras produções, ele trabalhava sob o placo, fazendo o som de cavalos se aproximando e empurrando acessórios para cima por alçapões. Quando a companhia viajava, Matthew cuidava dos acessórios e dos figurinos, colocava os cavalos em estábulos e fazia o que mais fosse necessário.

Matthew nunca viu uma peça e nunca aprendera a ler e, assim, não conseguia entender os scripts que às vezes entregava aos atores, mas ouvia trechos de peças enquanto esperava suas deixas. Para ele, peças eram pedaços de diálogos que se perdiam na escuridão e no som irregular da multidão: agora um murmúrio, agora um berro, agora o som inconfundível de 300 pessoas sufocando um grito em uníssono.

Às vezes, os atores convidavam Matthew para ir à taverna tomar alguma coisa. Ele então se sentia um rei, ganhando uma caneca de ale dos homens que davam vida a palavras, em uma estalagem onde já fora o cavalariço e o filho da prostituta do andar de cima. Ele era esperto o bastante para saber, pelas piscadas de olho dos atores e seus movimentos de cabeça na direção dos andares de cima, que muitos deles haviam aproveitado de sua falecida mãe, mas, sempre que perguntava a um deles sobre seu pai e seu nome, a resposta era a mesma: uma risada com vontade e a oferta de outra caneca de ale. Assim, foi uma grande surpresa quando, certa manhã, enquanto dormia em um quarto cheio de figurinos e acessórios, um estranho o tenha sacudido para acordá-lo e sussurrado:

— Seu pai lhe enviou isto.

Matthew pressionou o mensageiro, o melhor que pôde em seu estado entorpecido, por notícias do pai, mas o homem apenas apontava para o papel dobrado que entregara junto de um pacote enrolado em pano e uma pesada bolsa de tecido.

— A carta explica tudo — disse.

O mensageiro partiu antes de Matthew poder lhe pedir para ler a carta misteriosa de um pai que nunca conhecera. Para ele, eram rabiscos ininteligíveis.

Ele entendia muito bem, no entanto, o significado da bolsa de tecido. Contou o dinheiro três vezes. Cinquenta libras, tudo em ouro. Mais dinheiro do que jamais vira, ou esperara ver. Escondeu o dinheiro e o livro com todas as anotações nas margens em seu colchão. Não conseguia imaginar um possível uso para este último, mas parecia inteligente mantê-lo escondido, pelo menos por ora.

Mais tarde, naquele dia, pediu a um dos atores que lesse para ele o que estava escrito no pedaço de papel. Ficou sentado quieto no canto da sua cama enquanto ouvia as palavras quase incompreensíveis.

> Meu querido filho,
>
> Esta deverá ser a primeira vez que recebe um recado meu e a última, pois, se eu for obrigado a mandar esta carta, saiba que a morte está próxima e terá se apossado de mim quando esta chegar a você. Tivesse a situação sido diferente, talvez eu tivesse mandado buscá-lo, mas isso nenhum de nós saberá. Envio com esta carta dois tesouros. O dinheiro confio que garantirá seu futuro. Que você viverá com conforto neste mundo é um conforto para mim enquanto me preparo para o outro. O outro eu aconselho que você guarde por quanto tempo puder e, se um dia for forçado a se separar dele, não o faça aqui em Londres. Desejo-lhe uma boa vida.
>
> Seu afetuoso pai,
> Bartholomew Harbottle

Com isso, Matthew Harbottle tornou-se um sócio discreto e analfabeto do Teatro Red Bull, em Clerkenwell, com um investimento de 50 libras. O trabalho que fizera no Globe, executou no Red Bull para a Prince Charles's Men durante muitos anos. Como antes, acompanhava os atores em turnês pelo interior, e foi em uma dessas turnês, no final de sua vida, que se viu em mais débito no final de um jogo de cartas com nobres locais do que teria gostado. Relembrando as palavras do pai sobre vender o livro longe de Londres, ofereceu o volume para quitar o débito. O homem aceitou a oferta e até concordou em escrever o nome de Matthew na parte da frente do livro, sob o que ele dissera ser uma lista de outros que o haviam possuído. Ele pensou que seu pai gostaria daquilo, pois um dos nomes da lista, disse-lhe o homem, era "Bartholomew Harbottle". Matthew pediu ao homem que escrevesse Matthew Harbottle, Teatro Red Bull, e, depois, entregou o livro sem pensar mais no assunto. Cedo, na manhã seguinte, a companhia partiu para Bath.

Ridgefield, 1985

Peter marcava seu progresso pela Universidade de Ridgefield não em cursos ou semestres, mas pelo seu encontro com certos livros; e ele guardava um lugar especial para a edição de *Chaucer* pela Kelmscott.

Na lanchonete, certa noite durante os exames finais, Amanda lhe perguntara se as Coleções Especiais tinham alguma obra impressa por William Morris.

— É claro — disse Peter. — Eu não saberia dizer todos de cor, mas temos uma boa coleção da Kelmscott Press.

Kelmscott fora uma editora privada pertencente a Morris e operada por ele, o autor, artista e designer vitoriano.

— Sei que temos o *Chaucer*.

— O *Chaucer* da Kelmscott? — perguntou Amanda, admirada. — Com as ilustrações de Burne-Jones? Um original, quero dizer, e não o fac-símile?

— Sim — respondeu Peter, dando uma mordida no seu hambúrguer. — Por que você pergunta?

Amanda acabara de escrever um trabalho sobre Edward Burne-Jones para sua aula de história da arte. Tinha usado a edição fac-símile do Chaucer para ver as ilustrações em estilo medieval do autor. Quando Peter perguntou se ela gostaria de ver o livro de verdade, ela passou o pé pela panturrilha dele e sussurrou:

— Sim, por favor.

Na semana de provas, a biblioteca ficava aberta a noite toda, mas as Coleções Especiais ainda fechavam às 17 horas. Peter destrancou a porta e desativou o sistema de alarme antes de conduzir Amanda para o corredor estreito que se abria para a Sala Devereaux, naquela hora iluminada apenas pelo brilho verde da sinalização da saída. Ele acendeu um abajur de leitura na grande mesa da biblioteca e puxou uma cadeira para Amanda. Depois, desapareceu por um momento na escuridão e voltou com o volume enorme, encadernado em couro branco com delicadas letras gravadas na capa sem tinta. De uma caixa na mesa, ele tirou dois pares de luvas de algodão brancas e, depois, sentou-se ao lado de Amanda e abriu o livro.

Era difícil acreditar que fora impresso havia menos de 100 anos. O papel grosso; o lindo desenho de folhagens envolvendo o texto; as ilustrações, que lembravam tanto os manuscritos com iluminuras; até a fonte antiga, tudo refletia um volume do século 15 e, é claro, era exatamente o que Morris tinha pretendido. As páginas eram pesadas entre os dedos de Peter, conforme ele as virava com delicadeza. Mesmo através das pontas de algodão das luvas, ele conseguia sentir a textura dos tipos montados à mão e das ilustrações feitas com blocos de madeira. Ele adorava o toque de um livro impresso à mão. O amor e o carinho com certeza irradiavam das páginas. Ele o abriu em duas páginas que incluíam duas ilustrações de Burne-Jones e inclinou-se para trás, deixando Amanda absorver a beleza do trabalho artístico e artesanal. Ela soltou um suspiro curto e suave ao passar devagar a ponta de um dedo, coberta pela luva, pela página.

— É tão belo — ela sussurrou com reverência, e Peter olhou da página para o rosto de Amanda.

— Você também é — ele articulou as palavras em silêncio, pois, embora sempre tivesse achado o rosto dela adorável, ela ganhara um brilho especial enquanto se debruçava sobre o livro.

Ela estava encantada, Peter pensou, e ele estava extasiado de tê-la ajudado a se sentir daquela maneira. Perguntou-se como nunca lhe ocorrera levar Amanda à Sala Devereaux antes. De repente, sua mente ficou lotada de imagens de livros da coleção que iriam deliciá-la: trabalhos dos artistas vitorianos e dos artistas medievais que os inspiraram. Em nenhum volume, no entanto, poderia a interseção de sua paixão por belos livros e a paixão dela por arte vitoriana ter ocorrido com mais perfeição do que naquele famosíssimo exemplo de impressão do século 19.

Quase hipnotizado pela interação de texto, ilustração e design, Peter não ouviu Amanda mexer-se em sua cadeira, e, assim, o único aviso que ele teve foi a textura um pouco áspera da sua luva de algodão barato escorregando pela pele nua acima do seu colarinho. O contato físico de Peter com Amanda antes disso fora limitado a andar de mãos dadas todas as noites do Centro dos Alunos até a área dos dormitórios, um abraço ocasional, e breve beijos castos de boa-noite à porta do dormitório de Amanda. Como tudo em relação a Amanda, os beijos eram controlados, e Peter gostava disso. Aquele beijo rápido era o ponto alto do seu dia, todo dia, mas, se tivesse parado para pensar ao que mais ele poderia levar, e como poderia levar até lá, seu medo do desconhecido teria invadido a paz que Amanda criara na vida dele. Porém, ela se mexeu tão depressa no calmo isolamento da Sala Devereaux que Peter não teve tempo de temer o desconhecido. Depois, ele chegou a pensar se ela planejara aquele momento, sabendo que, naquela sala, Peter se sentiria mais confortável do que em qualquer outro lugar do mundo.

A mão enluvada dela puxou a cabeça dele em sua direção, e ela apertou seus lábios contra os dele; não era o beijo rápido e seco com o qual ele estava acostumado, mas um beijo eterno e aberto, com lábios úmidos e a sensação inconfundível da língua dela entrando rapidamente na boca dele. A outra mão dela desceu e puxou o braço de Peter para abraçá-la na parte baixa das costas, e ele apertou o braço em volta dela, puxando seu corpo para o dele. Os olhos de Peter estavam fechados, e ele perdera todo o sentido de onde estava; apenas o calor de Amanda em seus braços e contra seus lábios existia. Eles se beijaram pelo que pareceu tanto uma eternidade quanto um instante. Ele deu mordidas suaves no pescoço dela, e ela passou os dedos pelos cabelos dele, e ele acariciou as costas dela, e eles se beijaram, e todo o resto desapareceu, exceto Amanda e seus lábios e seus cabelos e seu corpo. Ela então o empurrou e fez a última coisa que ele esperava. Começou a rir. Peter sentiu na mesma hora que ela não estava rindo dele, mas rindo de pura alegria. Mesmo na luz fraca, os olhos dela brilhavam, e o sorriso que ele vira brevemente todas as noites após o beijo em frente ao dormitório apareceu no rosto dela com tanto entusiasmo que parecia que nunca sumiria.

Por fim, ela se jogou de volta na cadeira.

— Olhe para nós — disse. — O Senhor Tímido e a Senhorita Metódica, loucos um pelo outro e dando uns amassos na sala de livros raros.

Apenas mais tarde Peter percebeu que aquela podia ter sido uma declaração de amor; no momento, pareceu apenas que ela estava se divertindo com o absurdo de tudo aquilo. E, depois, Amanda disse a coisa mais surpreendente de todas. Inclinando-se com ar conspiratório na direção de Peter, ela acenou com a cabeça para o retrato de Amanda Devereaux que os observava e sussurrou:

— O que a vovó pensaria disto?

— Amanda Devereaux era sua avó? — perguntou Peter, tirando a mão enluvada da parte baixa das costas de Amanda e virando-se para olhar o retrato. — Não acredito que não vi isso. Você tem os olhos dela. Você a conheceu? Como ela era?

— Como ela era? — Amanda repetiu. — Peter, acabei de contar meu maior segredo... A informação que afastou todos os caras de quem já gostei e atraiu um monte de esquisitos que eu não suportava. Não entende? Sou uma herdeira super-rica. Você agora deve formular todo tipo de ideia preconcebida a meu respeito.

Peter inclinou-se para a frente e deu-lhe um beijo molhado no pescoço, puxando-a para si.

— Temo que todas as minhas ideias a seu respeito já tenham sido formuladas.

— Peter — disse Amanda, rindo e empurrando-o para longe. — Isso é importante para mim. Por isso me matriculei em Ridgefield com meu nome do meio. Não sou Amanda Middleton, sou Amanda Ridgefield. Você é a primeira pessoa a quem conto e eu meio que esperava uma reação.

— Olha — começou Peter, acomodando-se de volta na cadeira —, não é grande coisa. Digo, é legal você não ter de se preocupar com dinheiro e tal, mas eu com certeza não quero que você me julgue pela minha família. Por que a julgaria pela sua?

— É grande coisa, sim — Amanda falou. — Você também acha, eu posso ver. Você está sorrindo.

Peter não podia negar.

— Viu? Você não consegue parar de sorrir, e não consegue me olhar nos olhos.

— Não estou olhando nos seus olhos porque estou olhando para o chupão no seu pescoço. E estou sorrindo porque estou lembrando como você ganhou isso.

— Você sinceramente não se importa se eu sou tipo da realeza de Ridgefield e tenho ilhas de dinheiro e se as pessoas me tratam, e também qualquer um que eu esteja namorando, dessa ou daquela forma por causa disso?

— Não — respondeu Peter, que estava se recuperando do choque inicial de descobrir que suas duas Amandas estavam ligadas. — Vamos nos beijar mais um pouco.

— E não se importa que, quando conhecer meus pais, eles o farão passar por todo teste imaginável para garantir que você seja bom o bastante para a preciosa Amanda dos Ridgefield?

— Eu não esperaria nada menos, independentemente de quem fossem seus pais.

Peter inclinou-se na direção dela, mas ela o afastou com delicadeza.

— E não se importa que, quando todos enfim descobrirem quem sou, e isso vai acontecer logo, pensem que você veio atrás do meu dinheiro?

— Amanda — disse Peter, suavemente, pegando as mãos dela e sentindo o calor do nervosismo dela através da luva fina. — Não ligo para nada disso. Eu a amo.

Ele dissera sem pensar antes, e parecia a coisa mais natural e verdadeira do mundo, mas sua declaração levou a conversa para um nível muito mais sério, sem que fosse a intenção dele. Peter sentiu a tensão na mão dela e tentou aproveitar uma chance de mudar de assunto antes de ela se sentir pressionada a responder. Ele olhou para o retrato de Amanda Devereaux, que observava a neta.

— Agora, falando sério — disse Peter, ficando em pé e apontando para o retrato. — Quero saber tudo sobre Amanda Devereaux.

Ele ouviu um pequenino suspiro de alívio escapar dos lábios de Amanda quando ela se acomodou relaxada na cadeira.

— Bem — ela começou —, ela morreu antes de eu nascer e minha mãe não fala muito dela, mas, pelas poucas histórias que ouvi, acho que a vovó era incrível.

Peter não foi para casa naquele verão. Ele alugou o apartamento do porão de Francis Leland, onde viveria pelo restante do seu tempo na graduação, e passava as manhãs na biblioteca ajudando Hank Christiansen com o trabalho de restauração e continuava sua relação íntima com a coleção Devereaux. Durante as tardes, cortava a grama do jardim de Francis ou lavava o carro dele para ajudar a quitar o aluguel. Os dois se sentavam na ampla varanda da frente tomando chá gelado e falando sobre livros ou qualquer outro assunto que interessasse a Francis.

Peter via Amanda todos os dias. Eles davam longos passeios por Ridgefield Gardens, o terreno da antiga propriedade da família que pertencia então à universidade. Iam assistir a filmes nas tardes quentes e nadavam na piscina da casa de Amanda quando seus pais estavam viajando.

— Você terá de conhecê-los em algum momento — Amanda disse —, mas vamos aproveitar o verão.

Exceto por essa menção a Peter precisar um dia conhecer os pais dela, eles não falavam do futuro; apenas viviam o presente. Foi um verão perfeito.

Certo fim de semana, eles foram à praia de Wrightsville com o carro de Amanda e ficaram em quartos separados em um motel barato a três quarteirões da praia. Peter insistira em pagar, e o Seaside Inn, cujos dias de glória já estavam em um passado distante e não haviam sido tão gloriosos, foi o melhor que ele pôde oferecer. Amanda não reclamou. Eles se deitaram ao sol e comeram cachorros-quentes e frutos do mar fritos em excesso e caminharam na praia, molhando os pés no mar, beijando-se como especialistas. Peter nunca beijara uma garota antes de Amanda, mas as visitas frequentes deles tarde da noite à Sala Devereaux naquela primavera lhe deram bastante treinamento.

— Você já tinha ido à praia antes? — Amanda perguntou enquanto andavam de mãos dadas pela areia à beira da água.

— Em uma viagem da quinta série — respondeu Peter. — Cara, foram três dias terríveis.

— Ah! Conte mais.

— Eu gostava da Rebecca Ferguson, mas claro que não tinha coragem de fazer nada a respeito.

— Você nunca me disse que teve uma namorada.

— Acredite, não tive — afirmou Peter. — Ela só tinha olhos para Glenn Bailey, mas eu estava fazendo aquela coisa da quinta série, quando você acha que, se mostrar que está muito depressivo, a garota vai notar e ter pena.

— Eu teria tido pena — disse Amanda, deslizando um braço ao redor da cintura dele.

— Acredite, não teria. Eu era o menino de quinta série mais palerma do mundo. Eu os seguia enquanto andavam pela praia de mãos dadas, encarava da mesa ao lado durante o jantar, sentava no escuro chorando enquanto eles se sentavam juntos perto da fogueira. Se nós tivéssemos 30 anos a mais, eles teriam conseguido uma medida cautelar. Naquelas condições, ninguém reparou.

— Chorando no escuro. Pobrezinho — Amanda falou.

Ela parou de andar e envolveu Peter com os dois braços, puxando-o para um beijo longo e quente.

— Então está gostando mais da praia desta vez? — perguntou.

— Só um pouco mais — Peter respondeu.

Amanda lhe deu mais um beijo rápido e, depois, saiu correndo pela água e Peter a seguiu e os dois estavam rindo e ele teve o sentimento que o dominava mais ou menos uma vez por dia com Amanda: que nunca fora mais feliz na vida.

Naquela noite, Peter ficou deitado no quarto acordado. Ainda estava se adequando à novidade de uma companhia e do contato físico apaixonado, embora casto. Estava feliz com o acordo implícito de não dormirem juntos por ora, mas seu corpo doía de desejo por Amanda enquanto ele estava deitado na cama repassando na mente a imagem dela no biquíni azul-claro. Ele aceitou aquela dor. Ela o lembrava de que Amanda era real. Pela primeira vez na vida, ele sabia exatamente pelo que sentia aquele desejo sofrido.

Peter passou a ler poesias de amor, não apenas das estantes elegantes da Sala Devereaux, mas de estantes mais simples nas outras salas para as quais as Coleções Especiais se espalhavam; salas cheias de materiais manuscritos e livros do chão ao teto. Às vezes, Peter encontrava um livro que pensava merecer uma posição mais honrada na Sala Devereaux. Ele apresentava o caso para Francis e, quase sempre, era derrotado, porém, mesmo assim, Francis encorajava Peter nesse esforço.

— A melhor forma de aprender sobre livros — dizia — é passar tempo com eles, falar sobre eles, defendê-los.

Mais tarde naquele verão, mas não tão tarde a ponto de a ideia do final daquele idílio ter invadido seus sonhos, Peter descobriu um livro no depósito que certamente não devia ficar ali. Era um panfleto fino de sonetos de Elizabeth Barret Browning. Se apenas alguns dias antes Peter não tivesse buscado aqueles poemas, depois conhecidos como *Sonetos da Portuguesa*, em sua pretensa primeira edição, de 1850, talvez nunca tivesse percebido a importância do ano 1847 na página de título. Lá estava uma edição privada de alguns dos poemas mais famosos dos dois últimos séculos, impressos três anos inteiros antes de aparecerem para o público. Lá estava um candidato a promoção para a Sala Devereaux que Francis não seria capaz de recusar.

— É um livro de Wise — disse Francis, quando Peter lhe mostrou o panfleto.

— Um o quê? — perguntou Peter.

— Thomas Wise foi um dos bibliófilos mais distintos do final do século 19 e início do 20. Era vendedor de livros e bibliógrafo e tinha uma coleção espetacular de panfletos do século 19 de George Eliot, Charles Dickens, John Ruskin e quase todos os outros escritores vitorianos proeminentes.

— Parece impressionante — comentou Peter.

— E era — declarou Francis —, até 1934, quando dois vendedores de livros jovens chamados John Carter e Graham Pollard provaram que esses panfletos supostamente raros eram falsificações e que Wise era o falsificador. Este livro — Francis bateu o dedo indicador nos *Sonetos* apoiados na mesa — era um deles.

— Como eles provaram isso? — questionou Peter.

— De duas formas. Primeiro, olharam o que chamavam de evidência negativa. O que faltava em termos de procedência, menções de época, inscrições da época, qualquer coisa que, se estivesse ali, poderia indicar que os panfletos eram mesmo do período alegado para eles. Depois, voltaram-se para as evidências positivas, e foram verdadeiros pioneiros no uso de análises científicas nesse campo. Analisaram as substâncias do papel, compararam os tipos com catálogos de fábricas de fundição para ver quando tinham sido feitos. Foi um trabalho notável.

— Parece que Wise enganou muitas pessoas — disse Peter.

— Enganou. Era esperto o bastante para deixar os panfletos no mercado um ou dois de cada vez, para que não ficasse óbvio que eram todos da mesma fonte. Infelizmente, ele parecia ter um carinho especial por vitimar colecionadores americanos.

— Como Amanda Devereaux.

— Exato. Ela estava colecionando no auge da enganação de Wise. O resultado é que temos uma das melhores coleções de falsificações de Wise fora da Biblioteca Britânica.

Peter pegou a agora maligna edição dos *Sonetos*.

— Então acho que este deve voltar ao depósito— disse.

— Acho que não — falou Francis. — Quando eu coloquei a coleção nas prateleiras pela primeira vez, fazia apenas 20 anos desde que Wise fora desmascarado. As pessoas ainda viam seus panfletos, acima de tudo, como peças falsas pelas quais tinham pagado muito. Porém, agora Wise é considerado um dos maiores falsificadores de todos os tempos, e, por ironia, seus panfletos são tão raros quanto ele alegava serem. Eu diria que você está certo. É hora de dedicar um pequeno espaço na Sala Devereaux para o Senhor Wise.

Kingham, sábado, 18 de fevereiro de 1995

Peter vira, antes, um exemplar do *Pandosto*, de Greene, no qual *Conto de inverno* foi baseado, mas nunca a primeira edição. Ele lera a edição de 1607, que ficava na estante da Cleópatra em Ridgefield durante a pesquisa para sua aula sobre Shakespeare do segundo ano. O exemplar que estava na sua frente naquele momento na ampla biblioteca da Mansão Evenlode datava de 1588. Assim que viu a data, lembrou-se de uma frase em uma nota de rodapé da sua antologia de Shakespeare. "A edição original de 1588 do *Pandosto* é conhecida apenas em um exemplar único e incompleto da Biblioteca Britânica."

Descobrir o primeiro exemplar completo da primeira edição de um livro no qual Shakespeare baseara uma de suas peças teria sido suficiente para Peter sentir que realizara seu sonho de mudar o curso da história da literatura. Se aquele exemplar se provasse genuíno, e não uma falsificação inteligente, provavelmente poderia vendê-lo com uma ligação telefônica para a Folger Shakespeare Library de Washington por pelo menos uma centena de milhares de dólares. Mas a história da impressão do livro único que estava em frente a Peter talvez fosse o aspecto menos interessante, e com certeza menos valioso, dele. Conforme virava as páginas devagar e examinava o livro, Peter ouviu a voz do Dr. Yoshi Kashimoto, o grande defensor japonês de Edward de Vere: "Se alguém pudesse me mostrar um único documento da época que ligue as peças publicadas sob o nome de Shakespeare com o William Shakspere de Stratford, eu me retrataria e faria reverência aos pés dos stratfordianos". Era um sentimento que fora repetido de várias formas por mais de um século e meio por aqueles que alegavam uma variedade de autores para as peças de Shakespeare. "Mostrem-nos um único documento", os gritos reverberavam, "e proclamaremos solucionado o maior mistério literário de todos os tempos." Em suas mãos trêmulas, Peter segurava aquele documento.

As únicas amostras da escrita à mão de Shakespeare conhecidas anteriormente e que sobreviveram ao tempo consistiam em seis assinaturas e, possivelmente, uma passagem manuscrita de seis páginas da peça *Sir Thomas More*, escrita em colaboração com vários outros dramaturgos. Peter examinara os originais de todos os exemplos da letra de Shakespeare pessoalmente. A tinta marrom no fragmento de Thomas More parecia dançar pela página em uma profusão de laços e linhas em ângulos estranhos, e o texto subia conforme se aproximava do lado direito da folha.

Preenchendo as margens de cada página do *Pandosto* que ele segurava, estava a mesma tinta marrom, os mesmos laços e linhas e um pouco de desnível no texto. E tanto a letra quanto o conteúdo das anotações eram fortes indicações, sob o exame admitidamente superficial de Peter, de que tinham vindo da pena de William Shakespeare. O mais impressionante de tudo era o que havia escrito na guarda da frente. Em terceiro lugar em uma lista de nomes que Peter supunha serem dos donos do livro, escritas com a mesma letra das anotações nas margens, estavam as palavras "W. Shakspere, Stratford". Peter imaginou o Dr. Kashimoto de pé, diante de uma multidão de estudiosos de Shakespeare de todo o mundo, retratando sua posição. O Sr. Peter Byerly havia fornecido todas as provas necessárias de que William Shakspere de Stratford era o verdadeiro autor das peças. Peter desejava apenas que Amanda o estivesse esperando voltar ao chalé para poder compartilhar com ela aquela descoberta impressionante.

O pensamento em Amanda, em ela não estar esperando por ele e não poder compartilhar seu entusiasmo, trouxe Peter de volta à realidade. Era verdade que o livro à sua frente poderia estar entre os artefatos mais importantes da literatura inglesa, mas o mundo iria querer provas de sua autenticidade. Havia histórias demais sobre falsificadores de sucesso para que um artefato tão significativo fosse aceito imediatamente pelo valor aparente. E, com aquele pensamento, veio o eco de outra voz; a mulher retraída com o vestido cinza sem graça. "Dou a você uma semana", ela dissera. Se Peter não conseguisse provar a autenticidade do *Pandosto* em sete dias, Alderson ligaria para outro vendedor de livros e aquela pessoa faria a maior descoberta literária daquele século.

Peter imaginou que não dormiria muito na semana seguinte. Precisaria fazer análises textuais das anotações nas margens, traçar a procedência do livro e achar um laboratório que pudesse testar o papel e a tinta. Ele provavelmente não conseguiria provar com toda a certeza a autenticidade em tão pouco tempo, mas talvez tivesse o suficiente para tornar a descoberta pública e garantir que fosse o intermediário entre os Alderson e o resto do mundo.

Entre as mais importantes das suas tarefas estaria descobrir de onde aquele livro viera; como um artefato tão importante escapara da atenção por mais de 400 anos? Peter olhou de novo a lista de nomes na guarda da frente. Todos estavam escritos com letras diferentes. Se fossem, de fato, donos do livro, traçar sua origem talvez não fosse tão difícil. Enquanto lia a lista, sua respiração falseou no quarto nome e parou por completo no último. A quarta anotação dizia "R. Cotton, Augusto B IV". Peter entendeu as abreviaturas com perfeição. Em algum momento, aquele livro estivera na segunda prateleira da estante de Augusto da biblioteca do grande Robert

Cotton. A última anotação estava feita a lápis, e não à tinta, e era consideravelmente mais críptica, mas, para Peter, tão intrigante quanto: "A.I. / C. E.". A letra era, sem dúvida, a do artista que assinara a aquarela que Peter roubara, com as mesmas iniciais, A.I.

Peter fechou o livro por um momento para se permitir respirar. Não conseguia ficar quieto; levantou-se e andou de um lado para outro pela sala, parando sem prestar atenção para arrumar os livros em uma prateleira por alguns segundos. Como tinha conquistado alguma distância, ainda que de apenas alguns metros, do *Pandosto*, a animação e a curiosidade que sentira foram diminuídas por uma lenta onda de medo. Por qualquer que fosse o motivo, ele fora encarregado de um artefato de valor inestimável. E se o perdesse, ou derramasse chá nele? E se estivesse errado e fizesse papel de bobo? E se estivesse certo e as pessoas esperassem que ele fizesse discursos e aparecesse na televisão? Todas as visões do futuro pareciam cheias de perigos.

Em uma tentativa de se acalmar, Peter começou a colocar os documentos de volta na caixa. Foi apenas quando chegou a uma comissão assinada por Lorde Nelson que olhou para o canto superior direito de um dos documentos. Quase invisível, na marcação mais leve a lápis, estavam as mesmas iniciais que ele lera no *Pandosto*, "C.E.". Naquele documento, elas estavam escritas em letra cursiva entrelaçada; o tipo de monograma às vezes encontrado em livros vitorianos. Peter começou a examinar os outros documentos e descobriu que todos tinham o mesmo monograma levemente escrito a lápis no mesmo canto. Ele não o vira em nenhum dos outros livros que analisara naquela manhã; os que tinham marcas de propriedade traziam escrito simplesmente "Alderson". Quem era C.E.? Como sua coleção de materiais assinados chegara à biblioteca dos Alderson? E que relação tinha com o evasivo A.I.? Peter tirou os olhos do monograma de C.E. e viu a prateleira vazia na estante à sua frente. Deixou as primeiras peças do quebra-cabeça se juntarem, como as tranquetas de uma fechadura destravada com sucesso.

Ele já vira aquele monograma antes, no livro do qual roubara a aquarela; um livro sobre falsificações dos materiais de Shakespeare. E, se você tivesse tal livro na sua biblioteca, assinado pela mesma mão que escrevera em seu precioso artefato shakespeariano, poderia não pegar bem. Ele se lembrou do olhar furtivo da mulher retraída em direção à estante vazia. Ela sabia da caixa e possivelmente do *Pandosto*. Teria ela tirado o livro de Malone sobre falsificações de Shakespeare da biblioteca? Estava armando para ele? Ela sabia que o *Pandosto* era falso, mas queria que seu irmão pudesse vendê-lo sem suspeitas para um americano idiota? Ou sabia que era real e apenas queria evitar que Peter se distraísse com preocupações desnecessárias? E o que John Alderson sabia de tudo aquilo? Duas coisas pareciam certas para Peter: a mulher retraída não era de confiança e seu prazo não podia ser ignorado. Era óbvio que ela sabia alguma coisa sobre o mundo dos livros, talvez o suficiente para ir a Hay vender o livro sobre falsificações e, talvez, o que mais tivesse estado naquela prateleira. Ele tinha a sensação estranha de que ela estava mais no comando daquela biblioteca do que o irmão e de que Alderson daria atenção a ela se ela dissesse que o americano os estava enganando e precisava ser substituído.

Peter olhou para o relógio. Passava das quatro, e Alderson voltaria logo. Peter precisava que o irmão confiasse nele, e, segundo a sua experiência, não havia nada como um cheque gordo para conquistar a confiança de alguém. Ele envolveu o *Pandosto* de volta em sua elaborada capa e rapidamente colocou o restante dos documentos de volta na caixa e devolveu-a ao armário. Trancou a porta do armário e recolocou a chave na gaveta da escrivaninha. Da estante à direita da lareira, tirou três volumes aleatórios e empilhou-os em cima do *Pandosto*. Depois, voltou a uma pretensa análise dos livros até ouvir passos aproximando-se pela sala de estar.

— Indo bem, eu espero — disse John Alderson, entrando na sala.

— Sim, muito bem — respondeu Peter. — Há coisas muito boas aqui.

— Fico feliz em ouvir.

— Na verdade — falou Peter —, há um item que estou bastante interessado em comprar. Um amigo meu o procura há anos. Seu *Dicionário* do Johnson.

— Mas não é nem a primeira edição — alegou Alderson. — Eu não achei que valesse muito.

Peter achou interessante Alderson, que fingira entender pouco de livros, saber a edição do seu *Dicionário*.

— Posso lhe dar duas mil libras por ele — ofereceu Peter.

Era um preço de venda alto, mas Peter podia pagá-lo sem problema. Ficaria muito feliz em dar o livro de presente a Ridgefield, e John Alderson, que Peter suspeitava saber exatamente o quanto o livro valia, passaria a acreditar que o vendedor de livros americano tinha mais dinheiro do que noção; uma crença que poderia ser muito útil se a irmã começasse a preparar a exclusão dele.

— Duas mil? — disse Alderson, claramente surpreso.

— Vou querer comprar muito mais livros — comentou Peter —, mas tenho um cliente particularmente ansioso por este livro em especial.

— Bem, então, serão duas mil libras — respondeu Alderson, com uma risadinha.

— Temo que não poderei voltar durante vários dias — disse Peter, enquanto pegava o talão de cheques e começava a escrever. — Espero que não seja um problema.

Ele destacou o cheque e entregou a Alderson. Peter pôde ver nos olhos dele o brilho da ganância que tinha visto antes naqueles que pensavam ter recebido mais dinheiro por seus livros velhos do que eles valiam.

— Não — garantiu Alderson —, não será problema nenhum.

Ele pegou o cheque de Peter e o colocou no bolso da camisa.

— E gostaria de saber — começou Peter — se posso levar alguns itens comigo.

Ele pegou o *Pandosto* e os três livros em cima dele.

— Meus materiais de referência estão no meu chalé, e eu gostaria de fazer mais pesquisas nestes aqui.

Era um momento delicado. Alderson hesitou mais do que Peter gostaria, o suficiente para cada um deles, talvez, sentir que o outro não era bem o que parecia.

O olhar de Alderson voou para o armário trancado que guardava a caixa de documentos, e, depois, ele sorriu para Peter.

— É claro — disse, com o que Peter teve certeza de ser uma alegria falsa. — Leve o que precisar. Agora, pode ficar para um chá?

— Temo que não — respondeu Peter. — Estou esperando uma ligação dos Estados Unidos às cinco, preciso ir para casa. Posso ligar para você dentro de alguns dias?

— Ótimo — falou Alderson. — Vou lhe mostrar a saída.

Peter já estava na metade dos degraus da frente, descendo para a escuridão do começo da noite, quando ouviu a voz de Alderson atrás dele. Pela primeira vez desde que Peter o conhecera, sua voz tremeu quase imperceptivelmente.

— Acho que você não conheceu minha irmã, Júlia.

— Não — disse Peter com firmeza. — Não tive o prazer.

— Bem, então — falou Alderson com a expressão se iluminando —, teremos de apresentá-lo da próxima vez.

Relutante como estava para voltar à cena do seu crime, Peter sentiu que tinha de examinar quaisquer que fossem os livros que Júlia Alderson removera da biblioteca da família. Uma rápida ligação para a loja de Hay-on-Wye confirmou que, embora o dia seguinte fosse um domingo, o dono do estabelecimento estaria lá na maior parte da tarde. Peter também confirmou que sua geladeira estava quase vazia e, assim, colocou o casaco de novo e saiu para a escuridão, para uma caminhada até a loja da vila. Ele achava a ida à loja para comprar comida uma ou duas vezes ao dia uma rotina reconfortante e necessária.

Peter escolheu um jantar congelado de frango tikka masala e, depois, fez seu truque de fingir ler as instruções de preparo enquanto ficava na fila do caixa para não precisar, por acidente, fazer contato visual com ninguém. Já tinha cozinhado uma quantidade suficiente de jantares como aquele para poder recitar as instruções de cor, mas eles o tinham protegido com sucesso de ter de conversar com outros compradores durante meses. Assim, levou um momento para perceber que estava sendo chamado por um sotaque irlandês atrás dele, que dizia:

— Você é o Senhor Byerly, não é?

— Desculpe? — disse Peter, para quem essa frase era uma reação instintiva a qualquer forma de contato público. Dava-lhe tempo, pelo menos.

— Você é o Senhor Byerly — disse a mulher, que se colocou ao lado dele.

— Sim — respondeu Peter, levantando o olhar por tempo o bastante para reconhecer a faxineira da Mansão Evenlode antes de virar-se para estudar a vitrine de batatinhas.

— Você não é a primeira pessoa que vem fuçar pela mansão, sabia? — disse a Srta. O'Hara.

A fuga de Peter da conversa com a faxineira fora mais por hábito do que por nervosismo em especial. Os tiros que levara mais cedo naquele dia tinham deixado as conversas em público menos assustadoras. Naquele momento, ocorreu-lhe que a Srta. O'Hara poderia ser uma excelente fonte de informações privilegiadas sobre a família Alderson. Ele se virou e olhou nos olhos dela.

— E quem esteve lá antes de mim? — perguntou.

— Um homem velho veio da Cornualha e quis olhar as pinturas. A Senhorita Júlia não ficou feliz com aquilo, posso afirmar.

Peter tentou disfarçar sua surpresa. O homem velho devia ser o estudioso secreto de Liz Sutcliffe e, assim, as pinturas deviam ser do misterioso A.I. As ligações entre a pintura de Amanda, a Mansão Evenlode e o *Pandosto* pareciam estar se multiplicando.

— Então Júlia não é casada — ele falou.

— Nunca foi — contou a Srta. O'Hara. — Ela se decepcionou com o amor. Sempre se apaixonando pela pessoa errada, diz o Senhor John.

— Quando o homem velho da Cornualha veio ver as pinturas — começou Peter —, a Senhorita Júlia lhe mostrou alguma coisa na biblioteca?

A Srta. O'Hara não pareceu achar aquela pergunta intrusiva demais para uma conversa à toa na fila de uma loja.

— Não poderia fazer isso sem que eu soubesse. Eu estava tirando o pó dos livros naquela semana. Tiro cada um da prateleira e espano duas vezes por ano. Fiquei na biblioteca o dia todo.

— Então não sabe se falta algum livro?

— A Senhorita Júlia levou uma prateleira inteira para o quarto dela há algumas semanas. Provavelmente estava tentando impressionar algum homem. Ela não me deixa entrar no seu quarto, mas acho que os livros ainda estão lá. O Senhor John nunca coloca as mãos nos livros do andar de baixo.

— Próximo — disse a dona da loja detrás do balcão.

Peter tentou não sorrir quando deu um passo adiante. Estava começando a se sentir um verdadeiro detetive. Não sabia se algum crime fora cometido, mas a retraída Srta. Júlia estava se transformando na principal suspeita. Ele tinha mais certeza do que nunca de que precisava voltar a Hay. Esperava apenas que o livro com a encadernação azul conhecida ainda estivesse lá.

Ridgefield, 1985

Peter queria que o aniversário de Amanda fosse perfeito.

— É um dia estranho para fazer aniversário — ela lhe contara. — Digo, todo mundo está sempre comemorando o Dia das Bruxas, mas isso não tem nada a ver comigo.

Ela já planejara aquela noite; isso deixou a Peter a tarefa de encontrar um presente, e ele queria dar a ela algo que refletisse as paixões dos dois e, assim, fosse único para o relacionamento deles. Joias não serviam. Amanda ficava satisfeita em usar o mesmo par de brincos de diamantes em botão todos os dias, e esse parecia ser todo o seu interesse em adornos. Echarpes, bolsas de mão, chocolates e flores — todos sugestões de Francis Leland — pareciam também inadequados.

Em uma caixa na poeirenta sala dos fundos de uma loja de antiguidades local, Peter descobriu uma edição antiga da novela de fantasia de 1870 *At the Back of the North Wind*, de George MacDonald. O livro era ilustrado pelo pré-rafaelita Arthur Hughes. Amanda, ele sabia, considerava Hughes no mesmo patamar que seu ídolo Edward Burne-Jones. Aquele seria o primeiro livro que Peter daria a Amanda. A capa e cerca de metade da lombada estavam faltando. Vários cadernos estavam soltos, um deles literalmente preso por um fio ao meio do livro. Muitas páginas estavam rasgadas nas margens. Para qualquer colecionador sério, não tinha valor. Peter comprou por um dólar.

Quando viu o livro, Hank Christiansen concordou que era um candidato perfeito para a reencadernação.

— Será um grande projeto — disse Hank. — E, se você fizer besteira, não será problema, porque o livro é seu.

— Eu preferiria não fazer besteira — disse Peter.

— Não se preocupe — Hank falou. — Quando você terminar de trabalhar neste livro, ele estará elegante. Quando é o aniversário da Amanda?

— No Dia das Bruxas — Peter respondeu.

— Isso lhe dá um mês — concluiu Hank. — É melhor começar.

Peter virara algo entre aluno e assistente na oficina de Hank, muitas vezes trabalhando sozinho com Hank quando o resto da equipe já tinha saído. Quase nunca falavam de outro assunto além do reparo de livros, frequentemente trabalhando lado a lado por horas em um silêncio companheiro. Geralmente era Hank quem quebrava o silêncio, com uma instrução gentil para Peter ou, às vezes, um comentário inteligente que ele parecia ter gastado uma hora para bolar. Nessas ocasiões, seus olhos brilhavam por trás dos óculos enquanto esperava Peter rir. Peter sempre ria. Ele achava Hank inteligente e engraçado e, por causa dos longos períodos de silêncio, fácil de conviver. Se pressionado, poderia até chamar Hank de amigo.

Embora tivesse ajudado Hank em várias encadernações na primavera anterior, Peter nunca fizera o trabalho todo sozinho. Enquanto apoiava o *North Wind* no balcão para planejar o ataque, esperava que um mês fosse suficiente.

A primeira tarefa era remover o que restasse da capa original. Peter prendeu o bloco de texto do livro na prensa de encaixe, a mesma morsa ereta sobre a qual vira Hank se debruçar pela primeira vez, um ano antes. Com uma faca de encadernador, Peter fatiou os restos da lombada e da quarta capa. Colocou algumas gotas de pasta grossa na lombada e deixou a umidade desprender a cola dos fundos das páginas. Trinta minutos depois, a cola estava mole e ele a descascou com sua faca. Peter tirou o livro então desmontado da prensa de encaixe e começou o processo de tosquiar o bloco de texto: separando os cadernos um do outro e da linha que os unia. No final da tarde, o livro estava esparramado pelo balcão em cadernos descosturados.

Peter passou a semana seguinte arrumando os rasgos das páginas de *North Wind*. Havia mais do que ele percebera de início, mas poucos afetavam o texto e nenhum se estendia para as ilustrações. Peter ficou feliz com isso, porque o papel kozo — o papel japonês fino, mas fibroso, que ele colou pelos rasgos para reparar o papel — ficava branco opaco ao secar. Um especialista poderia usar pedaços tão pequenos de kozo, até mesmo fibras individuais, que uma ilustração rasgada poderia ser consertada sem o reparo ficar visível, mas Peter não era um especialista. Ainda que alguns pudessem achar entediante o processo de consertar um rasgo de margem após o outro com um pequeno pincel, uma cola especial e um pedaço fino de kozo, Peter quase alcançava um estado zen durante aqueles períodos de trabalho repetitivo. Trabalhou por sete horas certo dia, perdeu seu seminário de inglês e ficou sem noção de tempo até Hank desligar as luzes e anunciar que era hora de fechar.

Antes de começar a costurar de volta as seções de *North Wind*, Peter escolheu o material para as novas guardas. Como planejava fazer uma encadernação elegante e completa em couro, Peter escolheu um papel marmorizado artesanal com redemoinhos de azul, dourado e branco. Depois, organizou as seções do livro em ordem e começou a costurá-las em três faixas de fita de tecido, bem esticadas em uma moldura de costura. As faixas de tecido formariam a parte de dentro da lombada do livro. Após um longo dia de trabalho, havia costurado o bloco de texto bem apertado. As páginas eram viradas com facilidade, mas não se soltavam quando ele as puxava com delicadeza. Peter passou a sentir que a ressurreição do *North Wind* tinha começado de verdade.

— Vamos — disse Amanda —, pelo menos me dê uma dica.

Eles estavam sentados em um banco atrás da biblioteca, aproveitando o ar fresco de uma noite de outono durante uma folga das aulas.

— Sem dicas — falou Peter, dando as costas para ela para fingir indignação.

— Aposto que consigo fazê-lo falar — disse Amanda, fazendo cócegas nas laterais do corpo dele, mas, mesmo Peter rindo e se contorcendo, ele não contou nada.

— Não é justo — reclamou Amanda, com voz de desagrado, enquanto deslizava os braços ao redor de Peter por trás e descansava a cabeça nos ombros dele. — Não quero que tenhamos segredos um com o outro.

— Não temos — disse Peter, de repente muito mais sério. — Não segredos de verdade. Mas é seu presente de aniversário. Tem de me deixar ter um pouco de diversão.

— Ah, tudo bem — concordou Amanda, beijando o rosto dele e, depois, soltando os braços e ficando em pé. — Mas você tem de me deixar trabalhar um pouco.

—Ei — chamou Peter atrás dela, enquanto ela fugiu de volta para a biblioteca —, a folga dos estudos foi ideia sua!

— É um ótimo trabalho — disse Hank no dia seguinte, passeando pelas páginas de *North Wind* e balançando a cabeça com aprovação. — Dá para ver quando um trabalho assim é feito com amor de verdade.

Peter ficou muito vermelho, sem pensar que Hank poderia estar se referindo ao amor de Peter por livros em vez do seu amor por Amanda.

— Obrigado — ele conseguiu balbuciar.

— Já pensou no tipo de couro que quer usar? — perguntou Hank.

— Pensei em talvez usar o couro de carneiro azul, se ainda tivermos o suficiente — falou Peter. — Digo, eu não sabia o quanto isso iria custar, mas...

Peter deixou as palavras no ar. Ele estivera tentando decidir como abordar Hank para falar dos custos dos materiais que estava usando no seu trabalho. O couro seria o item mais caro, mas tudo, do kozo às faixas de união, custava. A maioria das horas de trabalho de Peter na biblioteca era classificada como tempo de trabalho e estudo. Ele começara a fazer algumas negociações de livros e conseguira alguns lucros modestos nesses esforços inexperientes, mas quase tudo ele gastara comprando mais livros de várias instituições de caridade e lojas de antiguidades. Seus pais lhe mandavam, de má vontade, 20 ou 30 dólares por mês como ajuda de custo, o que apenas lhe ajudava a pagar o café com Amanda em algumas noites. Ele não estava certo de como pagaria pelos materiais da reencadernação de *North Wind*, mas pelos menos precisava saber quanto iria dever.

— Bem — disse Hank —, acho que um pedaço de couro de carneiro azul grande o suficiente para esse trabalho deve ficar em cerca de quatro horas.

— Como é? — falou Peter.

— Você me dá quatro horas extras de trabalho neste semestre e eu lhe dou o pedaço de couro.

— E o resto dos materiais? Cartões, guardas, folha de ouro?

Peter viu um brilho familiar nos olhos de Hank; um brilho que vira pela primeira vez quando Hank mencionou a pilha das namoradas.

— Acho que, quando você já tiver estragado o corte do cartão de encadernação umas duas vezes, vai estar me devendo cerca de três horas, mais as quatro pelo couro. É claro que você já trabalhou 30 ou 40 horas extras desde agosto, então parece que eu estou em dívida com você.

— Obrigado — disse Peter, sorrindo.

Ele não conseguia pensar em mais nada para dizer e, assim, voltou-se para o seu trabalho.

No final, ele não estragou o corte dos cartões de encadernação, o papelão denso que forma as capas do livro. Depois de eles serem presos às fitas de tecido nas quais o bloco de texto estava costurado, Peter deixou o livro em uma prensa pelo restante da semana.

— Um livro precisa se acostumar com a nova capa — Hank lhe dissera.

Era dia 20 de outubro, e Peter chegara ao estágio mais delicado e cheio de nervosismo da reencadernação: cobrir o livro com o caro couro azul que ele escolhera. Enquanto o livro estava sob a prensa, Peter tinha cortado com cuidado o couro no tamanho certo e desgastado os cantos com uma chifra. Colar o couro nas capas foi tarefa de uma única tarde, e Peter teve de trabalhar rápido e com cuidado. A cola molhou o couro, deixando-o mais fácil de esticar pelas bordas e envolver em torno dos cantos, mas também mais fácil de marcar ou rasgar. Peter podia sentir Hank observando do outro lado da sala enquanto ele puxava e esticava e embrulhava e alisava o couro no livro. Ele sabia que Hank devia estar morrendo de vontade de dizer "quer uma ajuda com isso?", em especial quando Peter chegava a pontos críticos e realmente desejava uma mão extra para segurar um canto enquanto dobrava outro, mas Hank resistiu à tentação de oferecer assistência, e Peter, teimoso em seu desejo de ser o único artesão de *North Wind*, resistiu à tentação de pedir. No final da tarde, o livro coberto de couro estava de volta à prensa, secando.

Tremendo, Peter tirou o livro da prensa no dia seguinte. Apesar da noite quase sem dormir que passara, temendo pregas no couro ou vincos estragando a capa, a encadernação estava lisa e limpa. Ele terminou o processo de prender as guardas marmorizadas e colocou o livro na prensa de dourador, uma morsa que segurava delicadamente o volume envolto em feltro para que Peter pudesse decorar a lombada. Com ferramentas de latão aquecidas, ele estampou o título e o autor na lombada em letras douradas, com uma flor de lis decorativa separando *At the Back of the North Wind* de George MacDonald.

Ainda faltava quase uma semana até o aniversário de Amanda quando Peter colocou o toque final no livro, estampando um A.R. dourado na capa. Extremamente orgulhoso de seu trabalho, ele o apresentou a Hank no dia seguinte.

— É um trabalho excelente, Peter — disse Hank, abrindo as capas e admirando como elas se mexiam com suavidade nas novas articulações, como as páginas viravam sem esforço. — Muitos dos encadernadores de primeira viagem acabam com um livro com as páginas muito apertadas, mas este é um verdadeiro prazer de manusear.

Peter sentiu uma onda de satisfação quando Hank lhe devolveu o livro.

Nos dias seguintes, Peter deixou o *North Wind* em uma prateleira do laboratório de conservação, mas pegava-o para sentir o couro frio e maleável sempre que chegava ao trabalho. No dia 31, logo antes de ele sair do laboratório, pegou uma caneta tinteiro e um pote de tinta bem preta. Ele praticara sua caligrafia durante vários meses. No falso rosto de *North Wind*, escreveu, na sua melhor imitação de uma letra do século 19: "Para Amanda, com amor, do encadernador, Peter, 31 de outubro de 1985."

Kingham, sábado, 18 de fevereiro de 1995

Peter abriu novamente a delicada encadernação do *Pandosto* e começou o exame que levaria a maior parte da noite. Começou com a procedência. A linha de posse, do próprio autor até o misterioso A.I., poderia ser uma das evidências mais fortes em favor da autenticidade. Peter sabia o suficiente sobre a história inglesa de coleção de livros para reconhecer muitos dos nomes na lista, mas precisava pesquisar as ligações entre os donos e tentar identificar nomes como Em Ball, Bartholomew Harbottle e William H. Smith. A lista era:

R. Green para Em Ball
Bart. Harbottle
Wm. Shakspere, Stratford
R. Cotton, Augusto B IV
Matthew Harbottle, Teatro Red Bull
John Bagford
John Warburton
R. Harley, Oxford
B. Mayhem para William H. Smith
A.I. / C.E.

Dez anotações. Dez pistas que poderiam contar a história de como um volume de valor incalculável sobreviveu em segredo por mais de quatro séculos.

De suas frequentes visitas noturnas à Sala Devereaux com Amanda, Peter aprendera que Francis nunca ia até lá depois do horário de trabalho, mas ele sempre trabalhava em seu escritório até as 17 horas nos sábados. As Coleções Especiais não ficavam oficialmente abertas nesse horário, e Francis dizia que geralmente era o único momento sem interrupções da sua semana de trabalho. Depois de Peter terminar o jantar e confirmar, com seu exemplar de *English Collectors of Books and Manuscripts,* de De Rici, a lembrança que tinha das identidades de Bagford, Warburton e Harley, ligou para o número de telefone privativo de Francis Leland.

Fez isso sem pensar que não falava com Francis desde que deixara Ridgefield. Enquanto o telefone tocava a milhares de quilômetros de distância, Peter também não pensou no oitavo item da lista do Dr. Strayer, "Entrar em contato com velhos amigos", mesmo com o número de Francis escrito logo ao lado dessa anotação. Quando Peter fora à cozinha olhar o número, nem reparou na lista, apenas nos dígitos rabiscados na margem.

Desde que chegara a Kingham, Peter não ligara nem escrevera para nenhum dos seus amigos dos Estados Unidos; nem para Hank ou os pais de Amanda ou a melhor amiga dela, Cynthia, embora todos tenham implorado para ele manter contato quando o viram pela última vez no funeral, e todos tenham deixado repetidas mensagens na secretaria eletrônica dele. Em seu esforço para escapar de todas as lembranças de Amanda, Peter cortara o contato com sua vida na América e não pensara muito em como aqueles que ficaram para trás poderiam interpretar esse longo silêncio. Assim, Peter, que estava concentrado apenas em identificar os nomes na guarda do *Pandosto*, não entendeu a mistura de animação e alívio na voz de Francis Leland.

— Peter, graças a Deus. Estávamos tão preocupados com você. Você está bem?

Parecia a Peter uma pergunta completamente irrelevante, como se Francis tivesse perguntado que sapatos ele estava usando.

— Estou tentando localizar algumas pessoas — disse Peter.

— Os Ridgefield? — perguntou Francis. — Estão em Nova York, mas deixaram números de telefone comigo caso você ligasse. Sei que ficarão muito aliviados de ter notícias suas. Você não pode imaginar o que eles têm pensado, Peter.

A frustração invadiu a voz de Peter. Ele e Francis sempre tinham se entendido antes. Por que estavam falando de assuntos tão diferentes?

— Não — disse Peter —, você não entendeu. Preciso localizar algumas pessoas.

Focado como era, não conseguia pensar em outra maneira de verbalizar o pedido, mas, sem esperar Francis responder, continuou forçando o assunto.

— Os três primeiros eu suspeito que sejam elisabetanos ou jacobianos. Um deles teve alguma ligação com Robert Greene. Seu nome era Em Ball. Depois, há dois chamados Harbottle: Bartholomew e Matthew. Matthew tem alguma coisa a ver com o teatro Red Bull. E, depois, há dois nomes muito posteriores, do século 18 ou 19: Benjamin Mayhew e William H. Smith. Sei que o último é muito comum, mas ele provavelmente foi um colecionador de livros.

— Peter, você está bem?

Tivesse parado para pensar na pergunta de Francis, Peter teria reconhecido o tom de condescendência paternal que costumava invadir a voz do Dr. Strayer quando Peter agia com obstinação. Decidiu, em vez disso, ignorar Francis.

— Ah, e tenho boas notícias. Achei um exemplar da quarta edição do *Dicionário* de Johnson. Sei que você o teria comprado, mas decidi doá-lo à coleção Devereaux em memória de Amanda.

Peter fez uma pausa e pensou no retrato de Amanda Devereaux.

— Minha Amanda — acrescentou.

— Que maravilha. Olhe, Peter, está vendo alguém aí? Quero dizer, um médico?

— Por que eu visitaria um médico? — perguntou Peter, sem entender a intenção de Francis. — Estou com a saúde perfeita. Quero dizer, tirando o fato de levar uns tiros.

— Levar uns tiros? — falou Francis. — De verdade, Peter, acho que você deveria...

— E então, acha que pode me ajudar com esses nomes? — Peter interrompeu.

A linha ficou em silêncio e, depois, Francis falou de novo, com uma voz mais baixa e calma. O velho Francis, Peter pensou.

— Bem, Em Ball era a amante de Robert Greene — contou. — Prostituta e irmã de um criminoso. Dizem os rumores que ela apareceu no leito de morte dele e tentou fazê-lo admitir que era o pai do seu filho ilegítimo, o que ele recusou. Quanto a Bartholomew Harbottle, eu fico surpreso que você não conheça. O nome dele está em um dos seus livros favoritos. Ele foi vendedor de livros, morreu por volta de 1610 ou 1620. A assinatura de posse dele está no seu quarto ruim de *Hamlet*. Os outros dois, terei de pesquisar para você, mas sei que o Teatro Red Bull ficava em Clekenwell. Foi queimado em um grande incêndio, eu acredito.

— Olhe — disse Peter —, você pode deixar uma mensagem na secretária eletrônica se conseguir localizar Matthew Harbottle ou William H. Smith? Talvez eu saia.

— Peter, do que se trata tudo isso? — perguntou Francis.

— Acho que posso ter encontrado o Santo Graal — Peter disse e desligou.

Então, Robert Greene havia dado aquele exemplar do *Pandosto* para a amante. Era fácil imaginar que ela o tivesse vendido para Harbottle e que ele o tivesse vendido para Shakespeare como fonte para *Conto de inverno*. Nunca houvera uma ligação comprovada entre Shakespeare e Robert Cotton, mas a maioria dos estudiosos concordava que fazia sentido o dramaturgo ter consultado a biblioteca de Cotton. Talvez o *Pandosto* tivesse sido um presente. E Cotton era conhecido por emprestar seus livros. Talvez o Teatro Red Bull tivesse montado uma produção de *Conto de inverno* e aquele Matthew Harbottle tivesse pegado o livro emprestado e nunca devolvido. Essa suposição parecia menos provável para Peter. Afinal, as trupes teatrais do século 17 não contratavam dramaturgos e esse cenário não explicaria a coincidência do nome Harbottle.

Peter passou a noite fazendo uma transcrição cuidadosa das anotações nas margens do *Pandosto*, parando apenas para um cochilo antes do café da manhã. A guarda de trás estava lotada de uma mistura de rabiscos em volta de uma versão preliminar da música apresentada por Autólico no ato IV de *Conto de inverno*. Peter levou horas para organizar a bagunça e mesmo assim não ficou seguro do significado de muitas das marcações e abreviações. Peter detectou uma frase curta, quase obscurecida por outras palavras escritas sobre ela, logo acima da letra da música. Com a ajuda de uma luz forte e uma lupa, ele enfim conseguiu decifrá-la. "B. Harbottle = Autólico."

Se Bartholomew Harbottle havia servido de modelo para o mercador e velhaco Autólico, diversas possibilidades sobre como o *Pandosto* passara das mãos de Robert Cotton de volta para as mãos da família Harbottle se apresentaram. Bartholomew Harbottle poderia tê-lo pegado emprestado sem intenção de devolver ou simplesmente roubado. *Conto de inverno* foi escrito no final da carreira de Shakespeare, quando ele já era um dramaturgo bem estabelecido. Se Harbottle suspeitasse de que o volume poderia ser valioso um dia, poderia tê-lo passado adiante para um parente.

Conforme Peter caía no sono no sofá da sala de estar, ele sentiu ter uma noção razoável da jornada do *Pandosto* de Robert Greene para a amante, para um vendedor de livros inescrupuloso, para William Shakespeare, para Robert Cotton e, enfim, para o desconhecido Matthew Harbottle. Porém, se Matthew estivesse vivo quando Bartholomew morreu — não depois de 1620, Francis dissera —, seria improvável ter vivido muito além de 1666, e o livro quase com certeza já estaria fora de Londres nessa época. Ainda assim, o nome seguinte na lista era John Bagford, colecionador e negociante que estava no auge de sua atividade por volta de 1710. Assim, onde o *Pandosto* ficara escondido por 45 anos? E, se o livro pertencera a Robert Harley, conde de Oxford, por que não fora parar no Museu Britânico com o restante de sua coleção?

Wakefield, Yorkshire, Norte da Inglaterra, 1720

John Warburton deu um grande gole no uísque e baixou o copo. Embora fosse verdade que o uísque lhe custara o emprego, se a reunião daquela noite corresse bem, ele teria dinheiro suficiente para mantê-lo embriagado e com um teto por mais um tempo.

Na grande mesa no centro de sua biblioteca, criara duas pilhas de manuscritos da sua coleção sempre em crescimento. À esquerda, os que ele esperava que lhe dessem 500 *guineas* até o fim da noite. Eram obras medievais, inclusive alguns belos exemplos de escritos anglo-saxões e em inglês antigo; a tentação exata para seu convidado do jantar. À direita, estavam manuscritos que ele não queria vender: sua coleção de peças elisabetanas e jacobinas. Muitas delas ele comprara de seu velho amigo, já falecido, o vendedor de livros e grande colecionador de amostras impressas John Bagford. Lembrava-se bem do dia em que Bagford chegara à porta de sua casa com uma provisão de materiais elisabetanos que encontrara definhando em uma mansão perto de Exeter.

Warburton passara a tarde compilando uma lista das peças representadas naquela coleção. Manteria a lista na escrivaninha, enquanto as peças ficariam escondidas em outro lugar, para protegê-las dos olhos curiosos do seu convidado. A lista tinha 55 títulos, inclusive obras de Robert Greene, Thomas Dekker, Christopher

Marlowe e William Shakespeare. Poucas haviam sido publicadas, e a maioria dos exemplares de Warburton era única.

Depois de finalizar o catálogo, pegou a pilha de manuscritos e carregou-a para a cozinha, onde a guardaria no armário mais alto, um lugar improvável até mesmo para o bibliófilo mais persistente à procura de tesouros. Não percebeu que um item da sua coleção teatral — um volume impresso com anotações nas margens feitas por Shakespeare — permanecera na mesa ao lado dos manuscritos medievais.

Humfrey Wanley, encarregado da biblioteca de Robert Harley, e seu filho, Edward, chegaram à casa de John Warburton às oito horas.

— Senhor Warburton — disse Wanley, entendendo a mão. — É um prazer conhecer um colecionador tão distinto.

Quando os dois homens entraram na biblioteca após o jantar, Wanley esforçou-se ao máximo para esconder seu entusiasmo, pois, embora muitos dos manuscritos deixados na mesa da biblioteca fossem bastante comuns, vários eram fantásticos.

— Este, eu acho, deve ser o melhor exemplo do inglês do século 9 de qualquer coleção — disse Warburton, abrindo um códice de excertos dos Evangelhos.

— Ótimo, com certeza — concordou Wanley —, embora definitivamente não seja o melhor.

— Ainda assim, ele sozinho deve valer 100 *guineas* — falou Warbunton.

— Não vamos ainda falar de preço, meu caro. Que tal mais um pouco daquele excelente vinho do Porto?

Wanley garantiu que o vinho continuasse jorrando conforme as horas passavam da meia-noite. Ele dava apenas um gole para cada taça entornada pelo companheiro e, assim, quando os dois homens começaram a guardar os manuscritos em um baú vazio,

Warburton estava trançando as pernas. O anfitrião enfim caiu em uma cadeira, deixando Wanley terminar o serviço.

Wanley viu que era o momento certo e, ainda que houvesse alguns poucos itens na mesa que ele ainda não examinara, varreu tudo para dentro do baú e fechou a tampa com firmeza.

— Posso lhe dar dinheiro — disse Wanley.

— Quinhentas *guineas* — respondeu Warburton, enrolando a fala.

— Não exatamente — disse Wanley com clareza. — Você precisa assinar a nota de venda aqui.

Ele colocou um pedaço de papel na mesa e uma caneta na mão de Warburton.

— Quanto, então? — disse Warburton, apertando os olhos na direção da folha. — Trezentas?

— Cem *guineas* — respondeu Wanley. — É um preço justo, como você bem sabe.

Não era um preço injusto, pensou Wanley, mas com certeza era uma barganha.

— Cem? — falou Warburton. — Mas não posso...

— É isso ou nada — avisou Wanley. — Devo deixá-los aqui?

— Não, não! — gritou Warburton, pois ele não estava bêbado demais para perceber que seu braço estava apoiado em uma pilha de contas que cem *guineas* quitariam com folga.

Pegou a caneta e mergulhou-a no tinteiro, rabiscando seu nome na nota de venda. Na manhã seguinte, acordou com a cabeça na mesa e cem *guineas* apertadas na mão.

Passou-se um ano até Warburton ter a necessidade de procurar seus manuscritos teatrais escondidos. Ao abrir a porta da cozinha, ele viu os ingredientes de uma das tortas de Betsy Baker sobre a mesa. Betsy, a cozinheira, fazia tortas incríveis. Estendendo o braço para o armário alto onde escondera os manuscritos dos olhos curiosos de Humfrey Wanley, Warburton ficou surpreso ao encontrar nem uma mão cheia de papéis em vez do grande maço de páginas esperado. Estava começando a verificar os outros armários atrás dos manuscritos desaparecidos quando Betsy chegou do jardim.

— Dia, Senhor Warburton. O café da manhã foi pouco, então?

— Não, não — disse Warburton —, o café da manhã está ótimo.

— Ah, obrigada, Senhor Warburton — falou Betsy, pegando uma página de *The Queen of Corsica* dos manuscritos que ele segurava. — Eu fico cansada de alcançar esse armário alto para pegar esses papéis.

— Como é? — disse Warburton. — Você quer dizer que... — ele começou a perguntar, mas descobriu que não conseguia terminar a frase.

— Os papéis que o senhor põe aí para mim. Tenho que esticar as costas toda vez que preciso de um. É o segredo de uma torta perfeita, sabe? — ela falou, apertando a página contra a fôrma da torta. — Você tem que forrar a fôrma.

Humfrey Wanley tirou os últimos livros de Warburton do baú e reparou um que ele não tinha lembrança de ter comprado: um exemplar anotado e em más condições de um romance antigo. Como havia anotações nas guardas, não colocou o *ex libris* da biblioteca no volume, mas, em vez disso, acrescentou o nome do seu patrão na lista de donos anteriores: “R. Harley, Oxford”.

Antes de Wanley poder olhar com mais atenção o velho romance e inseri-lo no catálogo da biblioteca, Lord Harley entrou na sala com um visitante, um colecionador de Cambridgeshire.

— Senhor Wanley — disse Harley —, meu amigo gostaria de pegar alguns itens da biblioteca emprestados para ajudá-lo em uma pesquisa sobre figurinos elisabetanos.

— É claro, senhor — falou Wanley. — A biblioteca está inteiramente ao dispor dele.

— Excelente, Senhor Wanley — Harley disse e saiu da sala, deixando o bibliotecário e o visitante sozinhos.

— Acho que o senhor encontrará o que procura aqui — avisou Wanley, indicando uma prateleira acima da mesa onde ele estivera desempacotando os manuscritos.

— Obrigado, meu bom homem — disse o visitante. — Não vou levar um minuto.

Na verdade, o visitante não levou mais de um minuto para encontrar os livros que buscava. Mostrou-os a Wanley, que anotou com cuidado os títulos em um registro de livros emprestados. Enquanto ele fazia isso, o visitante pegou o fino volume que estava sobre a mesa. Era um romance chamado *Pandosto*. Pensou em levá-lo para seu quarto e ler antes de se deitar naquela noite.

Porém, Robert Harley entreteve o convidado até bem tarde, e o vinho do Porto após o jantar era de tal qualidade e quantidade que o visitante não sentiu nem vontade nem capacidade de ler antes de dormir. Na manhã seguinte, partiu da casa com o *Pandosto* na mala.

Seis anos depois, em 1726, Humfrey Wanley estava morto. A biblioteca que passara grande parte da sua vida montando para Robert e Edward Harley foi uma das maiores coleções de livros e manuscritos da sua época. Os manuscritos acabaram sendo vendidos para a nação em 1753 e foram uma das coleções fundadoras do Museu Britânico e, mais tarde, da Biblioteca Britânica.

O volume fino que um colecionador visitante pegara emprestado em um dia de verão de 1720, no entanto, nunca voltou para a coleção dos Harley. O homem que o pegara emprestado morrera duas semanas depois de voltar para casa, deixando o livro na sua escrivaninha ao lado dos três volumes sobre figurinos elisabetanos que levavam o *ex libris* do conde de Oxford e Mortimer. A esposa de luto devolveu os livros sobre figurinos, mas o outro volume ela enfiou em uma prateleira da biblioteca de casa e lá ele ficou, quase invisível entre dois exemplares em formato in-fólio grossos, por mais de 150 anos.

Ridgefield, 1985

O Baile Anual de Máscaras do Dia das Bruxas da Universidade de Ridgefield aconteceu pela primeira vez em 1958, para comemorar a conclusão de sete prédios novos, possibilitada pela família Ridgefield, em cuja honra a escola fora renomeada. Membros mais antigos do corpo docente murmuravam que o baile representava o fato de a antes conservadora escola batista ter se vendido, mas não murmuravam isso muito alto. Eles gostavam de ter amplas salas de professores, escritórios privativos na nova biblioteca e aumentos significativos tanto na inteligência dos seus alunos quando nos seus próprios salários.

Mesmo sendo um evento para todo o campus, realizado no cavernoso e muito decorado ginásio, Peter nunca fora ao baile de máscaras. Naquele ano, Amanda queria ir por causa do seu aniversário, e Peter não podia dizer não. Ele adorara a solidão do relacionamento deles até então, mas também sabia que Amanda tinha uma vida social fora dos encontros dos dois na lanchonete ou na Sala Devereaux. Ela contava sobre as festas às quais ia e as peças que via. Quando convidava Peter para acompanhá-la a eventos assim, ele sempre alegava que precisava estudar, que seu trabalho na biblioteca lhe dava pouco tempo para manter o ritmo dos estudos. Ela o deixou ficar nessa fantasia até certo ponto, mas não seria dissuadida de entrar no baile do Dia das Bruxas de braços dados com ele.

— Além disso — ela disse —, o melhor de um baile de máscaras é que você pode se esconder por trás da fantasia. Não será Peter Byerly, será Romeu.

— Você sabe que o Romeu morre no final — lembrou Peter.

— Sim — sussurrou Amanda —, mas ele também dorme com a Julieta.

Peter não ousou perguntar se era uma promessa. Apesar de continuar a dizer a si mesmo que estava feliz sem dormir com Amanda por ora, estava achando cada vez mais difícil convencer-se de que era verdade. Na noite do baile, fez o seu melhor para pensar apenas no presente que esperava Amanda na Sala Devereaux.

Ela pegara as fantasias dos dois do departamento de teatro, e Peter tinha de admitir, enquanto se olhava no longo espelho atrás da porta do quarto de Amanda no dormitório da faculdade, que ele não se parecia em nada com Peter Byerly. Sapatos dourados, calça justa verde e um elaborado gibão dourado escondiam o verdadeiro Peter muito bem. Ele nunca fora ao quarto dela antes, mas Amanda tinha dito que ele podia se vestir lá, já que sua colega de quarto fora jantar, enquanto ela se vestia no banheiro do mesmo corredor. Não havia chance, Peter disse, de ele se vestir no seu apartamento e caminhar oito quarteirões por Ridgefield como Romeu.

Houve uma batida na porta; Peter abriu a fechadura e deixou Amanda entrar. Ela estava magnífica: uma rica tapeçaria de azul e prateado descia em cascata dos seus ombros até o chão, e fitas combinando estavam trançadas com destreza nos cabelos dela. O melhor de tudo era que estavam vestidos para a cena do baile na casa dos Capuleto — um baile de máscaras também — e, assim, usavam máscaras decorativas. Isso fazia Peter sentir que poderia mesmo entrar na multidão do ginásio sem suar frio.

— Você está lindo — disse Amanda, sorrindo enquanto arrumava o gibão dele. — Está animado?

— Nervoso — Peter respondeu.

Amanda pegou as mãos dele e inclinou-se para beijá-lo suavemente nos lábios.

— Não há nada com que se preocupar — ela afirmou. — Ainda podemos nos beijar com as máscaras.

— Não era com isso que eu estava preocupado — contou Peter. — Todas as suas amigas estão esperando para me conhecer há meses. Mesmo com a máscara, sinto-me sob os holofotes.

— Em primeiro lugar, não tenho muitas amigas, e, em segundo, você nem precisa falar com ninguém. Apenas dance comigo e fique bonito.

— Depois — disse Peter — você pode desembrulhar seu presente.

— Tenho um presente para você também — falou Amanda, pegando a mão dele na dela.

— Mas é *seu* aniversário.

— Bem, na verdade, é para nós dois — ela contou, puxando-o na direção da porta.

Peter tinha imaginado que Amanda tivesse pilhas de amigas que o cercariam na entrada do baile. Ele se preparara para essa eventualidade concentrando-se em sua identidade como Romeu, passando falas da peça na cabeça. Foi apenas quando entraram no ginásio e ficaram sozinhos por dez minutos, copos de ponche nas mãos e sem conseguir conversar por causa da música alta para dançar, que Peter pensou que Amanda estivera dizendo a verdade mais cedo, quando afirmara que não tinha muitas amigas. Ele percebeu que só a tinha escutado mencionar três: sua colega de quarto, Jill; Cynthia, uma vizinha de infância que também estudava em Ridgefield; e Alison, que também estudava história da arte. Três amigas a mais do que Peter tinha, mas não exatamente a multidão de *socialites* glamourosas que ele temera.

Conforme a música mudava para uma balada lenta, Amanda apoiou o copo de ponche e entrelaçou seus dedos nos dele.

— Dance comigo — ela disse.

Peter deixou que ela o conduzisse para o meio do ginásio, em meio a centenas de corpos balançando, presos uns nos outros. Ela puxou a mão dele para sua cintura e colocou a dela no ombro dele, e começaram a dançar. Depois de alguns passos, Peter percebeu que ela estava conduzindo — ele não entendia nada de dança —, mas o resultado ultrapassava muito em elegância os casais curvados e arrastando os pés ao redor deles. Peter relaxou o corpo apenas o suficiente para dizer a ela, sem palavras, "sim, conduza-me, eu a seguirei para qualquer lugar". Ele podia ver o brilho nos olhos dela por trás da máscara. Ela fala, mas, ainda assim, não diz nada, pensou Peter. Diferente de Romeu, ele entendia o discurso silencioso de sua amada com perfeição enquanto ela o arrastava em um amplo arco pela pista de dança.

Mais tarde, parados à lufada de ar fresco perto da porta, Amanda apresentou Peter às suas amigas, uma por vez.

— Então esse é o Romeu — Cynthia disse.

Ela estava fantasiada de Maria Antonieta, inclusive com um corte sangrento de um lado ao outro do pescoço.

— Você é um homem de sorte por ter fisgado a nossa Julieta.

— Ela ensina as tochas a brilhar — falou Peter, descobrindo que a combinação da máscara, da fantasia e das palavras que não eram dele facilitou muito sua apresentação a Cynthia.

— Ela não nos conta muito sobre você — comentou Cynthia. — Mas Amanda sempre foi boa para guardar segredos. Tudo o que consegui dela foi um nome.

— O que há em um nome? — disse Amanda, apertando a mão de Peter.

— Chama-me apenas de amor, e serei rebatizado — respondeu Peter.

— Vocês são umas figuras — afirmou Cynthia, rindo e abraçando Amanda.

Antes de desaparecer na multidão, ela apertou a mão de Peter e disse:

— Um dia você terá de me deixar ver quem realmente é.

Peter perguntou-se se alguém além de Amanda um dia o conheceria de verdade. Por ora, ele estava feliz em ser conhecido apenas como o Romeu mascarado. O jovem Montéquio que o ajudara a sobreviver à sua primeira verdadeira festa de faculdade. Imaginou quanto tempo levaria para ele ser chamado a repetir a atuação sem a fantasia e a máscara.

Ele e Amanda baixaram as máscaras enquanto andavam de mãos dadas pelo campus no frio ar de outubro. A distância, os sinos da Capela de Ridgefield soaram a meia-noite.

— Parece que seu presente de aniversário vai chegar atrasado — disse Peter.

— Não me importo de esperar — comentou Amanda. — Você sabe que foi maravilhoso esta noite.

— Apenas segui sua deixa — afirmou Peter.

— Você não faz ideia do quanto eu me apoio em você, faz? Digo, quando fui àquele baile no ano passado, eu me senti péssima. Fiquei em um canto por duas horas e recusei todos os caras que me pediram para dançar. Simplesmente me senti deslocada. Hoje foi natural... A dança e os beijos nas sombras e até as conversas bobas com as minhas amigas. Eu apenas deixei que você me apoiasse.

— Eu pensei que você estava me apoiando — falou Peter.

— Acho que é por isso que chamam de atração mútua — disse Amanda.

Na Sala Devereaux, Peter entregou a Amanda seu presente de aniversário, embrulhado com a mesma meticulosidade com que fora restaurado.

— Então era esse todo o segredo — comentou Amanda, pesando o pacote na mão.

— Abra — pediu Peter, solenemente.

Amanda desfez o embrulho com cuidado; Peter não ficou surpreso por ver que ela não era do tipo que rasgava o papel de presente.

— Um livro — ela disse, com um sorriso. — Eu acho que devia ter previsto que seria um livro.

— Abra-o — Peter falou de novo.

Amanda abriu o volume, lendo com atenção o título e, depois, virando as páginas, parando a cada uma das incríveis ilustrações.

— É lindo, Peter — ela disse. — E esta encadernação é maravilhosa. Como pôde... Digo, sei que eu não devia perguntar isso, mas como pôde pagar por algo tão... tão elegante?

— Custou apenas um dólar.

— Ah, Peter, não seja bobo — Amanda repreendeu. — Quem venderia um livro assim por um dólar?

— Bem, ele não era bem assim quando o comprei. Estava meio caindo aos pedaços, e eu o restaurei e encadernei para você.

— Você...

Amanda fechou o livro e viu, pela primeira vez, suas iniciais na capa. Ela pareceu perder toda a capacidade de concluir o pensamento conforme passava as mãos com delicadeza pelo couro flexível. Na companhia de Peter, Amanda quase nunca ficava sem palavras, e ele sentiu uma grande onda de orgulho com sua realização. Ele sentiu que estava corando e baixou o olhar para o seu gibão, em uma vã tentativa de esconder seu constrangimento. Percebeu que não precisaria ter se preocupado quando voltou a levantar o olhar e viu os olhos de Amanda embaçados de lágrimas.

— Eu não quis fazê-la chorar — ele garantiu.

Em um instante, os braços dela estavam em volta dele e o corpo dela estava balançando com o choro soluçado. Peter pensou por um momento que tinha, sem querer, atingido alguma tristeza da vida dela. O tio dela havia morrido em um acidente trágico de encadernação, alguma coisa assim. Porém, Amanda enfim conseguiu falar em meio às lágrimas.

— É o presente mais perfeito do mundo — ela disse, afrouxando o abraço para que ele pudesse vê-la sorrir enquanto enxugava as lágrimas com a manga. — Não posso nem imaginar o quanto você deve... deve me amar para fazer algo assim.

— Muito — disse Peter, que lutava para conter suas próprias lágrimas ao pensar que algo que ele fizera pudesse ter um efeito tão profundo na mulher que amava.

— Ah, Peter — ela falou, prendendo seu olhar lacrimejante no dele. — Eu o amo também.

— Eu sei — Peter afirmou sorrindo, porque, embora soubesse, era a primeira vez que ela dizia aquelas palavras. — Sei que me ama.

— Certo, chega de chorar — declarou Amanda, respirando fundo. — Foi um presente perfeito, vamos deixar assim antes que a situação fique mais melosa. Além disso, chegou a hora de você desembrulhar o seu presente.

— Não estou vendo o embrulho — disse Peter.

— Acho que você não entendeu bem, Romeu — falou Amanda, pegando as mãos de Peter e guiando-as para os laços que fechavam a frente do seu vestido. — Chegou a hora de você desembrulhar o seu presente.

Kingham, domingo, 19 de fevereiro de 1995

Não havia necessidade de partir para Hay antes do início da manhã, em busca de quaisquer que fossem os livros vendidos por Júlia Alderson, e, assim, durante o café da manhã, Peter encarou mais uma vez a lista de donos do *Pandosto*. Era verdade que seria bom saber se o livro fora presente de Shakespeare para Cotton ou como passara de Matthew Harbottle para John Bagford, mas as perguntas mais urgentes eram: Quem eram A.I. e C.E., e como o livro chegara à Mansão Evenlode? Se o livro fosse uma falsificação, seria mais provável ter sido forjado no século 19, quando a reputação de Shakespeare estava explodindo. Peter tinha de entender as ligações entre as iniciais misteriosas, a Mansão Evenlode e o estranho comportamento de Júlia Alderson se tinha a esperança de provar a autenticidade do livro. Infelizmente, sua única fonte confiável de informações sobre os Alderson era a faxineira, com quem ele só podia esperar se encontrar por acaso. Martin Wells talvez pudesse saber algo sobre a família, mas Peter não achava que o pintor fosse receber bem uma visita inesperada em um domingo de manhã.

Foi apenas quando já tinha acabado a segunda xícara de chá e a terceira torrada que Peter percebeu que a manhã de domingo era uma oportunidade pronta para se misturar com os moradores locais.

O Dr. Strayer havia mencionado a igreja como uma boa forma de conhecer quem morava na vila, mas a única coisa que, nos últimos meses, interessara a Peter menos do que conhecer estranhos havia sido passar um tempo com Deus. Com frequência, achava que seria mais fácil se pudesse simplesmente perder a fé, mas Peter ainda acreditava, e sua crença era a de que Deus era um babaca.

Às oito horas, o culto já havia começado quando Peter deslizou para a última fileira de bancos da St. Andrews, bem distante da pequena congregação que se aglomerava nos primeiros bancos. Ele passara em frente ao portão coberto centenas de vezes em seus passeios solitários à noite até o limite da vila, mas nunca se aventurara no terreno da igreja, muito menos na igreja em si. O interior era mal-iluminado e úmido e segurava o frio com a eficiência de uma garrafa térmica.

A família de Peter havia frequentado uma igreja batista perto de casa apenas em algumas vésperas de Natal e Páscoas, mas Amanda apresentara Peter à Igreja Episcopal no penúltimo ano de faculdade dele. No início, ele ia apenas para agradá-la, mas, eventualmente, passou a apreciar a beleza da liturgia e da música. Ao longo dos anos, sua aceitação sem questionamento de Deus na infância crescera para uma fé profunda e madura, alimentada com Amanda ao seu lado. Quando perdeu Amanda, Peter não perdeu sua crença em Deus; afinal, se não acreditasse, como poderia culpar Deus pelo que acontecera?

O culto anglicano era parecido o suficiente com a liturgia episcopal para Peter saber exatamente quando se ajoelhar ou levantar e quando era esperado que ele participasse de uma oração ou resposta. No entanto, ficou apenas sentado, o casaco apertado contra o frio e o Todo-Poderoso. Não fez a comunhão.

A congregação e o órgão chiaram o hino final e, depois, rapidamente o centro de atividade passou para o fundo da nave, onde uma bandeja de café pareceu surgir do nada e copos foram distribuídos.

Ninguém pareceu notá-lo no início, e ele estava começando a pensar que fora bobagem acreditar que ia travar uma conversa com um grupo de completos estranhos, acima de tudo em uma igreja, quando a voz de um homem atrás dele disse com alegria:

— Você é o camarada americano que reformou o chalé da West Street.

Antes de Peter poder responder, ou até mesmo descobrir que se dirigira a ele, uma mulher comentou:

— Ah, sim, eu o vi pela loja.

De repente, Peter era o centro das atenções, uma minicelebridade e uma mudança bem-vinda naquele que era, em geral, um ritual previsível. O homem que fora o primeiro a falar apresentou-se como Alan, o sacristão. Era um homem alto, grande e de cabelos brancos, usando *tweed* suficiente para ser responsável por diversas ovelhas desnudas. Pegou Peter pelo cotovelo e guiou-o pelo círculo, apresentando-o para a população geriátrica de Kingham.

— Então, o que faz um americano aqui em Kingham? — perguntou um homem baixo cuja mão ele apertou enquanto bebericava o café.

— Sou vendedor de livros, na verdade — contou Peter. — Antiquário — acrescentou, como se isso explicasse exatamente por que ele se estabelecera na vila.

Essa revelação provocou uma onda de aprovação pelo círculo, que não poderia ter sido mais entusiasmada se Peter tivesse dito que era filantropo ou ganhador do Prêmio Nobel.

— E encontrou algum livro bom na vila? — perguntou Alan, dando a Peter a exata oportunidade de que precisava.

— Vi algumas coisas boas na Mansão Evenlode ontem — ele respondeu. — Mas devo admitir que fui à Casa Evenlode por engano antes.

Isso causou um urro de risadas no círculo.

— Foi mesmo um erro — falou um homem.

— Casa Evenlode e Mansão Evenlode em um dia. Você viu a "antiga inimizade", então? — disse outro, citando *Romeu e Julieta*.

— O que quer dizer? — questionou Peter.

— Existe uma hostilidade entre os Alderson e os Gardner há séculos — explicou uma mulher em que Peter não tinha reparado antes. Ela era tão curvada e baixa que parecia perdida sob os cotovelos dos outros fiéis, mas falava com uma voz forte e clara.

— Não há alguém escrevendo um livro a respeito? — questionou o homem que citara Shakespeare.

— Há sim — disse a mulher baixa. — Um cavalheiro da Cornualha esteve aqui há alguns meses. Conversou bastante com minha irmã mais velha. Ela é quem sabe bem a história.

Que aquela mulher, apresentada como Martha, pudesse ter uma irmã mais velha parecia quase absurdo para Peter, mas a menção, mais uma vez, ao enigmático cavalheiro da Cornualha o fez ter certeza de que o desentendimento entre os habitantes da mansão Evenlode e os da decadente Casa Evenlode estava de alguma forma relacionado com a identidade de A.I.

— Parece fascinante — disse Peter. — Shakespeariano com certeza.

— Foi triste o que aconteceu — comentou o vigário. — Vizinhos não deveriam agir assim.

— Você não verá nenhum deles escurecer a porta desta igreja — garantiu Alan. — E eles com certeza não o convidarão para tomar chá, vigário. Assim, não aprenderão suas lições sobre o comportamento de vizinhos.

Isso trouxe outra explosão de risadas no círculo e, de alguma forma, também foi o sinal de que a socialização semanal estava terminada. Os copos de café voltaram tilintando para a bandeja, que foi levada, e os paroquianos seguiram até a porta, enrolando cachecóis nas cabeças contra o vento da manhã que varria os campos vindo de Churchill.

O vigário seguiu seu modesto rebanho para conferir suas despedidas oficiais e Peter viu-se sozinho, ou foi o que pensou.

— Venha comer um pedaço de bolo e Louisa vai lhe contar tudo — disse uma voz.

Peter olhou para baixo e viu Martha ao seu lado, colocando as luvas. Ele olhou para o relógio. Eram 9h30. Teria gostado de pegar a estrada, mas a chance de cavar um pouco mais a história dos Alderson e de seus vizinhos era uma tentação grande demais.

— Eu adoraria o bolo — ele respondeu enquanto oferecia o braço a Martha e a conduzia porta afora.

Martha e a irmã moravam em um chalé de três aposentos a 90 metros da igreja, na mesma rua. Um minuto depois de chegarem, Martha já havia empilhado madeira nova no fogo da lareira, servido a Peter um pedaço grosso de bolo de gengibre e desaparecido para dentro do quarto em busca da irmã. Louisa era ainda mais baixa e curvada do que Martha. Ela lembrava Peter da Alice no País das Maravilhas, quando seu queixo fica apertado contra os sapatos. Da sua cadeira à beira do fogo, Peter olhou para baixo até ela enquanto a cumprimentava, o que lhe deu a sensação de estar se dirigindo a uma criança de oito anos muito enrugada. Depois de Martha acomodar a irmã em uma cadeira, desapareceu de novo, voltando um momento depois com uma bandeja de chá. Serviu uma xícara a cada um deles e, depois, virou-se para Louisa, que ainda não falara nada.

— O Senhor Byerly quer saber tudo sobre os Alderson e os Gardner — disse.

Um sorriso de deleite invadiu o rosto de Louisa, como se sua única finalidade nesse estágio tardio da vida fosse compartilhar a fofoca de séculos antes com quem ouvisse.

— É uma história, é sim — falou e parou para beber o chá antes de mergulhar no seu conto. — Meu avô trabalhou para os Gardner na Casa Evenlode nos anos 1870, quando era apenas um garoto.

Costumava me contar histórias sobre a família quando eu era garota e ia passear no terreno. Era uma família gentil e pacífica, meu avô sempre dizia.

Aqueles não eram adjetivos que surgiam na cabeça de Peter quando se lembrava de seu encontro com o atual Sr. Gardner.

— Em um assunto apenas meu avô já tinha ouvido um Gardner levantar a voz, e eram os Alderson. Havia um ódio real ali, vou lhe contar.

— Por quê? — perguntou Peter.

— Não sei desde quando acontecia. A história é que as duas famílias eram monarquistas durante a Guerra Civil, dizem que esconderam 200 soldados no total, mas não faço ideia de onde. As casas não eram tão grandes na época. Porém, em algum ponto do caminho, deixaram de concordar. Sei que as duas queriam construir um moinho no Evenlode pelo menos 100 anos atrás. Veja bem, os Gardner eram donos de toda a terra ao sul do rio, e os Alderson tinham a terra ao norte, mas ninguém conseguia decidir quem era o dono do rio. Mesmo antes disso, não tenho certeza se eles se davam bem. O Senhor Philip Gardner era o chefe da casa. Ah, as histórias que o vovô costumava contar sobre o Senhor Philip. Ele se achava um pintor, ah, sim.

Peter quase engasgou com o chá ao ouvir essa revelação. Poderia Philip ter sido A.I.? Era ele o motivo de o homem da Cornualha ter feito perguntas por Kingham?

— Que tipo de pintor? — Peter perguntou.

— Um não muito bom, suponho — respondeu Louisa. — Vovô disse que o Senhor Philip tentou e tentou entrar na Academia Real ou na Sociedade de Aquarelas, mas nunca conseguiu. Sempre colocava a culpa no Senhor Alderson. É claro que, nessa época, os Gardner culpavam os Alderson por tudo que dava errado. Vovô disse que eles culpavam os Alderson pela enchente que tinha vindo urrando do vale e matado todas as ovelhas nos anos 1860. Não tenho certeza de como os Alderson conseguiam controlar o clima.

— Mas esse Philip Gardner era pintor? — questionou Peter, ansioso para voltar àquele assunto.

— Bem — disse Louisa —, ele pintava. Se isso fez dele um pintor ou não, eu não saberia dizer. A verdade é que ele encontrou uma forma mais confiável de sustentar a propriedade. Casou-se com uma viúva rica de Witney. Não que tenha funcionado muito bem também.

— Conte a ele sobre a amante — falou Martha.

— Olhe, nunca tivemos certeza disso — avisou Louisa —, mas com certeza havia boatos entre os empregados de que o Senhor Philip arranjou uma amante depois de se casar. Mas posso lhe dizer isto: quatro anos depois de ele se casar com a viúva, ela desapareceu e ele morreu em circunstâncias misteriosas.

— Foi considerado acidente — disse Martha.

—Não foi acidente nenhum — falou Louisa. — Pelo menos o vovô não pensava assim. De qualquer maneira, depois de o Senhor Philip estar morto e ser enterrado na capela da família, ninguém mais pareceu se interessar muito pela casa. Foi quando o lugar começou a desmoronar.

— Ouvi dizer que a amante está enterrada com ele — sussurrou Martha.

— Não acredite em uma palavra disso — disse Louisa.

— Mas como você pode saber? Nem o vovô colocou os pés naquela capela.

— Pergunto-me se ela ainda está lá — comentou Louisa. — Quando eu era menina, o vovô apontava a capela para mim e, mesmo na época, estava coberta de trepadeiras e caindo aos pedaços.

— Onde era? — Peter quis saber, imaginando se desvendar o escândalo do casamento de Phillip Gardner traria mais alguma pista sobre A.I.

— Descendo o morro depois da casa — Martha informou. — Mas eu duvido que Thomas se ofereça para levá-lo até lá.

— Thomas? É ele que vive na Casa Evenlode agora?

— Sim, é ele — afirmou Louisa. — Sobrinho-bisneto do Senhor Phillip.

— Então — disse Peter —, esse Phillip Gardner era um pintor frustrado, casou-se com uma viúva rica e, quatro anos depois, morreu misteriosamente?

— Isso mesmo — falou Louisa. — Ninguém nunca acusou a esposa de assassinato, mas o enterraram muito depressa, pelo que vovô disse.

— Era Phillip que colecionava todos aqueles papéis e coisas? — perguntou Martha.

— Ah, sim, quase me esqueci disso.

— Que tipo de papéis? — questionou Peter, tentando esconder sua animação conforme outra evidência parecia se encaixar no quebra-cabeça.

— Depois de conseguir o dinheiro da viúva, o Senhor Phillip quis se exibir um pouco, sabe? Ele sabia que o Senhor Alderson gostava de se considerar um colecionador... Móveis, obras de arte, e tinha uma queda especial por... Como podemos chamar? Cartas e assinaturas de reis e coisas assim.

— Documentos históricos — soltou Peter, pensando no esconderijo na Mansão Evenlode.

— Acho que era isso — Louisa disse. — De qualquer maneira, o Senhor Phillip passou a colecionar essas coisas também. Costumava exibi-las para o vovô. Durou apenas alguns anos.

— Fez apenas para aborrecer o Senhor Alderson — acrescentou Martha.

— Com certeza — concordou Louisa com uma risada.

— E o que aconteceu com a coleção? — indagou Peter, quase certo de que sabia a resposta.

— Não faço ideia — contou Louisa.

— Acha que podem ter vendido para os Alderson? — perguntou Peter.

— Um Gardner preferiria queimá-la na lareira, não importa o quanto valesse — afirmou Louisa.

— E você contou tudo isso para o homem da Cornualha? — Peter quis saber, já quase certo de que esbarrara no escândalo que Liz Sutcliffe estava tão ansiosa por jogar no mundo da arte vitoriana.

— Ah, sim — Louisa garantiu. — Um senhor mais velho, mas ainda assim jovem do meu ponto de vista.

Louisa e Martha riram e Peter imitou-as da melhor forma que pôde, pois sua mente estava puxando os fios da história de Louisa e tentando desembaraçá-los para formar uma narrativa que encaixasse todas as evidências.

— Você não se lembra do nome do cavalheiro, lembra? — questionou Peter.

— Ah, sim — Louisa respondeu. — O nome dele era Graham. Tinha uma grande barba branca.

— E o sobrenome? — perguntou Peter.

— O sobrenome — falou Louisa torcendo o rosto. — Ah, não faço ideia.

— Nem eu — disse Martha.

Londres, 1856

Phillip Gardner saiu do trem de Oxford para a caverna de vidro e aço da recém-concluída estação de Paddington. Tinha 24 anos e era a primeira vez que visitava Londres sozinho. Sob o braço, carregava um portfólio de pinturas, que esperava serem o gatilho para sua carreira. Andou pela plataforma até a entrada da estação e fez sinal para uma charrete de aluguel.

— Academia Real de Artes — disse ao condutor, e, com um estalo do chicote, a charrete saiu fazendo barulho, levando Phillip em direção ao seu futuro.

Benjamin Mayhew chegou a Paddington dez minutos antes do horário de seu trem partir. Estava indo a um leilão de livros no Holywell Music Room de Oxford. Benjamin sabia, por meio de um contato em Oxford, que haveria um número significativo de livros importantes sob o martelo, mas, quando um de seus amigos vendedores de livros fora à sua loja no dia anterior, perguntando se a venda valia a viagem a Oxford, Benjamin alegara que a biblioteca não era nada além de uma enfadonha coleção de tratados religiosos; não havia por que ter mais concorrência do que o necessário.

Com alguns minutos para gastar antes da partida, Benjamin caminhou até a W H Smith, uma de uma cadeia de lojinhas de livros que haviam se tornado onipresentes nos terminais rodoviários da Inglaterra. Benjamin examinou as prateleiras, e seu olhar acabou pousando em um pequeno panfleto escrito pelo próprio William Henry Smith. Não foi a coincidência, mas o título — *Was Lord Bacon the author of Shakespeare's plays?* — que chamou sua atenção. Benjamin Mayhew nunca se deparara com a ideia de que alguém além de William Shakespeare tivesse escrito as peças atribuídas àquele nome. Curioso para ver o que o jornaleiro mais bem-sucedido do reino tinha a dizer sobre o assunto, Benjamin comprou um exemplar do panfleto, e também o *Times*, e logo estava confortavelmente instalado em um vagão da primeira classe para Oxford.

Em *Was Lord Bacon the author of Shakespeare's plays?*, Benjamin leu a argumentação de Smith para defender Francis Bacon como autor dos trabalhos aceitos como sendo de Shakespeare. Smith chamava Shakespeare de "um homem de educação limitada, despreocupado com a fama, focado em ganhar dinheiro e ativamente envolvido com a administração de um teatro", mas dizia que aquilo não era suficiente para supormos, "pela simples circunstância de seu nome ser associado a essas peças, que ele era o autor delas". Sobre Bacon, no entanto, Smith escreveu que "sua história é exatamente a que teríamos criado para Shakespeare, se nos fosse pedida a descrição dele com base nas evidências internas de suas obras". Smith conjecturava por que Bacon teria desejado dissociar seu nome do teatro e como sua formação de advogado explicaria o conhecimento claramente amplo do Direito por parte do autor das peças de Shakespeare.

Quando o trem entrou soltando fumaça em Oxford, Benjamin já havia lido o panfleto três vezes. Um mercador rico interessado em controvérsias literárias poderia ser um excelente cliente para um vendedor de livros antigos, ele pensou. Naquela tarde, fez muitas compras na venda no Holywell Music Room. Pagou mais do que queria por uma primeira edição de *An Inquiry into the Authenticity of Certain Miscellaneous Papers*, no qual Malone expunha o grande falsificador de Shakespeare, William Henry Ireland. Achou que parecia ser um bom livro para vender a Smith por um preço baixo; e, na experiência de Mayhew, não havia forma melhor de prender um cliente regular do que o tentando com um exemplar barato demais de um livro muito ligado à sua paixão.

Hay-on-Wye, País de Gales, domingo, 19 de fevereiro de 1995

A cabeça de Peter estava girando enquanto ele ia de Kingham para Hay-on-Wye, com o *Pandosto* aninhado no envelope alcalino dentro de sua bolsa-carteiro de couro, no banco de trás do carro. Phillip Gardner fora um pintor frustrado que culpava por seu fracasso o vizinho Reginald Alderson. Gardner se casara com uma viúva rica e começara a colecionar documentos para irritar Alderson. Quatro anos depois, estava morto, com rumores de uma amante e de assassinato circulando pela vizinhança. Algum ponto dessa misteriosa narrativa Peter tinha certeza de que seria a chave tanto para a aquarela roubada quanto para a autenticidade do *Pandosto*. Poderia Reginald Alderson ter assassinado Phillip Gardner para pôr as mãos em sua coleção de documentos? Ou estava Alderson mancomunado com a amante? E que segredos existiam na capela da família?

De uma coisa Peter tinha quase certeza. De alguma forma, a coleção de documentos raros de Phillip Gardner acabara nas mãos do seu inimigo. Depois de sair do chalé de Martha e Louise, enquanto caminhava pela rua, Peter de repente lembrou-se das iniciais entrelaçadas C.E., escritas a lápis no canto de cada um dos documentos da Mansão Evenlode. Ele tinha pensado que era o monograma de um dono anterior; mas percebeu que C.E. significava

Casa Evenlode. E o *Pandosto* guardado em segurança na sua bolsa trazia as mesmas inicias.

Peter permaneceu um tempo em frente à vitrine da Church Street Books em Hay-on-Wye, fingindo interesse nos mesmos livros que ficara encarando quatro dias antes e esperando que alguém entrasse na loja e distraísse o dono. Ele não tinha interesse em se sujeitar a uma conversa desnecessária iniciada por "Você não é o cara que roubou a aquarela?".

Cinco minutos depois, um cliente entrou na loja e atraiu a atenção do livreiro. O livro de Edmond Malone ainda estava na prateleira para a qual Peter o devolvera quatro dias antes. Ao lado dele estavam dois volumes de William Henry Ireland detalhando suas falsificações de manuscritos de Shakespeare e uma cópia da peça *Vortigern,* de Ireland, que ele tentara fazer passar por um trabalho de Shakespeare. Os quatro livros tinham o C.E. entrelaçado na guarda da frente.

Os dois livros seguintes na estante eram de outro famoso falsificador de Shakespeare, John Payne Collier. Mais uma vez, os livros estavam marcados com o monograma da Casa Evenlode. Peter estava detectando um padrão incômodo. Ao que tudo indicava, Júlia Alderson removera aquela coleção de livros sobre falsificadores de Shakespeare da biblioteca da Mansão Evenlode para evitar levantar suspeitas sobre a autenticidade do *Pandosto*. Todos aqueles livros tinham as marcas da biblioteca de um falsificador em treinamento, um falsificador cuja maior realização estava na bolsa ao lado dos pés de Peter.

O livro seguinte na estante apenas aumentou as suspeitas de Peter: *Notes and Emendations of the Text of Shakespeare's Plays*, o livro em que Collier se baseou na sua maior falsificação, que tinha forte semelhança com o *Pandosto*. Em 1852, Collier anunciara uma descoberta notável. Ele tinha conseguido um exemplar do *Segundo*

Fólio das peças de Shakespeare, impresso em 1632. Nas margens daquele volume, havia milhares de observações e anotações textuais. Collier alegava que aquelas notas vinham de "manuscritos mais puros" das peças de Shakespeare. O volume prometia combustível para gerações de estudiosos de Shakespeare. Collier, no entanto, recusava-se a submeter o volume a análise, escondendo-o na biblioteca do duque de Devonshire. Quando o velho duque morreu, seu filho permitiu que o Museu Britânico fizesse um exame cuidadoso do volume. As anotações nas margens eram claramente falsificadas, e todas as evidências apontavam Collier como o responsável.

Peter estava segurando um exemplar do conhecido livro de Collier, com uma reencadernação luxuosa em couro marroquino verde. Em um canto do lado de dentro da capa traseira havia um pequeno selo no formato de borboleta, a marca do encadernador. Na guarda da frente havia o conhecido monograma C.E. e algo que lançou ainda mais dúvidas sobre as anotações nas margens do *Pandosto*. No topo da página, em uma letra desigual, estava a anotação "John Payne Collier para Phillip Gardner, 1877". Collier, o famigerado falsificador das anotações de Shakespeare, conheceu Phillip Gardner, o mais provável candidato de Peter para ser o pintor A.I. e antigo dono do *Pandosto*. Seria o *Pandosto* outra falsificação de Collier, escondida entre os documentos de Gardner como ele escondera o *Segundo Fólio* na biblioteca do duque de Devonshire? Será que Collier nunca "descobrira" o *Pandosto* porque havia, muito tempo antes, sido desmascarado como falsificador?

Peter ainda esperava que o *Pandosto* pudesse ser autêntico, mas já começara a adaptar suas expectativas. Descobrir uma falsificação não registrada de Shakespeare pelas mãos de Collier, em especial dessa audácia, provocaria uma ondulação suave na poça dos estudos shakespearianos em vez do *tsunami* que as anotações nas margens causariam se fossem autênticas, mas seria uma descoberta, mesmo assim, digna de um artigo em uma publicação acadêmica. O livro ainda assim poderia atrair ofertas animadas, em especial se fosse, de fato, uma primeira edição completa. Mesmo sem as anotações shakespearianas de valor inestimável, seria um exemplar único de um livro importante.

A coleção de livros sobre falsificações de Shakespeare antes abrigada na Casa Evenlode, e supostamente na Mansão Evenlode em época mais recente, era composta por dez volumes. Os três últimos títulos eram os livros que haviam desmascarado Collier e revelado suas falsificações. Peter carregou os dez livros em uma pilha bem arrumada até a sala da frente e colocou-os no balcão.

— Ah, então você voltou — disse o livreiro.

Peter manteve a cabeça baixa enquanto pegava o talão de cheques.

— Sim, tenho um novo cliente interessado em falsificações literárias e lembrei-me de ter visto estes livros. Vou levar todos.

— Sim, é uma coleção muito boa. Um casal estranho a trouxe há cerca de dois meses. Não eram bem o tipo literário. Mas não acho que sejam roubados. Os títulos são um pouco obscuros para um ladrão de livros.

— Acho que você não deve se lembrar do nome das pessoas que os trouxeram — disse Peter, imaginando se John Alderson estava participando da enganação com a irmã. — Pensei que eu poderia tentar saber algo sobre a proveniência.

Não era exatamente apropriado um livreiro perguntar ao outro sobre suas fontes, mas, se o motivo fosse estudo e não comércio, as regras podiam ser maleáveis.

— Deixe-me ver — disse o homem, puxando um grande livro de registros de debaixo do balcão e virando as páginas. — Ela era uma mulher quieta, sem muita personalidade, se é que me entende.

— Retraída? — sugeriu Peter.

— Exato — afirmou o homem —, é bem assim que eu a chamaria. Mas eu a fiz se registrar com ele. Ah, aqui está — ele disse, passou o dedo por uma anotação no livro. — Um cara chamado Thomas Gardner.

Ridgefield, 1985

Tudo na perda da sua virgindade parecera seguro para Peter; não apenas o ambiente familiar da Sala Devereaux e os braços familiares de Amanda, mas até mesmo o resquício de representação de um papel que serviu como proteção contra uma revelação grande demais do seu lado mais íntimo. Quanto aos outros tipos de proteção, Amanda cuidara de tudo. Enquanto faziam amor no carpete macio em meio às suas fantasias descartadas, ela o guiara como o guiara na pista de dança. Depois, ele havia se encolhido contra o corpo dela e descansado a mão na sua barriga nua, sentindo a pele dela esfriar gradualmente sob o seu toque. Ficaram deitados em um silêncio quebrado apenas por suas respirações em uníssono, e Peter teve uma sensação de pertencimento mais profunda do que já sentira antes.

Por fim, Amanda colocou a mão sobre a dele e falou com suavidade, a voz abafada pelo carpete apesar do espaço cavernoso sobre eles dois:

— Foi minha primeira vez — disse.

— A minha também — contou Peter.

Ela pegou a mão dele nas suas com delicadeza e desceu-a mais por sua pele macia.

— Vamos ver se a segunda vez é tão boa quanto — disse.

• • •

Na manhã de sábado, dois dias depois do Dia das Bruxas, Peter estava andando pelo campus até a biblioteca, a cabeça baixa, os ombros curvados e os livros agarrados contra o peito — uma postura com a qual tinha se defendido com sucesso do mundo exterior desde o ginásio — quando ouviu uma voz alegre ao seu lado.

— Bom dia, Romeu. Você me reconhece com a cabeça presa no lugar?

Peter não teve escolha além de levantar o olhar e ver a amiga de Amanda, Cynthia, que passara a acompanhar o passo dele, com um largo sorriso no rosto.

— Bom dia, Cynthia — ele murmurou. — Preciso mesmo chegar à biblioteca.

Ele aumentou a velocidade, mas Cynthia o imitou e continuo sorrindo. Era irritante.

— Eu também — ela falou, alegre.

Peter sabia que devia ser uma mentira. Ele era praticamente o único aluno de Ridgefield que ia à biblioteca nas manhãs de sábado.

— Isso vai nos dar uma chance de conversar. É muito difícil ter uma conversa de verdade em um baile de máscaras.

Peter estava pensando que fora daquilo, exatamente, que ele gostara no baile.

— Sabe, a Amanda fala de você o tempo todo, mas sempre é "Peter e eu fizemos isso" ou "Peter e eu fizemos aquilo". Ela faz muito segredo quando se trata de me contar como você é de verdade.

— Acho que sou uma pessoa meio fechada— disse Peter, apertando um pouco mais os livros.

Mesmo querendo escapar daquela conversa o mais rápido possível, não podia negar a animação que o invadira quando Cynthia disse que Amanda falava sobre ele o tempo todo. Depois, de repente sentiu um frio no estômago quando pensou que Amanda pudesse ter dito para a amiga "Peter e eu fizemos amor". Ele fixou o olhar nos paredões de pedras do caminho enquanto eles andavam.

— Ora, tudo bem — disse Cynthia. — Ser fechado. Digo, eu não sou assim. Todos sempre sabem como estou me sentindo, queiram eles ou não, mas acho que Amanda sempre foi mais do tipo fechada.

— Acho que Amanda e eu somos parecidos nesse sentido — disse Peter.

Cynthia colocou a mão no braço de Peter e apertou-o suavemente, fazendo-o parar. Ele sentiu que seria grosseria continuar olhando para o chão e, assim, olhou para ela, mas ainda evitava travar contato visual. Suas mãos começaram a suar, e ele estava com medo de acabar derrubando os livros.

— Olhe, Peter — falou Cynthia. — Entendo que você é um cara fechado e tenho certeza de que tem seus motivos. Mas eu gostaria de ser sua amiga, de verdade, e há uma razão simples para isso. Conheço a Amanda desde que tínhamos seis anos. Ela é a melhor amiga que já tive. E nunca a vi tão feliz como desde que começou a sair com você. Talvez você não tenha namorado muito e, assim, não tem com quem comparar Amanda.

— Nunca namorei.

— Bem, deixe-me dizer, o que Amanda sente por você... não é apenas o que uma garota sente por um cara com quem está saindo. Ela está louca por você, Peter. E a questão é a seguinte, ou você está louco por ela também e, nesse caso, eu gostaria mesmo de ser amiga do homem que vai passar o resto da vida com a minha melhor amiga; ou você não está e, nesse caso, preciso saber agora para poder dizer a Amanda que tive de dar uma surra em você por partir o coração dela.

Cynthia não parava de sorrir, mas Peter sentiu que aquela ameaça final não era brincadeira. Ele também percebeu que, em algum ponto durante aquele discurso, suas mãos tinham parado de suar e ele se viu olhando diretamente nos olhos de Cynthia.

— É um pouco estranho dizer isso a você — começou Peter. — Digo, eu mal a conheço. Mas, sim, estou louco por ela. Ela pode ainda não saber, mas eu sou o cara que vai passar o resto da vida com sua melhor amiga.

Peter sentiu suas bochechas ficarem quentes com o orgulho daquela declaração, mas não desviou o olhar de Cynthia.

— Que bom — ela disse, prendendo seu braço no dele e puxando-o pelo caminho na direção da biblioteca. — Então não terei de dar uma surra em você.

— E, mesmo eu não sendo muito bom nisso, gostaria de ser seu amigo.

— Peter — disse Cynthia —, acho que você será um excelente amigo.

Eles andaram o resto do caminho até a biblioteca em um silêncio companheiro, e Cynthia o deixou à porta com um beijo no rosto antes de cruzar o campus de volta para os dormitórios. Peter riu enquanto empurrava as pesadas portas e perguntou-se por quanto tempo ela ficara esperando por ele.

Peter ficou surpreso por ver luz no escritório de Francis Leland quando jogou seus livros sobre uma mesa da Sala Devereaux. Ele tinha esperado ter as Coleções Especiais só para si até Francis chegar para trabalhar à tarde. Peter escorregou para a sua cadeira de costume e reparou que uma cópia do *The New York Times* daquele dia estava aberta sobre a mesa e dobrada para mostrar um artigo com a manchete "Galeria afirma ter a primeira impressão americana". Pegou o jornal e começou a ler.

O artigo descrevia como um comerciante de documentos raros de Salt Lake City chamado Mark Hofmann descobrira um exemplar do documento mais antigo impresso na América, uma folha intitulada "Oath of a Freeman". Supostamente impressa em Cambridge, Massachusetts, em 1638 ou 1639, o "Oath" fora registrado, mas não se conhecia nenhum exemplar ainda existente.

— É o Santo Graal dos americanos — disse Francis enquanto Peter devolvia o jornal à mesa.

— Vale mesmo um milhão e meio de dólares? — perguntou Peter.

Era o preço pedido pelos livreiros de Nova York que estavam cuidando do "Oath" para Hofmann.

— Quem sabe por quanto seria vendido em um leilão? — comentou Francis. — É o único. Eu diria que um milhão e meio é o preço inicial, mas não absurdo. A pergunta é: quem pode pagar?

De acordo com o artigo, a Biblioteca do Congresso e a Sociedade Antiquária Americana haviam feito perícias detalhadas e concluído que o "Oath" era autêntico.

O artigo também descrevia como Hofmann, que exibira uma propensão para desenterrar documentos históricos, fora recentemente ferido em uma das três explosões de bombas-tubo em Salt Lake City. A polícia local parecia considerar Hofmann suspeito dos ataques a bomba, mas não encontrara nenhuma ligação entre a violência e a incrível descoberta do "Oath".

— O que você faria se encontrasse algo assim? — Peter perguntou a Francis.

— O mesmo que esse pessoal fez — declarou Francis, batendo no jornal com um lápis. — Teria suspeitas e mandaria para especialistas.

— Acha que esses especialistas usam as mesmas técnicas que Carter e Pollard? — Peter quis saber.

— A ciência forense está um pouco mais avançada agora do que há 50 anos, mas, sim, imagino que, basicamente, eles olharam três pontos. Em primeiro lugar, a procedência, a história de quem foi dono da obra. Com algo tão velho e valioso, você precisa perguntar de onde veio e como ficou em segredo por tanto tempo. Depois, precisa olhar o conteúdo. Há algo no texto que seja inconsistente com o período, grafia, uso de palavra, anacronismo e assim por diante? Não é bem um problema com essa peça, pois o "Oath" foi registrado em fontes históricas. Qualquer um pode procurar. Por fim, os materiais. A tinta é tão antiga quanto alegam ser? O papel é do período histórico certo? O processo de impressão e as fontes se encaixam bem na linha do tempo?

— Então, você acha que é autêntico? — questionou Peter.

— Eu gostaria de ver os relatórios da perícia — respondeu Francis — antes de decidir com certeza que não é uma falsificação. Mas parece que pode ser real.

— O primeiro documento impresso na América — falou Peter. — Seria um acontecimento.

— Sim — disse Francis. — Com certeza seria.

Londres, 1875

Ele a viu pela primeira vez sentada diante de uma tela de John Everett Millais na exposição da Academia Real de 1875. Ele fora à exposição no caminho para um encontro com seu vendedor de livros favorito, Benjamin Mayhew, com quem trataria da compra de um documento raro. Phillip Gardner já tinha desejado que suas próprias obras pudessem estar penduradas nas paredes de uma galeria de Londres, mas acabara aceitando, depois de repetidas rejeições da Academia Real e da Sociedade Real de Aquarelas, que não tinha grande talento como artista. Suas habilidades técnicas eram incomparáveis — e, se não tivesse tido a precaução de casar como fizera, poderia ter conseguido uma vida razoável como copista —, mas lhe faltava a visão de artista para criar trabalhos originais. Rejeitado pelo mundo da arte, pintava suas aquarelas medíocres na sua privacidade, pendurava-as nas paredes de sua casa de campo e fazia uma visita anual à Academia Real para lembrar a si mesmo dos seus fracassos. Todo ano, ele andava pelos salões, às vezes parando em frente a uma tela que atraíra uma multidão para ver se podia detectar o que a tornava tão especial. Nunca conseguia.

Nas mãos enluvadas, ela segurava um pequeno folheto que parecia muito marcado com sublinhados e anotações nas margens. Era uma mulher alta, imponente, Phillip poderia ter dito, com cabelos escuros e uma intensidade no olhar que ele achava tanto fascinante quanto enervante. As linhas do rosto dela eram agudas e angulosas, mas, ainda assim, seu vestido claramente continha as curvas de uma mulher. Phillip não costumava encarar mulheres em público. Embora seu casamento fosse um fingimento que lhe dera uma renda e, à sua mulher, uma casa no campo, ele era capaz de conseguir qualquer alívio sexual de que precisasse por alguns xelins e uma caminhada até certa rua perto do Covent Garden. Assim, ele não poderia ter dito o motivo exato de aquela mulher fasciná-lo; talvez porque estava imóvel como a figura no quadro, ou porque parecia autoconfiante. Ou porque estava obviamente sozinha.

Seus olhos estavam fixos na tela e não pareceram se desviar quando outro visitante da exposição colocou-se entre ela e a imagem de um homem, que se parecia um pouco com um toureador, carregando uma mulher por um caminho de pedras. As mãos da mulher estavam unidas atrás do pescoço do homem, e seu rosto, visível sobre o ombro dele, não parecia indicar, até onde Phillip conseguia ver, se ela estava sendo sequestrada, resgatada ou apenas carregada morro acima após um piquenique porque tinha machucado o tornozelo. Phillip deve ter passado mais tempo do que queria tentando entender as possibilidades, pois, quando ouviu uma voz ao seu lado, percebeu que a mulher que ele estivera observando tinha se levantado e estava falando com ele.

— Ruskin não gosta disso — ela disse, ainda olhando para a pintura, mas levantando seu folheto. — Diz que é um defeito de execução quando um amante tem corpo sem face e o outro, face sem corpo.

Phillip ficou admirado por ver uma mulher desacompanhada se dirigir de forma tão inapropriada a um homem desacompanhado em público, mas a quebra de protocolo foi diminuída em sua mente por outros fatores. Em primeiro lugar, ela era, para surpresa dele, americana. Em segundo, estava claro que era inteligente, e conversas inteligentes com uma mulher eram algo de que ele sentia muita falta desde as duas tragédias combinadas: a morte da irmã e seu casamento. Em terceiro, e talvez mais devastador, havia seu aroma intoxicante; ele não sabia descrevê-lo, mas o cheiro o envolveu enquanto ele se virava para olhar a mulher, e ele soube, naquele momento, que precisava tê-la.

— São amantes? — ele perguntou. — Eu não tinha certeza.

— Bem, é claro que são — ela respondeu com uma risada. — Chama-se “A coroa do amor”.

Ela deu um passo mais para perto da pintura, apertou os olhos para a tela e, depois, voltou-se para ele e fixou-o com o olhar pela primeira vez.

— Mas estou vendo o que você quer dizer. Poderiam muito bem ser inimigos. É uma linha tênue.

Phillip estava muito feliz de ter sua ignorância mal-interpretada como um olhar crítico aguçado para perceber que ele tinha uma habilidade estranha de confundir amor e perigo.

Hounslow, Inglaterra, segunda-feira, 20 de fevereiro de 1995

Peter passou a noite em um hotel sem graça perto do aeroporto de Heathrow; dirigira de Hay na direção de Londres, mas não queria enfrentar o tráfego metropolitano. Estacionaria o carro no aeroporto e pegaria o metrô até a cidade. Dormiu pouco, e não apenas porque estava tentando aceitar o fato de que os supostos inimigos mortais Júlia Alderson e Thomas Gardner aparentemente estavam mancomunados. Teria o homem da igreja, que citara Romeu e Julieta para descrever a "antiga inimizade" entre as duas famílias, sido mais preciso do que sabia? Peter sentia que estava começando a detectar uma armação.

De alguma forma, Júlia e Thomas se conhecem e se apaixonam. Foram distanciados não apenas pela briga das famílias, mas pela pobreza de Thomas Gardner. Júlia descobre um livro raro no qual um famoso falsificador vitoriano rabiscara anotações nas margens com a letra de William Shakespeare. Ela fica sabendo que um vendedor de livros americano está morando por perto. Ela e o amado tramam para enganar o americano e fazê-lo vender o *Pandosto* por um preço altíssimo a um cliente crédulo e, assim, podem reconstruir a Casa Evenlode e viver felizes para sempre, apesar do desprezo dos parentes ainda vivos. Mas e se o vendedor americano suspeitasse da falsificação? Quão longe eles iriam para proteger o plano? Peter precisava descobrir tudo o que pudesse sobre o *Pandosto*, mas também precisava voltar à Mansão Evenlode o mais cedo possível e fingir que não havia nada de errado.

Naquela manhã, Peter iria ao único lugar onde poderia conseguir algumas respostas: o Museu Britânico. Quando ele e Amanda tinham ido pela primeira vez à Inglaterra em lua de mel, Francis Leland arranjara uma reunião de Peter com Nigel Cook, bibliotecário do Museu Britânico.

— Você precisa ter um contato lá se for lidar com literatura inglesa — Francis dissera. — Há coisas lá que você não encontrará em outro lugar.

Tinha parecido estranho passar uma tarde da lua de mel deles nas salas com cheiro de mofo e nos escritórios bagunçados do departamento de livros — não era exatamente tão romântico quanto um passeio de barco nos Kew Gardens ou um jantar no Savoy —, mas Peter participara das paixões de Amanda quando ela fez sua primeira visita à Tate e aos museus Victoria e Albert. Ela ficou feliz em fazer o mesmo por Peter, deixando-o agarrar a mão dela com nervosismo e animação enquanto Nigel Cook os guiava por um labirinto de salas até seu escritório.

Nigel dera a Peter uma das grandes emoções bibliográficas da sua vida, ao lado de seu primeiro encontro com o quarto ruim de *Hamlet*. Ele permitira que Peter manuseasse um manuscrito da biblioteca de Robert Cotton: um saltério do século 11 com lindas iluminuras que, de acordo com uma inscrição em latim, estava ligado à Catedral de Winchester e ao bispo William de Wykeham. Nigel também fizera com Peter e Amanda um breve *tour* pelo local: as salas de catalogação, as áreas para pesquisadores visitantes, um laboratório para teste de tinta e papel e um laboratório de conservação muito parecido com o de Ridgefield.

— Se houver algo que eu possa fazer por você — disse Nigel ao se despedir deles nas galerias públicas —, não hesite em ligar.

Ele apresentara um cartão de visitas, e Peter o guardara na carteira. Sete anos depois, ainda estava lá.

Peter ligou para Nigel do quarto de hotel às 9h05. Hesitou para apertar o último dígito do número, o medo familiar do contato crescendo dentro dele, mas enxugou a palma suada no edredom e completou a ligação. Nigel lembrou-se dele na mesma hora e concordou, sem questionar, em oferecer o que Peter pedira. É claro que Peter não contara a Nigel toda a verdade. Teria sido injusto fazer um bibliotecário guardar um segredo como aquele.

— Tenho uma edição antiga do *Pandosto* — Peter dissera —, possivelmente não registrada.

Nigel concordara em oferecer a Peter a cópia única e incompleta da primeira edição do museu e uma máquina de cotejo Hinman. Deveriam conseguir os resultados em alguns dias.

— E, Peter — falou Nigel —, foi bom ter notícias suas. Falei com Francis há alguns meses e ele pareceu preocupado com você. Você está bem?

Peter ficou surpreso com a reflexão cuidadosa que deu àquela pergunta. Ele com certeza tinha dado grandes passos nos últimos dias: começando conversas com estranhos de propósito, voltando ao mundo dos livros, permitindo que uma nova paixão o tirasse de sua toca secreta. Mas dizer que estava bem... Isso seria levar as coisas longe demais. Após uma longa pausa, ele respondeu à pergunta da melhor maneira que conhecia:

— Não sei — disse.

A hesitação de Peter antes de ligar para o número seguinte foi consideravelmente mais longa. Embora sempre tivesse odiado fazer ligações para outra pessoa além de Amanda, ele ao menos sabia que Nigel seria receptivo com suas indagações. Não tinha a mesma segurança com Liz Sutcliffe; na verdade, era bem o contrário:

ele precisava pedir algo que ela já recusara. Após permanecer sentado na cama por dez minutos olhando para o cartão dela, desistiu de planejar o que diria e digitou o número, lembrando-se da forma como ela sorrira para ele enquanto comiam vindalho. Ficou surpreso e reconfortado ao ouvir a voz de Amanda.

— Ela gosta de você — afirmou Amanda. —Ficará feliz em ter notícias suas.

Peter pensou sentir um incentivo para fazer mais do que apenas aquela ligação, mas, antes de poder responder a Amanda, Liz atendeu ao telefone.

— Peter Byerly, que surpresa — ela disse.

Peter viu-se sem voz, e a linha ficou silenciosa por um instante.

— Não está mudando de ideia sobre o nosso acordo, eu espero — Liz o instigou.

Peter sentiu-se devastado pela ideia repentina de que o telefonema era inadequado para aquilo de que precisava. Para ter uma chance de convencer Liz a ajudá-lo, tinha de falar com ela cara a cara.

— Vou a Londres hoje — ele conseguiu enfim dizer — e estava pensando se você gostaria de almoçar. Digo... Sabe? Almoçar comigo.

— Um almoço seria ótimo — respondeu Liz. — Meu escritório fica em Bloomsbury, mas posso encontrá-lo onde você quiser.

— Estarei no Museu Britânico a trabalho — contou Peter.

— O que acha de nos encontrarmos na escada do Museu à uma da tarde?

— Bom — disse Peter. — Seria bom. Nós nos veremos à uma, então.

— Ótimo — Liz falou, com animação, e desligou.

Peter parou na W H Smith para comprar o jornal da manhã e, depois, acomodou-se em um assento no trem da Linha Picadilly para Londres. Apenas depois de ler a primeira página inteira do *Times*, percebeu que Liz Sutcliffe poderia pensar que ele a chamara para um encontro.

• • •

A névoa da manhã havia se dissipado, e o sol de inverno brilhava na Russel Square quando Peter saiu do metrô. Engoliu o ar revigorante conforme andava depressa os poucos quarteirões até o Museu Britânico. Eram 10h30 quando apresentou seu passe de leitor para a atendente da porta que levava ao departamento de livros.

— É muito bom vê-lo, Peter — cumprimentou Nigel enquanto levava Peter para uma sala de leitura de tamanho modesto com uma mesa de biblioteca no centro e livros forrando as paredes. — Faz tempo demais.

— Sete anos — falou Peter.

Ele ficou com medo, por um momento, de que Nigel pudesse lhe perguntar o que acontecera, mas não precisava ter se preocupado. Nigel, Peter devia ter lembrado, era o britânico perfeito e, como tal, apenas um tópico de conversa seria suficiente com uma pessoa relativamente estranha.

— Está fazendo um tempo excelente hoje — disse —, embora eu não ache que vá durar muito.

— Ainda assim, podemos aproveitar por ora — comentou Peter, sabendo que, alojado nas profundezas das entranhas do Museu Britânico, ninguém poderia fazer isso.

— Pedi a primeira edição do *Pandosto* e alguns outros itens de Robert Greene para você — Nigel avisou. — Você encontrará a máquina de cotejo seguindo por esse corredor, na sala à direita. Pedi a um assistente para fazer algumas impressões das edições de 1592 e 1595 do *Pandosto*; essas temos apenas em microfilme, mas ainda pode fazer um cotejo, se precisar. Detesto ter de deixá-lo sem ter o que fazer, mas preciso mesmo voltar ao trabalho. Mandarei os materiais assim que chegarem.

Assim, Peter viu-se sozinho em uma sala forrada de livros bem abaixo dos turistas e crianças de escola que inundavam as galerias em direção à Pedra de Roseta e aos Mármores de Elgin. Colocou a bolsa, contendo o *Pandosto*, na mesa e começou a examinar as prateleiras. Os livros eram materiais de referência de primeira classe: os volumes grossos e pesados do *Oxford English Dictionary*, prateleiras de bibliografias e longas fileiras dos volumes pequenos e largos do *Dictionary of National Biography*, conhecido pelos estudiosos como DNB.

Peter pensou que poderia então fazer algumas pesquisas sobre a procedência do *Pandosto* enquanto esperava; o DNB poderia muito bem dar-lhe mais pistas sobre vários dos donos. Tirou o *livro* da bolsa, desejando enquanto isso tê-lo devolvido à capa dobrável antes de sair de casa. O envelope alcalino no qual o colocara parecia insuficiente para proteger tal tesouro. Abrindo o *Pandosto* sobre a mesa, posicionou sua bolsa para que ninguém que entrasse na sala visse o livro. Mais uma vez, leu a lista de donos, tentando construir uma história que os ligasse uns aos outros.

R. Green para Em Ball
Bart. Harbottle
Wm. Shakspere, Stratford
R. Cotton, Augusto B IV
Matthew Harbottle, Teatro Red Bull
John Bagford
John Warburton
R. Harley, Oxford
B. Mayhem para William H. Smith
A.I. / C.E.

O autor dera o livro para a amante, que, depois, o vendera ao livreiro Harbottle. Harbottle então vendeu ou deu o livro a Shakespeare, que se inspirara no vendedor para criar o personagem de Autólico. Shakespeare dera o livro a Robert Cotton, talvez como agradecimento por permitir que tivesse acesso à sua biblioteca. Harbottle então pegara o livro de volta de Cotton, por meios legítimos ou ilegítimos, e passara adiante a um parente, provavelmente o filho. O Harbottle mais novo desfizera-se do livro em algum momento do século 17, provavelmente fora de Londres, evitando assim o grande incêndio de 1666, e ele fora eventualmente comprado por John Bagford, que depois o vendera para John Warburton.

Peter pegou os volumes de Bagford e Warburton. Bagford, confirmou, foi em algum momento vendedor de livros e também compilara uma famosa coleção de amostras de impressões. A biografia de Warburton apontava que ele havia, "depois de muito beber e tentar enganar Wanley, vendido, em julho de 1720, ao conde de Oxford, muitos manuscritos valiosos nos termos de Wanley". Humfrey Wanley fora o bibliotecário de Robert Harley, conde de Oxford. A coleção formada por Harley e o filho fora doada ao Museu Britânico e tornara-se parte da Biblioteca Britânica. Então, como o *Pandosto* escapara?

Peter tirou um gravador de microcassete da bolsa e começou a ditar as anotações. Adquirira o hábito de usar o gravador em Ridgefield. Salas com livros raros proibiam o uso de canetas, e Peter tinha o hábito de quebrar pontas afiadas de lápis quase imediatamente. Um gravador lhe dava uma maneira fácil de fazer anotações sem oferecer risco aos delicados materiais.

Não conseguiu encontrar nenhuma listagem no DNB para um "B. Mayhew" e estava prestes a puxar o volume contendo os Smith quando um jovem entrou na sala com os braços cheios de livros.

— Senhor Byerly? — ele perguntou.

— Sim — Peter respondeu.

— Acredito que estes livros sejam para o senhor — falou o homem, apoiando os livros na mesa.

Peter deixou os volumes do DNB espalhados e apressou-se para examinar a pilha de livros. A maioria estava apenas em pastas protetoras simples, nada como as capas complexas e elegantes criadas sob a ordem de Amanda Devereaux, mas suficientes para proteger livros e panfletos com 400 anos de idade do estresse de serem tirados de prateleiras. Apesar de várias raridades tentadoras, Peter procurou na pilha o único livro que tinha seu interesse: o único exemplar registrado da primeira edição de 1588 do *Pandosto*.

Na opinião de Peter, a questão da autenticidade do *Pandosto* da Mansão Evenlode tinha dois pontos: o livro impresso era genuíno e as anotações nas margens eram genuínas? Sua tarefa naquela manhã era começar a responder a primeira pergunta. O exemplar do *Pandosto* da Biblioteca Britânica, que ele estava retirando com cuidado da capa dobrável, não estava completo, faltava o segundo caderno. Se Peter pudesse provar que o exemplar da Mansão Evenlode era uma primeira edição completa e genuína, seria um achado significativo, mesmo se as anotações acabassem se revelando falsificações.

Peter levou os dois exemplares do *Pandosto* da sala de leitura por um corredor estreito até uma sala não muito maior que um armário e quase inteiramente ocupada pela massa cinza metálica de 1,8 metro de altura e 1,5 metro de largura da máquina de cotejo Hinman do museu. A máquina, um aparelho de comparação ótica, fora inventada por um estudioso de Shakespeare, Charlton Hinman, no final dos anos 1940, para ajudá-lo em sua pesquisa, comparando exemplares de textos entre si. Um pesquisador colocava dois exemplares de um livro nas duas plataformas e, depois, olhava por um visor binocular e ajustava a imagem para que, por meio de uma série de espelhos, os dois exemplares se sobrepusessem com exatidão. Assim, era possível saber, com uma olhada, se os textos eram idênticos ou se havia variações, já que as diferenças pareceriam dançar diante dos olhos do pesquisador. Hinman usou aquele cotejador para comparar exemplares do *Primeiro Fólio* de Shakespeare, catalogando com meticulosidade as várias alterações e correções que haviam sido feitas durante a impressão.

Peter abriu com cuidado os dois exemplares do *Pandosto* nas páginas de título e prendeu cada um delicadamente às plataformas do cotejador. Apertou o botão para ligar, e a máquina zumbiu conforme as luzes brilhavam nos textos e os ventiladores giravam. Peter inclinou-se sobre o visor binocular e ajustou os botões até as duas imagens que flutuavam diante dele se fundirem aos poucos e formarem uma imagem clara. Combinavam com perfeição. Durante a hora seguinte, Peter repetiu o processo com todas as páginas, exceto, é claro, aquelas que faltavam no exemplar da Biblioteca Britânica. Tudo combinava de forma precisa.

Até chegar à última página, não percebeu que suas costas doíam por estar inclinado sobre o visor. Deixando os livros na máquina, voltou à sala de leitura, onde seus olhos levaram um tempo para se adaptar à luz. Alongou-se para aliviar a tensão nas costas e caminhou dando várias voltas pela mesa da biblioteca quando notou, ao lado da sua bolsa, uma pilha de fotocópias, as impressões das edições posteriores do *Pandosto* que o assistente de Nigel fizera a partir das cópias em microfilme.

Peter já sabia que todas as páginas da primeira edição da Biblioteca Britânica combinavam com o exemplar da Mansão Evenlode, mas e quanto ao caderno perdido? Se o *Pandosto* da Mansão Evenlode fosse uma falsificação, o texto deveria ser uma cópia de exemplares ainda existentes... Mas o único exemplar registrado da primeira edição estava incompleto. Se o texto do caderno perdido correspondesse a uma edição posterior, o exemplar da Mansão Evenlode seria de fato suspeito.

Voltou à máquina de cotejo e tirou o exemplar do *Pandosto* da Biblioteca Britânica, substituindo-o por uma fotocópia da edição de 1592. Desta vez, comparou apenas as páginas que faltavam da primeira edição da biblioteca. Em cada uma das páginas, os textos dançantes, que indicavam diferenças em quase todas as linhas, giravam diante de seus olhos, O mesmo aconteceu com a edição de 1595. Retirando enfim o *Pandosto* da Mansão Evenlode da máquina, Peter soltou um longo suspiro de alívio. Encontrara exatamente o que esperava. Parecia então haver duas possibilidades. Ou o texto do *Pandosto* da Mansão Evenlode era uma primeira edição genuína ou fora falsificado com brilhantismo a partir de um exemplar completo da primeira edição. Dessas duas possibilidades, a primeira não apenas era mais atraente, mas a mais provável.

Peter desligou a máquina e retirou o *Pandosto* da Mansão Evenlode e as fotocópias. Estas últimas ele colocou na bolsa, para o caso de precisar consultá-las depois. Sentou-se à mesa da sala de leitura e abriu o *Pandosto* na última página, a guarda de trás lotada de anotações. Havia uma grande mancha de tinta marrom no canto inferior direito. Pegando uma tesoura da bolsa, Peter cortou com cuidado um pequenino pedaço daquele canto e colocou-o em um envelope. A amostra devia ser suficiente para testar a idade da tinta e do papel. Ele colocou o *livro* no seu envelope protetor e de volta na bolsa.

Bateu na porta aberta do escritório de Nigel para chamar a atenção do bibliotecário e deu a ele o envelope com a amostra.

— Estou contando que seja do século 16 — contou Peter —, mas há a possibilidade de ser uma falsificação do século 19.

— Verificaremos a tinta e o papel para você — disse Nigel. — Não sei se conseguiremos provar algo conclusivo, mas avisarei a você o que descobrirmos.

Peter rabiscou o número do seu telefone em um pedaço de papel e entregou a Nigel.

— Se tiver como conseguir os resultados até o final da semana... Estou com o prazo meio apertado — disse.

— Farei o melhor que puder — respondeu Nigel, sorrindo.

Peter teria gostado de uma promessa mais definitiva, mas não queria parecer um americano insistente e, assim, abandonou o assunto.

— E como está indo o cotejo? — perguntou Nigel.

— Muito bem — afirmou Peter.

— Estou saindo para almoçar — disse Nigel —, mas, se precisar de alguma coisa, meu assistente, James, deve voltar em alguns minutos.

Com a menção do almoço, Peter sentiu uma onda de pânico. O relógio na parede de Nigel marcava 13h10.

— Preciso ir — falou Peter, saindo do escritório. — Tenho um compromisso também. Ligue para mim assim que souber de alguma coisa.

Peter apressou-se pelo corredor e pegou a bolsa. Sem parar para guardar os volumes do DNB espalhados pela mesa, chegou à porta e subiu as escadas para as galerias dois degraus por vez. Quando chegou às portas da frente do museu, eram 13h15.

Saiu correndo pelas portas, sem fôlego pela pressa com que passara pela escada e pelas galerias. O ar cortante do inverno atingiu seu rosto com a força de um tapa, conforme uma lufada de vento subia os largos degraus de pedra para encontrá-lo. Uma massa de crianças de uma escola estava pelos degraus. Peter examinou a multidão à procura de Liz, imaginando se ela desistira e fora embora. De repente, foi tomado pela memória vívida de outro dia, anos antes, quando encontrara Amanda naqueles degraus. Ele havia se atrasado também.

— Imagino que a culpa seja de Robert Cotton — Amanda dissera, sorrindo e dando-lhe um beijo rápido na bochecha.

Aquele dia tinha sido ainda mais frio, e ele sentiu o beijo no rosto muito tempo depois de Amanda tê-lo levado escada abaixo.

— Está procurando alguém? — disse uma voz, puxando-o de volta ao presente. — Acho que, se o seu relógio está ajustado no horário americano, você está quatro horas e 45 minutos adiantado — comentou Liz, piscando um olho para Peter enquanto ele se virava para ela.

— Desculpe — ele falou. — Fiquei preso em uma pesquisa.

— Bem — começou Liz, deslizando seu braço pelo dele do mesmo jeito que Amanda costumava fazer —, pelo menos é uma desculpa que consigo entender.

Liz parecia diferente de quando ele a vira três dias antes, e Peter levou um minuto para perceber que o cabelo dela, que estivera de uma cor marrom suja com faixas loiras na sexta-feira à noite, estava com uma cor quente e uniforme de mel. Ela devia tê-lo cortado também. Não estava muito mais curto, mas bem menos arrepiado, as pontas no mesmo nível sobre os ombros, e, mesmo quando o vento o bagunçava e mechas caíam no rosto dela, ele permanecia, no geral, mais arrumado do que estivera na semana anterior. O braço de Peter estava tenso, quase doendo, no ponto onde Liz estava apoiada. Todos os músculos do seu corpo pareciam estar gritando para ele: Não é um encontro, não a iluda. Porém, apesar disso, Peter viu-se dizendo:

— Gostei do seu cabelo.

— Obrigada — respondeu Liz. — Cheguei em casa na sexta à noite e pensei “Jesus, aquele cara teve que ficar sentado na minha frente a noite toda olhando esse cabelo horrível”. E, então, decidi “que se dane, vou fazer algo a respeito disso”.

Peter sentiu como se estivesse em uma luta entre seu corpo, que estava tentando se afastar um pouco de Liz, e sua boca, que estava prestes a dizer mais alguma coisa gentil. Era verdade que ele passara um tempo bastante agradável com ela na noite de sexta, mas, se tinha sido levado pela curiosidade sobre a aquarela naquele momento, os motivos dele naquele almoço eram muito mais poderosos, e ele precisava que ela entendesse que aquele não era um encontro casual.

— Muita coisa aconteceu desde a sexta-feira — ele disse, enfim conseguindo soltar seu braço do dela porque eles ficaram presos em uma multidão de turistas que cruzavam a Great Russel Street.

— Você precisa me contar tudo — avisou Liz, agarrando a mão nua de Peter na maciez da sua luva de camurça e puxando-o para além da Museum Street. — Conheço um restaurante italiano maravilhoso virando a esquina.

Peter resignou-se a andar de mãos dadas, raciocinando que era necessário para evitar que se separassem nas multidões que jorravam pelas calçadas. Um instante depois, eles viraram uma esquina para a comparativamente calma Coptic Street; suas livrarias e galerias de arte eram pouco interessantes para a maioria dos turistas que lotavam a Great Russel Street. Ainda assim, Peter não largou a mão de Liz. Seria indelicado, ele pensou.

Ele a seguiu dobrando outra esquina e atravessando a porta de um pequeno bistrô italiano, mas nenhum deles voltou a falar até se sentarem a uma mesa ao lado da janela da frente.

— Tenho algo para você — ela disse, colocando a mão dentro da bolsa volumosa e tirando um envelope duro e bege. — Sua aquarela. Obrigada pelo empréstimo.

Peter pegou o envelope com ela. Com toda a animação em torno do *Pandosto*, ele parecia menos pesado do que quando o entregara a ela, três dias antes.

— De nada — Peter respondeu, colocando o envelope na sua bolsa.

— Não quer vê-la? — Liz perguntou.

— Confio em você — Peter afirmou.

— Não é isso — falou Liz. — É apenas que... Pareceu-me que você meio que, não sei, precisava olhar para ela com bastante frequência.

Embora a aquarela, e o que Liz sabia a respeito dela, fosse o motivo de Peter querer vê-la naquele dia, a obsessão dele com a imagem diminuíra consideravelmente desde a descoberta do *Pandosto*. A pintura era um artefato sem valor, interessante apenas para ele por conta da semelhança coincidente com Amanda; o livro tinha grandes chances de ser uma das maiores descobertas da literatura inglesa.

O garçom colocou duas taças de vinho tinto na mesa e Liz levantou a sua para Peter. Ele respondeu ao brinde, tocando sua taça na dela com um pouco de força demais, o vinho quase derramando na toalha de mesa branca e clara.

— Com cuidado, caubói — disse Liz. — Então, o que aconteceu desde sexta?

A voz dela parecia ter um leve toque de insegurança, e Peter sentiu-se de repente envergonhado por estar pensando apenas em tentar tirar informações dela, não em como ela podia estar se sentindo de verdade com o fato de sair para duas refeições com o mesmo homem em três dias. Sentiu uma onda de ternura por ela, como não sentira por ninguém desde que perdera Amanda.

— Tenho um problema — ele disse. — Talvez dois problemas.

— Estou ouvindo — falou Liz, cruzando os braços em frente ao corpo e recostando-se na cadeira.

Peter não tinha certeza de como começar. Estava desesperado pelo nome e o endereço do enigmático estudioso da Cornualha, que parecia ser a única pessoa do mundo que conhecia alguma coisa sobre a identidade de A.I., e tinha então uma vantagem para tentar arrancar essas informações de Liz. Por outro lado, não podia deixar de pensar, enquanto olhava para a postura defensiva dela do outro lado da mesa, que o clima estava cheio de sentimentos não declarados e, se não tratasse deles em primeiro lugar, ela nunca lhe diria nada.

— Estou tendo dificuldade para lidar com isto — Peter disse enfim, fazendo com a mão um gesto frouxo que queria englobar eles dois, mas mais parecia um pedido para o garçom limpar a mesa.

— Isto? — perguntou Liz.

— Você e eu, quero dizer.

— O que tem?

Liz pareceu apertar mais os braços em frente ao peito.

— Bem, acho possível, quero dizer, talvez eu possa... Talvez eu goste de você.

— Uau, você sabe mesmo como fazer uma garota perder o chão — disse Liz.

— Veja bem, esse é o meu problema. Não sou nada bom nisso — contou Peter.— Só saí com uma mulher na minha vida toda e não... Não acho que eu tenha superado esse relacionamento e não quero que você fique com a ideia errada.

— Que ideia seria? — questionou Liz, com frieza.

— De que eu gosto de você. Quero dizer, que gosto de você... Sabe, desse jeito.

— Bem, você é sincero. Quando disse que não é bom nisso, sabia do que estava falando.

— Olhe — começou Peter, sentindo o suor escorrer em sua testa e seu apetite sumir —, eu não sei bem como explicar isso, mas há uma grande parte de mim que não quer que você pense que isto é um encontro. Porém, há outra parte, essa parte que eu nem tinha percebido antes de vê-la na escada, que quer que você pense que é um encontro. Faz algum sentido?

— Em primeiro lugar — disse Liz, —, você pode relaxar, porque não é um encontro; são apenas dois amigos se encontrando para almoçar. E, em segundo lugar, é tudo o que somos, Peter, dois amigos. Sei que você tem bastante bagagem, e parece que fazer amizade não é um dos seus grandes talentos, mas acredite em mim: não é tão difícil. Além disso, para sermos amigos, tudo o que você precisa fazer é meio que pensar que pode gostar de mim.

Ela enfim sorriu e descruzou os braços, pegando a taça de vinho e levantando-a para Peter de novo.

— Agora, com delicadeza desta vez — ela avisou. — À amizade.

Peter encostou sua taça levemente na dela e deu um grande gole de vinho. Enquanto baixava a taça, Liz pegou o guardanapo dele e limpou o suor da sua testa. Peter tremeu com a intimidade do gesto, mas, antes de poder pensar no que dizer, Liz acomodou-se de novo na cadeira e continuou a conversa.

— Ainda quer saber sobre A.I., não?

— Mas não é mais por motivos egoístas.

— Não é por motivos egoístas?

— Bem, são motivos menos egoístas dos que os motivos iniciais.

— Isso é tranquilizador.

— Olhe — começou Peter, esforçando-se para explicar —, encontrei outra coisa assinada por A.I., não uma pintura, é mais um... um documento. Foi em uma casa que tenho quase certeza de que seu enigmático estudioso da Cornualha visitou, mas acho que não viu esse item.

Liz inclinou-se para a frente, um brilho nos olhos.

— Que tipo de documento?

— Não posso contar.

— Pensei que confiasse em mim — argumentou Liz.

— Confio — garantiu Peter. — Apenas preciso descobrir mais sobre esse... esse documento antes de contar a alguém. Pode parecer loucura, mas há uma chance de ser perigoso saber a respeito dele.

Peter pensou no olhar frio de Júlia Alderson e no aço frio da espingarda de Thomas Gardner. Se o *Pandosto* fosse uma falsificação, podia imaginar que esses dois se esforçariam muito para manter o fato em segredo.

— Parece menos loucura do que você pensa — comentou Liz. — Recebi uma ligação esta manhã do meu estudioso da Cornualha. Não posso ligar para ele porque ele não tem telefone, mas, de vez em quando, ele vai até a cidade e liga para mim de um telefone público. Ele disse que enfim me mandou o manuscrito final pela entrega de um dia do correio, mas nunca ouvi a voz dele parecer tão... Bem, tão tensa. Ele me disse que estava com medo.

— Do quê? — perguntou Peter, com a imagem de Thomas Gardner rondando os campos da Cornualha com uma espingarda sobre o ombro aparecendo em sua mente.

— Ele não quis dizer. Apenas contou que estava ouvindo barulhos estranhos e estava preocupado. Eu disse que era paranoia.

Pelo amor de Deus, ele mora nos limites do pântano de Bodmin, é claro que ouve barulhos estranhos. Digo, por mais importante que o manuscrito sobre A.I. possa ser para ele e para mim, a maioria do mundo nunca vai prestar atenção nele. E, por mais inveja que tenha, ninguém da Sociedade Histórica de Aquarelas tem a imaginação ou a coragem de fazer espionagem acadêmica. Ainda assim, fico preocupada por ele estar com tanto medo.

— Está falando de Graham? — questionou Peter.

— Como sabe o nome dele? — disse Liz.

— Como eu disse, muita coisa aconteceu desde sexta-feira — comentou Peter, sorrindo por cima da boca da sua taça de vinho.

— Há mais de um Graham na Cornualha — declarou Liz, devolvendo o sorriso de Peter.

O manuscrito de Graham podia não ser importante para o mundo no geral, pensou Peter, mas um livro cheio de anotações shakespearianas nas margens apareceria nas primeiras páginas dos jornais. E, se o livro que Liz estava prestes a publicar ameaçasse de alguma forma essa notícia, talvez valesse a pena... bem, fazer barulhos estranhos.

— Olhe — ele disse —, farei um acordo com você. Se me contar como encontrar esse Graham, vou ver como ele está. Perguntarei o que preciso perguntar, mas também farei o melhor que puder para garantir que ele não esteja em perigo. E, eu prometo, assim que eu achar que é seguro, contarei o que descobri. Você será a primeira a saber, e garanto que é uma história muito boa.

— Irá para a Cornualha hoje?

— Meu carro ficou em Heathrow, já estará de noite quando eu chegar lá, mas, sim, partirei assim que terminarmos o almoço.

— E, se achar que ele está em perigo, fará com que ele venha para Londres?

— É claro — afirmou Peter.

— Não será fácil. Ele é teimoso feito o diabo.

— Apenas me diga o sobrenome dele e como chegar lá e deixe o resto comigo — disse Peter, confiante de que uma olhada no *Pandosto* com um relato do temperamento de Thomas Gardner convenceria qualquer pessoa a ir para um lugar mais seguro que a área rural da Cornualha.

— Depois do almoço — respondeu Liz, conforme o garçom colocava dois pratos de massa em frente a eles. — Contarei depois do almoço.

— Mesmo? — falou Peter, que esperava mais resistência.

— Vamos voltar ao seu outro problema. Que tal, Peter? — ela sugeriu.

— Meu outro problema?

— Você sabe, o fato de você... Como você diz, talvez gostar de mim.

— Ah, isso — disse Peter, girando a massa com o garfo enquanto seu apetite evaporava de novo.

— É óbvio que você ainda não superou o relacionamento com Amanda.

Peter concordou, balançando a cabeça.

— E, já que este é um almoço entre amigos, pode falar dela para mim. Então, conte-me alguma coisa sobre a falecida Senhora Byerly.

Peter viu Amanda de pé do outro lado do restaurante, sorrindo para ele. Ela usava um vestido preto longo com a parte de cima justa e bordada com lantejoulas. Peter havia se esquecido daquela roupa. Supôs que a música de ópera italiana tocando ao fundo o ressuscitara.

— Conte a ela sobre a ópera — Amanda mexeu a boca sem soltar som, antes de desaparecer aos poucos.

— Eu nunca tinha ido ao teatro antes de conhecer Amanda — Peter começou, ainda olhando sobre o ombro de Liz para o ponto onde Amanda aparecera. — No meu penúltimo ano, ela me levou a uma produção dos alunos de *The Mikado*... Ela amava os vitorianos. E foi divertido. Mais ou menos na metade do segundo ato, eu até percebi que estava me divertindo, o que é incomum para mim em um lugar cheio de pessoas. Por isso, começamos a ir ao teatro. No início, foram apenas apresentações de estudantes em Ridgefield e, então, certa vez, em uma viagem a Raleigh, vimos uma produção profissional em turnê. Lembro-me do nosso primeiro Shakespeare. Eu já estava apaixonado pelas peças, mas nunca vira uma no palco. Foi *Sonho de uma noite de verão*. Nunca ri tanto na vida. Fiquei ainda mais admirado com Shakespeare, por ele conseguir escrever piadas que me fariam rir 400 anos depois.

"De qualquer forma, estávamos planejando uma visita de verão a Londres cerca de três anos depois de nos casarmos, e Amanda leu que a Ópera Nacional Inglesa estava apresentando *As bodas de Fígaro*. Bem, Amanda sempre gostara de Mozart e do *Fígaro*, mas nunca fora à ópera. Quando descobriu que estavam apresentando sua ópera favorita em Londres, ela ligou e conseguiu ingressos e, depois, foi à casa da mãe e pegou emprestados os antigos discos do *Fígaro* da avó dela, com libreto, e deve ter escutado as músicas todas as noites durante um mês. Ela disse que queria aprender tudo em italiano, para aproveitar a apresentação como o compositor tinha desejado.

"Assim, fomos para Londres, e Amanda mal podia esperar pela ópera. Ela comprou um lindo vestido longo e alugou para mim um fraque com gravata branca. Estávamos usando roupas sofisticadas demais, mas Amanda não se importava. Estávamos sentados em um camarote, e ela estava muito animada, as luzes diminuíram, o prelúdio começou, Amanda estava apertando minha mão na expectativa. Então as cortinas se abriram e lá estavam eles, Fígaro e Suzana, e Fígaro estava medindo o quarto para sua cama de casado e cantou '*five, ten, twenty, thirty...*'.

"Bem, a mão de Amanda ficou frouxa. Olhei para ela e havia uma expressão de horror no seu rosto. Ela tinha passado um mês aprendendo italiano e estavam cantando a ópera em inglês. Eu me esforcei muito para não rir, porque a amava muito, mas havia algo hilário de verdade naquele momento. E, então, eu comecei a assistir à ópera... Para a qual devo dizer que fui mais ou menos arrastado. E conseguia entender tudo o que acontecia porque era em inglês. E comecei a me envolver nela e, logo, estava rindo das piadas e me divertindo muito.

"Quando acabou, antes que eu percebesse, estava de pé batendo palmas e senti Amanda se levantar com um pouco de relutância e dar um aplauso mecânico, mas não conseguia me controlar. Gritei 'Bravo' com todos os outros espectadores e estava me sentindo ótimo com minha gravata branca... Como se eu tivesse nascido para ser um cavalheiro no camarote de uma ópera. Quando acabaram os agradecimentos, olhei para Amanda e ela estava sentada de novo e estava chorando. Assim, eu me sentei e segurei a mão dela e disse que sentia muito por eles terem estragado sua ópera favorita e que talvez pudéssemos ir um dia a Milão ver uma apresentação de verdade. E ela me olhou e disse (nunca vou me esquecer disso), ela disse 'não é nada disso. Eu só estou muito feliz por você ter se divertido'. Ela havia passado centenas de horas preparando-se para aquela noite e, do seu ponto de vista, Mozart fora estraçalhado, mas o que ela sentiu quando acabou foi felicidade por seu marido relutante ter se divertido de verdade. Isso é amor."

Peter enxugou uma lágrima com as costas da mão enquanto olhava as bochechas reluzentes de Amanda do outro lado do salão. Conforme ela desaparecia de novo, ele percebeu que nunca contara aquela história a ninguém; nem ao Dr. Strayer.

— Mas que droga — disse Liz, puxando Peter de volta ao presente. — Você me fez chorar. Não era para isso acontecer.

Ela enxugou os olhos com o guardanapo.

— Deve ser difícil estar sem ela — comentou.

— Sim — afirmou Peter. — É.

Era bom admitir, e não fingir que estava tudo bem. Ele estendeu a mão pela mesa e segurou a mão de Liz.

— Obrigado por me ouvir — falou.

A massa de Peter continuava toda no prato quando ele fez sinal pedindo a conta. Liz escreveu orientações elaboradas e desenhou um mapa para ajudá-lo a fazer seu caminho até a casa de Graham Sykes, nos limites do pântano de Bodmin.

À medida que andavam pela Russel Square, Peter de repente se lembrou de que, na pressa para sair do Museu Britânico, esquecera de procurar William H. Smith.

— Você sabe alguma coisa sobre W. H. Smith? — perguntou a Liz.

— Bem, sei que não vendem o tipo de livros que publicamos — respondeu Liz.

Peter levou um momento para perceber que ela estava falando da cadeia de lojinhas de livros. Era engraçado ele ter perguntado daquele jeito em vez de dizer William H. Smith.

— Na verdade, estou falando de uma pessoa — consertou Peter. — William H. Smith. Acho quer pode ter vivido na época vitoriana.

— O monarca do mar — Liz falou.

— Como?

— Acho que o pai dele começou os negócios da família vendendo jornais em estações de trem. Mas foi o filho que fez o nome W. H. Smith ficar conhecido. Ele era membro do Parlamento e virou Lorde Comissário do Almirantado, acho que sob ordem de Disraeli. Penso que era visto pela maioria das pessoas como um marinheiro inexperiente e rico que não merecia a nomeação e, assim, Gilbert e Sullivan o transformaram no Sir Joseph Porter na ópera *H.M.S. Pinafore*. Você sabe, "sou o monarca do mar, o comandante da Marinha da rainha" — Liz cantou. — Falamos dele na Sociedade de Teatro Vitoriano há alguns meses.

— A quantas sociedades você pertence? — questionou Peter.

— Várias — riu Liz.

— Pergunto-me se é o mesmo William H. Smith. O que estou procurando provavelmente se interessava por Shakespeare.

— Perguntarei a Lawrence para você — ofereceu Liz. — Lawrence Smith, foi ele que fez a palestra. Acho que é sobrinho-neto dele ou algo assim.

Eles estavam do lado de fora da estação do metrô de Russel Square, e Liz repassou as orientações para chegar à casa de Graham Sykes.

— Ele é corujão — contou a Peter. — Vá vê-lo quando chegar, não importa o horário.

— Vou sim — afirmou Peter.

Sem perceber o que acontecera ou saber quem começara, ele se viu abraçado a Liz.

— E me ligue — ela sussurrou no ouvido dele.

Depois, virou-se e desapareceu, contornando a esquina, deixando Peter descer à profundidade ventosa do metrô sozinho.

Londres, 1875

Em um escritório suntuosamente equipado e decorado no andar de cima da sua loja, virando a esquina depois da St. Paul, Benjamin Mayhew estava sentado à ampla escrivaninha, escrevendo cartas. Esperava uma visita de Philip Gardner, seu cliente mais lucrativo, mas as 13 horas chegaram e passaram e não havia sinal do colecionador. Talvez, pensou Benjamin, o trem dele tivesse atrasado.

Benjamin trabalhava no mundo dos livros já havia 20 anos e formara uma clientela rica que lhe proporcionava uma renda muito boa. Lembrava-se muito bem do primeiro encontro com seu cliente favorito, William Henry Smith, o empresário que estava atuando como secretário do Tesouro de Benjamin Disraeli. Smith ficara mesmo intrigado com um livro sobre as falsificações de Shakespeare feitas por Ireland e tinha, ao longo dos anos, sido um cliente constante. Embora não fosse de forma alguma um colecionador, Smith era um homem inteligente e ambicioso com um nível de curiosidade intelectual que tornava os bons livros parte essencial da sua vida. Havia se tornado mais do que um cliente para Benjamin; tornara-se amigo e um homem que o livreiro tinha em máximo respeito. Benjamin fornecera vários volumes de material para o livro de Smith de 1857, *Bacon and Shakespeare*, uma expansão das ideias apresentadas no panfleto que Benjamin lera tantos anos antes no trem para Oxford. Benjamin tinha um exemplar desse livro, presenteado pelo autor, em uma prateleira de honra do seu escritório. Os dois homens tinham rido bastante juntos quando, no clube de Smith, o autor lera em voz alta o segundo capítulo, intitulado "Uma breve história de Shakespeare".

> A história de William Shakespeare é de fato uma história negativa.
> Da sua vida, tudo que sabemos mesmo é o período de sua morte.
> Não sabemos quando ele nasceu; nem quando, ou onde, fez seus estudos.
> Não sabemos quando, ou onde, ele se casou, nem quando foi para Londres.
> Não sabemos quando, onde ou em qual ordem suas peças foram escritas ou encenadas; nem quando partiu de Londres.
> Ele morreu em 23 de abril de 1616.

— Esse é o capítulo todo? — Benjamin perguntara, rindo.

— Bem — dissera Smith —, é tudo o que sabemos com certeza, então é tudo o que preciso dizer.

Gardner abordara Benjamin pela primeira vez vários meses antes por causa do seu vizinho.

— Eu gostaria de começar a colecionar documentos históricos — dissera a Benjamin no andar da sua loja.

— Que tipo de documentos? — perguntara Benjamin,

— Qualquer um que possa ser do interesse do Senhor Reginald Alderson — explicara Gardner.

Assim, Phillip tornara-se o melhor tipo de cliente: aquele motivado não por curiosidade intelectual ou paixão literária, mas por ódio. Reginald Alderson era um colecionador apaixonado de documentos históricos, Phillip Gardner estava destinado desde o nascimento a odiar Reginald Alderson e, assim, Phillip iria usar o dinheiro da esposa para pagar qualquer preço e vencer Alderson em leilões e iria até o fim para sabotar os outros meios de aquisição dele. Desde então, Benjamin era o principal fornecedor de materiais de Phillip Gardner. Gardner pagava as contas em dia e não fazia objeções em dar a Benjamin pagamentos adicionais por itens comprados bem embaixo do nariz do rival.

Naquela tarde, Benjamin faria uma dessas compras nas salas de vendas da Sotheby's: uma estrofe de poema manuscrita do escritor elisabetano Robert Greene. Benjamin sabia, pelo seu informante da Sotheby's, que Alderson registrara-se para dar lances pela venda e o único item do bloco que podia interessá-lo era o poema de Greene. Benjamin esperava jantar no City com Phillip Gardner e, depois, fazer o passeio usual deles até o salão de vendas, onde humilhariam publicamente Reginald Alderson, como já tinham feito muitas vezes. Benjamin às vezes se perguntava por que Alderson continuava indo aos leilões em vez de fazer lances por meio de um agente, pois os resultados eram sempre os mesmos. Conforme a oferta subia, Phillip Gardner fazia um aceno com a cabeça para Benjamin; Benjamin fazia um aceno para o leiloeiro; no final, batia-se o martelo a favor de Phillip, e Reginald Alderson saía furioso do salão, ao som das risadinhas contidas dos frequentadores regulares, que sabiam o que estava acontecendo.

Geralmente, Gardner levava Benjamin ao seu clube depois do leilão, mas, quando chegou a hora de Benjamin ir para a Sotheby's e seu cliente ainda não tinha chegado, ele se resignou ao fato de que, naquele dia, teria de comemorar a vitória sozinho. Não importava, o fragmento de Greene conseguiria um preço alto, em especial com Reginald Alderson aumentando as apostas, e um preço alto significava uma comissão alta. Benjamin estava muito satisfeito por ser amigo de Gardner, mas o que mais gostava naquele homem era o dinheiro da esposa.

Ridgefield, 1985

— Acho que está na hora — Amanda disse para Peter enquanto estavam deitados e entrelaçados no tapete da Sala Devereaux, a pulsação e a respiração deles voltando ao normal depois de fazerem amor.

Fazia cinco semanas desde o Dia das Bruxas. Cinco noites maravilhosas de paixão; pois Amanda era tão organizada com sua vida sexual quanto com tudo o mais. Não que Peter se importasse. Não houve tentativas constrangidas da parte dele de iniciar nenhuma preliminar desajeitada no banco de trás do carro tentando adivinhar até onde levaria. Havia apenas a urgência aguda da expectativa conforme andavam pelos corredores escuros da biblioteca até a Sala Devereaux um pouco depois das 23 horas todo sábado. Após a primeira vez dele, não tinha havido mais figurinos, e as cinco semanas anteriores foram uma descoberta gradual um do outro, levando até aquele momento perfeito: o corpo molhado de Amanda pressionado contra o de Peter, seu braço ao redor da barriga dele, seu mamilo ainda arrepiado tocando levemente o peito dele enquanto ela sussurrava:

— Acho que está na hora.

— Talvez você precise me dar mais alguns minutos — disse Peter.

Em geral, Amanda pegava no sono depois do sexo e Peter a acordava uma ou duas horas depois com um beijo, um carinho e um sussurro de desejo.

— Não é disso que estou falando — disse Amanda, dando-lhe uma pancadinha provocadora na lateral do corpo.

Ela se apoiou sobre um cotovelo e fixou nele um olhar sério.

— Quero dizer que está na hora de você conhecer a minha família.

— Eu meio que estava esperando conhecê-los só quando nossos filhos se formassem no colégio — contou Peter, um nervosismo crescendo em sua barriga que ele nunca sentira nos limites seguros da Sala Devereaux.

— Eles não são tão ruins — garantiu Amanda. — Na verdade, eles são bem legais.

— Mas são os Ridgefield — argumentou Peter. — Você já sabe que tenho dificuldade para conhecer pessoas que não fazem parte da realeza e têm uma filha pela qual sou apaixonado.

— Fale de novo — pediu Amanda, dando-lhe um beijo leve no peito.

— O quê? A parte sobre eles serem da realeza?

— Não, a outra parte.

— Sobre eu estar completamente louco de amor pela preciosa filha deles, Amanda?

— É — disse Amanda, descendo pelo abdômen dele com beijos. — Essa parte.

Enquanto seus lábios moviam-se suavemente pela pele dele, Peter esqueceu-se dos Ridgefield, esqueceu-se de ficar nervoso e pensou apenas em Amanda: seus lábios e sua língua e sua boca e sua pele e o quanto a amava.

Ao caminharem pelo campus na direção do dormitório de Amanda horas depois da última festa do sábado à noite ter terminado, mas antes de o primeiro aluno obsessivo de medicina levantar-se para estudar para o exame final de bioquímica que se aproximava, Peter apertou a mão de Amanda e disse o que sabia que ela queria ouvir, aquilo em que, naquele momento de paz e escuridão, quando o ar da noite ganhara um toque do frio do inverno, ele quase acreditava.

— Eu adoraria conhecer sua família.

Na noite de segunda-feira, quando estavam sentados à mesa da lanchonete em que costumeiramente se sentavam, Amanda fez a Peter o convite oficial para jantar na casa de seus pais no sábado seguinte.

— Sábado à noite? — perguntou Peter.

Já seria difícil o bastante conhecer a família dela, ele pensou, mas conhecê-la em uma noite de sábado, quando tudo em que conseguia pensar era em Amanda enrolada em volta dele no chão da Sala Devereaux, poderia ser insuportável.

— Bem, apenas teremos que visitar a biblioteca na sexta-feira — sugeriu Amanda, subindo o pé pela perna dele. — Eu não ia querer que você estivesse... tenso.

— Acredite, nada do que você possa fazer vai evitar que eu fique tenso — garantiu Peter, acrescentando logo: —Não que você não deva tentar.

— São apenas mamãe e papai — falou Amanda. — Vão gostar de você, e você vai gostar deles. Eles não mordem, só meu pai, um pouquinho.

— Sobre o quê vamos conversar? — perguntou Peter. — Digo, sou de uma família que não conseguiu manter um armazém aberto em uma cidade onde não há concorrentes, e eles são os Ridgefield... Só as pessoas mais bem-sucedidas do sul nos negócios. Não temos nada em comum.

— Bem, em primeiro lugar, todos vocês me amam. E há mais uma coisa sobre a qual você e a minha mãe podem conversar. Você provavelmente vai ficar sabendo mais sobre a mãe dela do que qualquer pessoa.

— A mãe dela? — questionou Peter.

— É, você sabe, Amanda Devereaux.

— Amanda Devereaux era mãe da sua mãe? — disse Peter. — Mas então por que você tem o sobrenome Ridgefield?

— Os Ridgefield não podiam acabar — contou Amanda. — Minha mãe era a última da linhagem. Seu pai era Robert Ridgefield e, antes de morrer, fez com que ela prometesse dar o nome Ridgefield aos seus filhos. Meu pai era um Middleton, mas mudou de nome. Acho que isso deu a ele uma vantagem.

Peter perguntou-se como seria chamar-se Peter Ridgefield, se os pais de Amanda insistissem que ela continuasse o nome da família.

— Quantos anos sua mãe tinha quando a mãe dela morreu? — perguntou Peter.

No seu nervosismo para conhecer os Ridgefield, tinha esquecido por completo que conheceria alguém que conhecera Amanda Devereaux, e a conhecera bem.

— Dezoito — respondeu Amanda. — Estava na metade do primeiro semestre na Wellesley quando ligaram para ela e pediram que fosse para casa. Ela se transferiu para Ridgefield para poder cuidar do pai. Ele morreu três anos depois. Acho que ficou vivo para ver a coleção de livros da vovó instalada na nova biblioteca e, depois, simplesmente desistiu.

— Então ela deve se lembrar bem da mãe.

— Acho que sim — disse Amanda. — Não fala muito sobre ela. A mamãe sempre foi uma dessas pessoas que "vivem no presente". Acho que perder o pai e a mãe tão rápido quando se é jovem faz isso com você.

— Então eu não devo perguntar sobre a outra Amanda? — indagou Peter.

— Não, você deve. Ela tem muito orgulho do que a vovó realizou. Ela sempre lê a revista *Amigos da Biblioteca Ridgefield* do começo ao fim e, de vez em quando, até compra um livro pra acrescentar à coleção... Sabe, algo que Francis encontre e ela ache que a vovó teria ficado especialmente feliz em ter. Apenas deixe-a ver como você ama os livros da vovó e aposto que conseguirá que ela conte algumas histórias.

— E devo deixá-la saber o quanto eu amo a filha dela? — perguntou Peter.

— Como se você conseguisse esconder — falou Amanda, deslizando os dedos em volta da mão dele.

No dia seguinte, Peter entrou na Sala Devereaux e encontrou Francis Leland e Hank Christiansen debruçados sobre um único pedaço de papel.

— O que é tão fascinante? — perguntou.

— É um poema escrito à mão de Emily Dickinson — contou Francis.

— Nunca publicado antes — explicou Hank.

— Estamos com ele há um tempo — disse Peter, olhando para o papel familiar por cima do ombro de Hank. — Eu o usei quando estava escrevendo um trabalho para minha aula de poesia do século 19.

— Sabe de onde veio? — questionou Francis?

— Não — respondeu Peter.

— Compramos há alguns anos com uma ajudinha de Sarah Ridgefield — falou Francis. — Veio de Mark Hofmann.

— O cara que encontrou o "Oath of a Freeman"? — perguntou Peter.

— O próprio — confirmou Hank. — Mas agora, com essas bombas em Salt Lake City, há rumores no meio dos livros de que nem tudo o que ele vendeu deve ser o que alega ser.

— Acha que o poema poderia ser uma falsificação? — disse Peter.

— Parece improvável — respondeu Francis.

— O papel passou na inspeção — avaliou Hank. — A tinta é do século 19 até onde eu sei dizer, e a letra com certeza corresponde à de Dickinson.

— Se for uma falsificação — começou Francis —, então Hofmann é um dos falsificadores mais brilhantes de todos os tempos.

Cornualha, sudoeste da Inglaterra, segunda-feira, 20 de fevereiro de 1995

Depois de Peter dirigir por uma hora, o dia estava quase escuro; o pôr do sol prematuro do inverno ajudado pela cobertura cada vez maior das nuvens. Ele não costumava dirigir por vias expressas; sentia que perdia muita coisa e quase nunca estava com pressa, mas aquela noite era uma exceção. A viagem até a Cornualha levaria cerca de quatro horas e meia e, depois, ele teria de seguir as orientações complicadas de Liz até a casa de Graham Sykes na escuridão total das pistas afundadas da região.

Enquanto corria a 112 quilômetros por hora, Peter olhou para a esquerda e viu Amanda sentada em silêncio no banco do passageiro, o mapa apoiado em seu colo. Ela adorava escolher os caminhos quando eles viajavam pelo interior da Inglaterra. Peter lembrava-se da primeira vez que tivera coragem de alugar um carro. A libra estava barata e eles tinham ido à Inglaterra em uma viagem para comprar livros.

Mantiveram-se em estradas de duas pistas, parando em cada cidadezinha e fazendo buscas nas livrarias locais. Tinham ido a feiras de livros provincianas em prédios de prefeituras todo domingo à tarde. Haviam passado dias inteiros em cidades de livros como Oxford e Cambridge e Bath, mas Peter gostara em especial dos dias passados em cidades menores, onde um único livreiro dava as boas-vindas ao jovem casal americano, geralmente fechando a loja por uma ou duas horas para levá-los para almoçar. Sempre confortável quando Amanda estava ao seu lado, Peter se divertira nas conversas com essas pessoas relativamente estranhas.

Peter fizera sua primeira viagem a Hay-on-Wye durante aquela viagem. Amanda havia escolhido um caminho pelo que ela chamava de "rota cênica", e eles tinham cruzado o rio Wye em uma antiga ponte de pedágio, onde um homem de idade saiu de uma cabine para aceitar as moedas deles e levantar a barreira para poderem passar. A jornada toda fora recheada de uma sensação de aventura da qual Amanda, em especial, tirou muito prazer.

— Adoro não saber o que o amanhã trará — ela dissera.

Um dia começou em Bath e terminou na praia de Southampton no pôr do sol. Em Salisburg e Winchester, eles se viram em missas cantadas nas catedrais locais depois de as livraria fecharem. Outro dia, acabaram de ver as livrarias de York mais rápido do que previram e fizeram um longo passeio de carro pelos pântanos, acabando em um restaurante de *fish-and-chips* com vista para a baía de Whitby.

Peter sorriu com aquela memória e virou-se para perguntar a Amanda do que ela mais gostara naquela viagem, que agora parecia uma jornada de muita inocência. Mas Amanda sumira, e o mapa da estrada estava sozinho no banco do passageiro.

As estradas ficaram cada vez mais estreitas conforme Peter dirigia pelo limite do pântano de Bodmin, até ele se encontrar chacoalhando na descida de uma pista íngreme e cheia de sulcos, com árvores retorcidas inclinando-se sobre ela. Ele esperava ter seguido as instruções de Liz do jeito certo, pois tinha poucas esperanças de conseguir que o fraco Vauxhall subisse de volta na escuridão. Perguntava-se até se ele seria capaz de fazê-lo à luz do dia. No pé do morro, a pista acabava em frente a um portão, que dava para um pequeno pasto no qual os faróis de Peter iluminavam algumas ovelhas. Do outro lado desse pasto, viu as luzes de um pequeno chalé de pedras: a casa de Graham Sykes, ele esperava. Peter engoliu uma bola de pânico. Não podia imaginar que uma pessoa que vivia em um lugar tão isolado receberia bem visitas à noite, em especial quando estava achando que podia estar em perigo.

Peter tirou a bolsa do carro, subiu o degrau para ultrapassar a cerca e seguiu na direção do chalé. O céu nublado obscurecia toda a luz do luar e, na escuridão quase total, ele avançava devagar pelo campo, sentindo a umidade da grama molhar sua calça.

Quando chegou à porta do chalé, seus sapatos estavam cobertos de lama. Como sua primeira batida tímida não teve resposta, bateu com mais barulho.

— Vai embora! — disse uma voz lá de dentro. — 'Cê não pode querer nada de bom tão tarde da noite.

— Senhor Sykes — falou Peter, tentando imitar o volume da voz lá dentro —, meu nome é Peter Byerly. Sou amigo de Liz Sutcliffe. Ela me mandou até aqui porque está preocupada com o senhor.

— Até parece — devolveu a voz.

— É verdade, senhor. Vim de Londres dirigindo. Não seria nada mau tomar uma xícara de chá — disse Peter, esperando que a incapacidade britânica de recusar chá às visitas pudesse amolecer o velho.

— Não tem chá em Londres? — perguntou a voz. — Vai embora.

— Tem mais uma coisa — declarou Peter, para quem a "mais alguma coisa" mais urgente era que começara a chover e ele não gostava da ideia de passar a noite no carro, molhado até os ossos. — Eu trouxe um livro comigo. Algo que já pertenceu a A.I. Esperava que o senhor me ajudasse a descobrir se é ou não uma falsificação.

Houve silêncio do lado de dentro por um longo minuto, enquanto a chuva continuava a tamborilar em Peter. Por fim, a voz voltou, seu tom agressivo substituído por algo que se aproximava da curiosidade.

— O que 'cê sabe sobre A.I.? — perguntou.

— Não muito, para ser sincero — respondeu Peter.

Depois de uma longa pausa, acrescentou:

— Encontrei uma aquarela que ele pintou, mas acho que Liz lhe contou a respeito. Este outro item pode ser algo muito mais valioso. A menos que a chuva comece a invadir minha bolsa, quero dizer.

Depois de outra pausa, houve um barulho de fechaduras sendo destravadas e, enfim, a pesada porta de madeira foi aberta. Na passagem, emoldurado pela luz amarela da lâmpada, estava um homem que parecia bem capaz de se proteger. Mais de 1,62 metro de altura e com ombros largos, Graham Sykes tinha braços grossos que esticavam as costuras da sua camisa de trabalho de flanela. A parte superior do seu corpo inclinava-se um pouco, como uma ave de rapina. Em uma mão, ele segurava um atiçador de ferro. Seus olhos afundados olhavam com atenção para Peter de um mar de cabelos brancos que cobriam sua cabeça e sua face e atravessavam sua testa em uma única linha contínua. Seu corpo largo bloqueava por completo a porta enquanto ele analisava Peter, que pingava na soleira da porta e agarrava a bolsa sob o sobretudo, esperando manter o conteúdo seco.

Por fim, Graham rosnou:

— Bem, não fique parado na chuva, então. Vou botar a chaleira no fogo.

Ele deu um passo para o lado e Peter passou pela porta, que se abria diretamente para uma pequena sala de estar. O fogo estava fraco na lareira, mas a sala estava quente e clara. Seu anfitrião relutante fechou a porta e desapareceu por outra passagem, deixando Peter pingando sobre o piso de pedra. Ele tirou o casaco e pendurou-o ao lado de vários outros na parede ao lado da porta, verificou que sua bolsa ainda estava seca e, depois, andou na direção do fogo, aquecendo as mãos sobre as brasas brilhantes.

Graham Sykes voltou da cozinha com duas canecas de chá; nada de louças com firulas para Peter. Ainda que costumasse beber o chá puro, Peter pegou a caneca com a bebida cheia de leite e açúcar sem reclamar e bebeu com gosto enquanto Sykes fazia o mesmo.

— Sente — disse Sykes, apontando para uma poltrona molenga sob a janela.

Peter sentou e viu-se afundando até as profundezas do móvel. Acomodado no sofá, Sykes estava muito mais alto que ele.

— Agora, o que 'cê tem pra me dizer? — perguntou.

Peter começou devagar, fixando o olhar na caneca em vez de ousar olhar para a figura intimidadora do seu anfitrião. Contou que descobrira a aquarela de uma mulher que parecia sua falecida esposa, embora soubesse que Liz já explicara isso. Contou que fora expulso da propriedade da Casa Evenlode e guiado por Júlia Alderson para descobrir um estoque secreto de documentos na Mansão Evenlode. Finalmente, colocou a mão na bolsa e tirou o *Pandosto*, apoiando-o na mesa de centro.

Sykes colocou óculos de leitura tirados do bolso da camisa e abriu o livro. Seu rosto permaneceu impassível por vários minutos enquanto ele se debruçava sobre o volume, virando as páginas devagar e voltando várias vezes à lista de donos na guarda da frente.

Peter sentiu o pânico crescer dentro dele enquanto via seu precioso *Pandosto* nas mãos daquele homem bruto e, aparentemente, com grande potencial de violência. Tentou se acalmar com o pensamento de que Sykes era um estudioso, mas podia sentir o suor frio na nuca.

— A mesma biblioteca onde encontrei esse livro — disse Peter, com o máximo de estabilidade na voz que conseguiu — tinha vários livros sobre falsificações de Shakespeare.

— Então 'cê tem suas dúvidas — comentou Sykes, colocando os óculos de volta no bolso, mas mantendo o livro na mão forte.

— Sim — afirmou Peter. — Consegui rastrear a maioria dos nomes da lista de donos, mas tudo o que sei sobre A.I. é que pintou aquarelas e que você escreveu um livro sobre ele.

— E quer saber se A.I. era um falsificador.

— Adoraria saber que não era — falou Peter, ainda esperando poder provar a autenticidade do *Pandosto*. — Se for uma falsificação, é brilhante.

— É estranho um falsificador assinar seu nome, não é? — perguntou Sykes.

— Estranho, mas já aconteceu — contou Peter. — Em especial se ele usava um pseudônimo.

Peter pensara a respeito disso, no entanto. Ele se imaginara em um futuro em que descobria que A.I. era um falsificador e forjara todos os documentos da Mansão Evenlode. Se fosse o caso, por que assinar aquele livro quando não tinha assinado mais nada além de suas aquarelas? A assinatura na guarda do *Pandosto* poderia permitir que ele mantivesse a esperança de as anotações nas margens serem genuínas.

— E me diz uma coisa — começou Sykes. — Quem leva o crédito?

— Como? — indagou Peter, sentindo o suor pingar pelas suas costas.

— Quem leva o crédito? Quem vai divulgar a história? Se essa coisa for real — acrescentou Sykes, batendo um dedo no *Pandosto* —, quem vai poder ficar diante do mundo na TV e falar "eu sou o homem que resolveu o maior mistério literário de todos os tempos"? Você ou eu?

Apesar de Peter não ter mencionado nada sobre Shakespeare ou o debate entre oxfordianos e stratfordianos, ficou claro que Sykes entendia por completo a importância do *livro*. E, Peter tinha de admitir, ele imaginara o mesmo cenário que Sykes descreveu. Peter Byerly louvado por cada stratfordiano do mundo como seu grande salvador. Peter Byerly: o vendedor de livros que deu a maior contribuição à literatura inglesa desde Robert Cotton. Um pensamento horrível atravessou sua mente enquanto olhava para a figura de falcão de Graham Sykes, segurando o *Pandosto* nas suas garras.Outras pessoas já tinham matado por menos.

— A descoberta foi minha — disse Peter, simplesmente.

Suas palavras ficaram pairando, agourentas, no ar por vários segundos antes de Sykes responder.

— Sem mim, 'cê nunca saberá o que realmente tem aqui.

— Posso esperar o seu livro ser publicado — devolveu Peter.

— Não será publicado agora — afirmou Sykes. —Vou telefonar para Liz pela manhã e dizer a ela que tenho de reescrever tudo por causa de uma nova evidência.

— Olhe — começou Peter —, você não é a única pessoa que preciso que me ajude com isso. Há peritos examinando a tinta e o papel... É um esforço em equipe. Mas eu sou o líder da equipe.

— Veremos — disse Sykes, estendendo o *Pandosto* para Peter, que o arrancou da mão do velho com uma sensação de alívio.

Sykes podia ser difícil, até ser um beco sem saída, mas pelo menos Peter ainda tinha o *livro*.

— Talvez uma boa noite de sono signifique ideias em mais sintonia no café da manhã — comentou Sykes.

— Não tenho certeza se conseguirei fazer meu carro subir a sua rua no escuro e na chuva — falou Peter, para quem a perspectiva de passar a noite na casa de um homem em que não confiava era apenas levemente mais atraente do que passá-la em seu carro em uma vala da Cornualha.

— 'Cê terá de passar a noite no celeiro — avisou Sykes, com grosseria. — Vou buscar um cobertor.

Dez minutos depois, Peter estava deitado sob um fino cobertor em uma pilha de feno, o corpo enrolado em volta da bolsa. O teto acima dele pingava, já que a chuva ainda caía lá fora, o cobertor não ajudava em nada para afastar o frio que invadia seus ossos. Achava que o velho o mandara para o celeiro para tentar abalá-lo emocionalmente. Era de enfurecer pensar que todas as evidências de que ele precisava para desvendar o mistério de A.I. provavelmente estavam confortáveis na gaveta de uma escrivaninha, a menos de 30 metros de distância de onde ele estava... Ainda assim, ele não tinha como descobrir aqueles segredos.

Perto do amanhecer, Peter tirou alguns cochilos por mais ou menos uma hora, mas estava acordado quando ouviu a porta do chalé de Sykes ser batida para se fechar. Ficou deitado e em silêncio por alguns minutos, agarrando a bolsa por conta da possibilidade de Sykes estar andando até o celeiro com o atiçador, ou coisa pior, nas mãos. Como não ouviu mais sons, lembrou-se de repente da promessa de Sykes de ligar para Liz Sutcliffe. Liz dissera que Sykes não tinha telefone e precisava ir até a vila mais próxima para fazer uma ligação. E, se Sykes estava andando até a vila, qualquer segredo que guardasse na casa estava completamente desprotegido.

Ridgefield, 1985

— É um ataque de pânico — disse Francis Leland.

— É um transtorno de ansiedade social — falou Hank Christiansen

— Não acham que é normal eu estar nervoso para conhecer os pais da minha namorada? — perguntou Peter.

Os três homens estavam sentados no escritório de Francis bebendo café e folheando catálogos de livros enquanto conversavam.

— Sim, mas, Peter — começou Hank —, você não fica nervoso para conhecer garotas e seus pais como as pessoas normais ficam. Você fica nervoso para conhecer qualquer pessoa. Já o vi cruzar o pátio da faculdade para não passar por um estranho na calçada.

— Como sabe que faço isso? — questionou Peter, que pensava que escondia bem sua ansiedade.

Ele achou que fora quase violado por Hank saber com tanta precisão como ele se sentia.

— Porque eu faço exatamente a mesma coisa — contou Hank, colocando uma mão sobre o ombro de Peter.

— Impossível — disse Peter. — Já o vi receber estranhos no laboratório de conservação; que diabos, lembro-me de como você me tratou quando nos conhecemos. Você não estava nervoso de jeito nenhum.

— É — concordou Hank —, no laboratório de conservação. Já me viu falar com um estranho em outro lugar? Alguma vez me viu em um restaurante ou bar?

Peter nunca tinha mesmo visto Hank em qualquer lugar fora da biblioteca.

— Então você está...

Peter não conseguia pensar em como terminar aquela frase. Ele simplesmente não conseguia aceitar a possibilidade de que outras pessoas reagiam ao mundo da mesma maneira nervosa que ele. Sempre pensara que era uma faceta única, ainda que desagradável, da sua personalidade.

— Tenho um transtorno de ansiedade social — explicou Hank. — E também tenho um bom médico e ótimos remédios e, por isso, se eu quiser de verdade ir a um restaurante, ou ao teatro, ou a um encontro, posso fazer isso.

— Você devia ir ao Doutor Strayer, Peter — aconselhou Francis.

— Parece que o seu caso não é tão ruim quanto o meu — disse Hank. — Digo, você fala que quando está com Amanda costuma se sentir bem.

— É o remédio natural dele — comentou Francis, sorrindo, e ele e Hank caíram na risada.

Dois dias depois, Peter saiu da sua primeira consulta com o Dr. Strayer carregando uma receita para uma medicação contra ansiedade e uma visão de mundo completamente diferente. Ansiedade irracional não era exclusiva de Peter Byerly. Aquela descoberta o animava e assustava. Aquilo que ele pensara ser sua personalidade era, de repente, um transtorno tratável. Sua preocupação de que sua personalidade de alguma maneira se perdesse quando tomasse os remédios não era forte o suficiente, no entanto, para impedi-lo de engolir a primeira das pequeninas pílulas brancas uma hora antes de Amanda buscá-lo para ir à casa de seus pais no sábado.

O remédio não evitou que ele ficasse nervoso enquanto Amanda dirigia pela entrada longa e sinuosa para o pórtico branco de colunas da mansão perfeitamente sulista dos Ridgefield. Nos largos degraus que levavam para a porta da frente estavam Sarah Ridgefield e o marido, o antigo Charles Middleton. Sara tinha uma semelhança marcante com sua mãe, Amanda Devereaux. Seu rosto combinava beleza feminina com força masculina, e, embora seu marido fosse alto e forte o bastante para ter jogado futebol americano na faculdade — Peter depois descobriu que ele fora *linebacker* em Ridgefield —, ficou claro que era Sarah quem estava no comando. Quando Amanda e Peter saíram do carro, o Sr. Ridgefield deu um passo à frente para abraçar a filha, mas foi a mãe de Amanda que estendeu a mão na direção de Peter e disse com clareza:

— Peter Byerly, enfim nos conhecemos.

O aperto de mão dela era firme, e Peter devolveu a pressão e olhou nos olhos verdes dela. Ficou impressionado ao descobrir que se sentia à vontade enquanto apertavam as mãos. Nenhum remédio podia fazer aquilo, ele pensou. Havia algo nos olhos de Sarah Ridgefield que Peter vira antes apenas nos olhos da filha dela.

— Você se parece tanto com a sua mãe — disse Peter. — Sou um grande fã dela.

— Soube que também é fã da minha filha — falou Sarah, largando a mão de Peter e tirando um fiapo do ombro dele.

— Mais do que fã — garantiu Peter.

— Mãe, já está assustando o Peter? — perguntou Amanda, virando-se para abraçar Sarah.

— Pelo contrário — respondeu Sarah. — Como o Peter aqui é devoto de Amanda Ridgefield e Amanda Devereaux, eu estava esperando que ele encontrasse algo para admirar na geração do meio.

— Com certeza encontrarei — disse Peter. enquanto Sarah Ridgefield piscou um olho para ele por sobre o ombro da filha.

E um pensamento de repente entrou na cabeça de Peter, quando Sarah confiou nele, de que lá estava a mãe que ele nunca tivera. Sentiu um amor crescente por Sarah que nunca sentira por sua própria mãe. Seria possível, ele pensou enquanto todos subiam os degraus e entravam na casa, que aquela tivesse sido destinada a ser a sua família todo esse tempo?

O jantar foi ótimo. Peter meio que esperara empregados de uniforme e pratos de prata, mas eles comeram frango frito em pratos de plástico na varanda dos fundos, com vista para um jardim em ladeira que levava a um pequeno lago, o qual tinha ao fundo muitas árvores que ainda conservavam um tom da cor do outono em seus galhos.

— Não poderemos comer aqui fora por muito mais tempo — disse Charlie —, e adoramos o ar puro.

Peter passou a noite arrancando de Sarah histórias sobre a mãe; apesar de não ter sido necessário muito incentivo para Sarah falar por bastante tempo do assunto Amanda Devereaux. Em certo ponto da noite, Amanda pegou a mão da mãe e disse:

— Por que você nunca me contou nenhuma dessas histórias?

— Não sei — disse Sarah. — Acho que porque você nunca perguntou.

Ela contou a Peter sobre quando era criança e sua mãe a levou à Sotheby's, em Nova York, para dar um lance em um *Primeiro Fólio* de Shakespeare.

— Eu estava tão nervosa — disse. — Achava que, se mexesse um músculo, o leiloeiro pensaria que eu estava dando um lance e, por isso, fiquei sentada sobre as minhas mãos e permaneci completamente imóvel. O livro foi o último item da venda, então devo ter ficado sentada assim por duas horas. Mamãe achou que estava me levando para uma grande diversão e eu acabei com os músculos doloridos durante toda a semana seguinte porque fiquei muito tensa.

— E ela comprou o livro? — perguntou Amanda.

— Comprou — respondeu Peter. — Eu estava lendo *Lear* nele outro dia.

— Estava? — disse Sarah, com prazer. — Que maravilha.

Na semana seguinte, Peter e Amanda estavam deitados no chão da Sala Devereaux depois de fazerem amor, como de costume nas noites de sábado. Pela primeira vez na vida, parecera a Peter exatamente isso: costumeiro. Não que não tivesse se divertido, mas o ato não o ligara a Amanda como tinha feito antes. Ela parecera passiva e ansiosa para acabar com aquilo. Estava então deitada de costas, os dedos entrelaçados nos dele de leve, olhando para o teto.

— Tem alguma coisa errada? — Peter perguntou, enfim.

— Desculpe — disse Amanda.

— Não seja boba. Só me diga o que foi.

— É idiota.

Peter levantou-se sobre um cotovelo para poder olhar no rosto de Amanda.

— Tenho certeza de que não é idiota — ele disse.

— Acho que estou com ciúmes — contou Amanda.

— Ciúmes?

— Passei minha vida toda tentando achar uma forma de ficar íntima da minha mãe — Amanda falou. — Digo, ela era uma glamourosa dama da sociedade que ia a bailes de caridade em Atlanta e Nova York e eu estava me esforçando muito para ser apenas normal. Ela não me entendia e eu não a entendia.

Amanda ficou em silêncio por um instante, e Peter olhou para ela confuso.

— E então — ela continuou, tirando seus braços dele —, você entra pela casa e os dois viram melhores amigos em cinco minutos.

— Pensei que quisesse que a gente se desse bem — comentou Peter.

— Eu queria — afirmou Amanda —, mas acho que não queria que fosse tão fácil, já que foi tão difícil para mim.

— Difícil? — disse Peter com aspereza, sentando-se e afastando-se de Amanda. — Ter um relacionamento com a sua mãe é difícil? Você sabe que eu disse umas três frases para a minha mãe no último ano, não sabe? Não que ela estivesse sóbria o bastante para entender nenhuma delas.

Ele sentiu uma onda inesperada de raiva em relação àquela garotinha rica e mimada que estava reclamando de ser difícil se dar bem com a mamãe... E a mamãe era a adorável Sarah Ridgefield, não uma bêbada triste.

— Eu sei, Peter — falou Amanda, colocando uma mão nas costas dele.

Ele se virou para olhar para ela e, tão rápido quanto chegara, a raiva derreteu e ele a puxou para os seus braços.

— Desculpe — ele disse. — Sinto muito pelas coisas terem sido difíceis com a sua mãe.

— Peter, você não precisa se desculpar pela minha insegurança. Vou superar isso. E eu o amo de verdade... meu Deus, amo tanto.

Uma lágrima escorreu pelo rosto dela enquanto ela pegava a mão dele de novo, dessa vez agarrando com toda a força.

— Mas, às vezes, você simplesmente terá de me deixar sofrer.

Peter envolveu-a com os braços e ela chorou contra o ombro dele pelo que pareceram horas e, depois, eles fizeram amor de novo e foi lindo. Também foi diferente, já que Peter então via que Amanda, como ele, não era perfeita. Ele não percebera o quanto a idealizara antes e, embora fazer amor com uma mulher ideal fosse fantástico, fazer amor com uma mulher real era ainda melhor.

• • •

Nos meses seguintes, Peter fez todos os esforços para unir Sarah Ridgefield e a filha. Deu a Amanda longos *tours* pelos tesouros da coleção Devereaux, ensinou a ela sobre livros raros e a incluía nas muitas conversas que teve com Sarah sobre Amanda Devereaux. Peter também ficou amigo do pai de Amanda. Mesmo tendo poucos interesses em comum — Charlie era banqueiro e golfista —, os dois desenvolveram um relacionamento de camaradagem baseado principalmente em beber cerveja importada e discutir resultados esportivos. Peter nunca acompanhara esportes antes, mas descobriu que gostava de basquete.

Passou a maior parte das férias de Natal na casa dos Ridgefield; ele inventara uma mentira sobre seus pais irem visitar a irmã doente de sua mãe para explicar por que não voltara para casa no feriado. Dormiu em um quarto de hóspedes bem longe do quarto de Amanda, mas não tão longe que ela não se arrastasse para a cama dele em várias ocasiões.

Na manhã de Natal, Sarah serviu Ovos Benedict e eles se sentaram ao lado da árvore de três metros que Peter ajudara a decorar.

— Aposto que você sente falta de estar com sua família no Natal — disse Sarah para Peter, e ele ficou sem palavras.

Como poderia dizer que não, ele não sentia falta da família, que o Natal na sua casa — quase nunca com árvore, e com poucos presentes e sem amor — era o dia mais deprimente do ano? Como poderia explicar que, na opinião dele, ele *estava* com sua família? E, assim, acabou dizendo a única coisa em que conseguia pensar:

— Sim, é claro que sinto falta da família. Vou ligar mais tarde e ver como foi o Natal deles.

— Pegue mais bacon — ofereceu Charlie e, queimando-se de culpa, Peter empilhou outra porção no prato.

Na manhã do Ano-Novo, Amanda aconchegou-se na cama com Peter e perguntou quando ela iria conhecer a família dele. Ele tentou imaginar Amanda Ridgefield sentando-se para jantar na minúscula cozinha da decadente casa de ripas de madeira da sua infância. É claro que ele sabia que ela conseguiria lidar com aquilo com compostura; o problema é que os pais dele estariam lá também.

No começo de fevereiro, Peter entrou na Sala Devereaux e encontrou Francis Leland e Hank Christiansen colados, lendo um jornal.

— Ficou sabendo? — perguntou Hank. — Prenderam Mark Hofmann.

— O cara que encontrou "Oath of a Freeman"? — disse Peter.

— Falsificou é mais adequado — falou Francis.

— Ele foi preso por assassinato e fraude — contou Hank.

— Parece que muitos documentos que ele vendeu eram falsos — disse Francis. — O cara era um falsificador brilhante. Mas parece que alguns dos seus clientes suspeitaram de um grande negócio que ele alegava estar preparando e, assim, ele mandou bombas-tubo para eles.

Peter ficou chocado. A descoberta do "Oath" por Hofmann fora, para ele, prova de que Santos Graais ainda estavam por aí esperando para serem encontrados. A revelação de que era falso ameaçaria o sonho de Peter de um dia encontrar o seu graal.

— Aposto que você nunca pensou que o mundo dos livros fosse tão perigoso — disse Hank com um sorriso sarcástico.

— Bem — começou Francis —, falsificar é contar mentiras. E, não importa o quanto você seja bom em mentir, se fizer muito isso, pode se enterrar tão profundamente que a única forma de sair parece ser o assassinato.

• • •

Naquela noite, Peter e Amanda tinham jantado na casa dos Ridgefield. Abalado pelo que Francis dissera e depois de brincar com o guardanapo por baixo da mesa durante toda a refeição, Peter colocou a mão no braço de Sarah e disse:

— Preciso confessar uma coisa: não fui totalmente honesto sobre meus pais.

E ele contou tudo, o alcoolismo e a negligência e as mentiras que Peter inventara para poder passar o Natal com Charlie, Sarah e Amanda.

— Porque, de verdade — ele falou enquanto sentia lágrimas nos olhos —, vocês são a minha família.

E os Ridgefield fizeram exatamente o que os pais devem fazer. Sarah abraçou-o e disse que tudo ficaria bem e que ele podia conversar com ela sobre qualquer coisa a qualquer momento, e Charlie lhe deu um tapinha nas costas e disse:

— Vamos assistir ao jogo do Duke.

Nos meses depois da prisão de Mark Hofmann por assassinato em Salt Lake City, detalhes de suas atividades como falsificador começaram a transbordar. Qualquer documento vendido por Hofmann tornou-se suspeito, inclusive itens que já haviam alterado o início da história da Igreja Mórmon. Apesar da clara enganação e dos chocantes assassinatos, Peter não podia deixar de admirar o talento artístico de Hofmann. Ele enganara todo mundo, mesmo os maiores especialistas em documentos do país.

— No caso do "Oath", ele estabelecera uma procedência plantando uma página com um hino impresso na Livraria Argosy, de Nova York. Ele escreveu o título "Oath of a Freeman" no hino e, depois, voltou para comprá-lo. Isso lhe deu o recibo de um livreiro respeitável.

Em seguida, ele passou a falsificar o "Oath" em um pedaço de papel do século 17 que roubara de um livro raro. Escreveu o texto, copiando a fonte do período e, depois, gravou as letras em uma placa de zinco, que usou para imprimir o "Oath". Utilizou uma receita do século 17 para misturar a tinta e acrescentou a ela carbono que pegara em uma chaminé de vidro enquanto queimava um pedaço de papel do mesmo período. Isso lhe deu uma tinta que passaria em todos os testes, inclusive de datação por carbono.

Era um trabalho brilhante, Peter tinha de admitir, e enganou muitas pessoas. O "Oath" foi enfim revelado como falso por uma nova técnica que media a migração de íons de tinta ao longo do tempo, mas Hofmann chegara muito perto de montar a maior falsificação da história. Peter perguntava-se se havia alguém na história dos livros raros que alcançara o que Hofmann quase conseguira... Se havia falsificações nas prateleiras da Sala Devereaux tão perfeitas que nunca seriam detectadas.

Peter e Amanda estavam deitados e entrelaçados no chão da Sala Devereaux na noite de sábado mais silenciosa do ano. A formatura acontecera no domingo anterior, e as aulas de verão só começariam na semana seguinte.

— Tenho um presente de formatura para você — disse Amanda.

— Ainda estou no penúltimo ano — comentou Peter. — Não me formei.

— Bem, é um presente e chegou logo depois da formatura, então do que devo chamá-lo?

— O que é? — Peter perguntou.

—Está no bolso do meu jeans — falou Amanda.

— Mas seu jeans está do outro lado da sala.

— E isso é culpa de quem? — indagou Amanda.

— Tudo bem, tudo bem — disse Peter.

Ele rastejou pela sala até onde tirara a calça de Amanda assim que entraram tropeçando. As provas finais e as comemorações da formatura os tinham mantido longe da Sala Devereaux por duas semanas, e eles haviam ficado mais do que um pouco impacientes.

— Não há nada aqui além das chaves do seu carro — avisou Peter.

— Essas são as chaves do seu carro.

— Não tenho carro; como podem ser as chaves do meu carro?

— Você tem um carro — disse Amanda. — É o seu presente de não formatura.

— Você comprou um carro para mim?

Peter passara os primeiros três anos da vida universitária andando pelas ruas de Ridgefield. Nas raras ocasiões em que ia para casa, ele tinha a opção de pedir carona a alguém ou ligar para os pais e esperar que um deles aparecesse de verdade, e sóbrio.

— Bem, não é como se eu tivesse comprado um Porsche para você ou algo do tipo. É uma perua Volvo com seis anos de idade, mas pensei que seria boa para carregar livros. Você disse que queria passar o verão visitando livrarias... Bem, agora pode fazer isso.

Peter cruzou a sala, a calça de Amanda em uma mão, as chaves do carro na outra. A nudez dela quase o distraiu da pergunta que queimava em sua garganta desde que descobrira que ela era uma Ridgefield. Tinha dito a si mesmo várias vezes que a resposta não era importante, que seu amor por Amanda não tinha nada a ver com a conta bancária dela, mas, ainda assim, estava curioso. Mais do que curioso.

— Então você tem, assim, um zilhão de dólares?

— Não exatamente — respondeu Amanda, recebendo-o de volta nos braços. — Tenho uma poupança que pegarei quando completar 21 anos e tenho uma mesada. É uma boa mesada para uma estudante universitária, em especial porque eu não como muito nem compro muita porcaria... Mas ainda assim tive que economizar durante a maior parte do ano para comprar seu carro.

— Você é um doce — ele disse, beijando-a no ombro. — Não comprei nada para você.

— Talvez possa me levar para passear um dia — falou Amanda, passando a mão pelo peito dele.

A mão dela viajou devagar cada vez mais para baixo, e Peter sabia o que ela ia fazer, mas não estava pronto ainda para abandonar o assunto e voltar a fazer amor.

— Essa poupança — ele começou — significa que você será... Não sei, rica?

— Por quê? Você vai me deixar se eu tiver apenas cinco milhões?

— Não, é só que você sabe que eu não venho de uma família rica, de jeito nenhum — disse Peter, suas palavras sumindo.

— Peter, sério — disse Amanda, sentando-se e cruzando os braços por cima dos seios. — Você é o único cara que eu achei que não veio atrás de mim por causa do meu dinheiro, e agora você quer saber quão rica eu sou?

— Não é nada disso. Eu nem me importo com dinheiro... Digo, não exatamente.

— Não exatamente?

— É só que, esse meu plano de carreira... Ser vendedor de livros antigos... Não é exatamente um esquema para ficar rico. E quero poder sustentá-la, mas você está acostumada a certas coisas, e não quero que sinta que está morando na miséria.

— Você estará lá? — perguntou Amanda, suavizando a atitude.

— Sempre — sussurrou Peter.

— Então nunca será miséria. Você é a única coisa com que estou acostumada da qual eu não conseguiria abrir mão.

E ela se inclinou e o beijou por um longo minuto, seus seios tocando de leve o peito dele.

— Além disso, eu vou trabalhar também... Pelo menos até termos filhos.

Peter tremeu. Era o mais perto que já tinham chegado de discutir seriamente casamento e família. Peter supunha que Amanda quisesse se casar, mas ainda estava economizando para comprar um anel e, assim, ainda não fizera o pedido oficial. Quanto aos filhos, ele sabia que ela adorava crianças e gostava da ideia de que pudesse ter sucesso no que seus pais tinham falhado. A língua de Amanda no mamilo dele o trouxe de volta ao presente.

— Agora — ela sussurrou, a língua escorrendo pelo peito dele abaixo — vamos falar sobre as coisas sem as quais não conseguimos viver.

Londres, 1875

Nas primeiras vezes em que Phillip Gardner encontrou com a jovem que se referia a si mesma apenas como Isabel, os dois apenas andaram no Parque Hyde e nos Jardins de Kensington. Ela lhe contara que fora à Europa para uma grande viagem, acompanhada por sua antiga governanta, Srta. Prickett. Isabel ficara tão cativada por Londres e seu vibrante mundo de arte e teatro que abandonara a viagem planejada e insistira para que ela e a Srta. Prickett alugassem um apartamento em Chelsea. A Srta. Prickett argumentara que Paris, Florença, Roma, Viena e Berlim tinham uma boa cota de arte também, mas Isabel não mudara de ideia; Londres era a cidade para ela. Ela já conhecera os Rosseti, que viviam a alguns quarteirões de distância na Cheyne Walk e, por meio desses conhecidos, começara a circular entre pintores, poetas e atores da época.

— Sabe — disse Isabel enquanto caminhavam pelas margens do Serpentine — que outro dia eu fui até a casa do Senhor Leighton, bati na porta e fui admitida no estúdio dele simplesmente pela força de ser uma visitante americana interessada em arte?

— Notável — comentou Phillip, que descobrira que respostas de uma palavra para as narrativas desconexas de Isabel eram suficientes para incentivá-la a contar mais anedotas e ajudavam a desviar a conversa de dois assuntos: a história dele e seu desejo crescente por ela. O primeiro ele não tinha interesse em revelar para ela, inclusive o fato do seu casamento; no segundo ele esperava receber reciprocidade ao longo do tempo. Phillip também visitara o estúdio de Leighton em Kensington, para fazer *lobby* com o grande pintor e sócio da Academia Real a fim de ser admitido naquela instituição honrada. Leighton fora gentil, mas não ficara impressionado com o portfólio de Phillip.

— E, na semana passada, vi Ellen Terry como Pórcia em *O mercador de Veneza*. Mandei uma mensagem para ela durante o intervalo e ela me convidou para ir ao seu camarim após a apresentação. Conversamos por 20 minutos sobre Shakespeare e Shylock e Henry Irving. Vinte minutos enquanto as celebridades de Londres esperavam por ela. Dá para imaginar? E ela nem sabia quem eu era.

— E quem é você? — perguntou Phillip, sempre esperto para detectar qualquer dica da verdadeira identidade de Isabel.

Ela ficava curiosamente silenciosa quando se tratava de qualquer parte da sua vida antes da chegada à costa inglesa. Sempre que Phillip lhe perguntava sobre sua família, ela mudava o assunto para poesia ou escultura ou apontava alguma atração que era muito mais mundana do que ela fazia parecer. Devia ser de uma família rica, pensou Phillip, ou não poderia ter iniciado uma grande viagem pela Europa; e devia ter tido alguma educação, ou não poderia discorrer sobre arte e literatura como fazia.

— Sou uma jovem dama que está bem cansada de caminhar, obrigada, senhor — disse Isabel. — Devemos virar na direção de Chelsea?

Phillip fez sinal para um táxi do lado de fora do parque, e eles logo estavam sacudindo em direção à acomodação de Isabel em Wellington Square. No espaço aberto do Parque Hyde, ele não fora tão tomado pelo aroma dela quanto no táxi. Quando o condutor virou para a King's Road, ela foi jogada contra ele por um instante, e ele achou que poderia desmaiar com a combinação do aroma dela e da pressão do seu corpo macio contra o dele.

No silêncio de Wellington Square, Phillip pediu ao condutor do táxi que esperasse enquanto levava Isabel até a porta. Não gostou da forma como ele piscou um dos olhos ao ouvir aquilo.

— A Senhorita Prickett não aprova que eu caminhe sozinha pelo parque — contou Isabel, enquanto estavam parados nos degraus da elegante casa branca apertada entre outras iguais, com suas grades de ferro ornamentado.

— Mas você não estava sozinha — disse Phillip.

— Ela reprovaria isso ainda mais, ouso dizer.

Isabel fez um aceno tombando a cabeça para uma janela do andar de cima, onde as cortinas estavam só um pouquinho abertas.

— Não há dúvida de que ela está nos observando agora — disse. — Quem sabe o que ela escreve nas cartas para a mamãe.

— Nosso relacionamento pode ser um pouco fora do convencional, mas garanto que é completamente inocente — declarou Phillip, desejando que fosse o total oposto.

Isabel inclinou-se para a frente como se fosse olhar o jardim gradeado no centro da praça. Com a cabeça paralela à de Phillip, mas o olhar fixo na distância, sussurrou:

— A Senhorita Prickett terá um dia de folga na próxima quinta para visitar a prima em segundo grau em Brixton. Não vou me sentir muito bem e, assim, devo ficar em casa. Talvez você possa vir me visitar.

Antes de Peter poder responder, Isabel tinha girado e estava no topo da escada, abrindo a porta pesada e desaparecendo dentro da casa. A intenção de suas palavras não poderia ter sido mais clara, e a reação que provocou foi tão instantânea e poderosa que ele cambaleou de volta para o táxi e mandou ser levado imediatamente para o Covent Garden, onde poderia buscar alívio.

Cornualha, oeste da Inglaterra,
terça-feira, 21 de fevereiro de 1995

Peter atravessou o solo encharcado até o chalé de Graham Sykes, onde ficou surpreso ao descobrir a porta da frente destrancada, em especial depois da relutância de Sykes em deixá-lo entrar na noite anterior. O fogo tinha se apagado, e a sala de estar estava quase tão fria quanto o celeiro. Peter parou para ouvir por um instante, mas não escutou nada.

— Senhor Sykes? — chamou com educação e, depois, repetiu o nome em voz mais alta, mas nenhuma resposta veio.

Ou Sykes estava completamente adormecido ou tinha saído. À esquerda da lareira estava a passagem pela qual Sykes desaparecera para fazer chá na noite anterior. No lugar de uma porta havia um pedaço de tecido azul-claro manchado de tinta pendurado. Empurrando o tecido para o lado, ele se viu no que poderia apenas ser o escritório de Sykes.

Uma parede estava forrada de estantes rústicas de madeira de pinheiro; nas outras estavam penduradas aquarelas e impressões vitorianas; na maioria, paisagens, mas também um ou outro retrato ou cena religiosa. Do lado oposto da entrada, havia uma larga mesa de fazenda, aparentemente usada como escrivaninha, com uma impressora de computador de um lado. Por todo lado havia papéis. Pilhas no chão, papéis sobre a escrivaninha, papéis caindo em cascata das estantes, papéis no parapeito da janela. Por um momento, Peter pensou que Sykes pudesse ser um estudioso muito menos organizado do que ele imaginara. Foi apenas quando registrou o fato de todas as pinturas e impressões das paredes estarem tortas em seu gancho que Peter começou a suspeitar de que algo estivesse errado.

Ele começou a sentir um frio no estômago e sentiu o suor se formar em sua testa apesar do frio na sala. Livros tinham sido tirados de suas prateleiras e estavam virados para baixo no chão, as lombadas quebradas. Um armário de arquivos ao lado da mesa tivera as gavetas abertas, e pastas de papel-manilha e seus conteúdos estavam espalhados pela sala. Um abajur estava tombado na mesa, a lâmpada, estilhaçada. O escritório de Graham Sykes parecia ter sido saqueado, e, a julgar pelo chá que ainda pingava do canto da mesa, acontecera fazia pouco tempo. Havia pouca esperança de encontrar qualquer evidência dos estudos de Sykes sobre A.I. Mesmo que quem quer que tivesse feito aquilo houvesse deixado esses papéis para trás, seriam necessárias horas para encontrar alguma coisa na bagunça do escritório. Peter passou uma manga pela testa suada e, depois, viu algo que fez suas esperanças diminuírem ainda mais. No centro da mesa, perto da impressora, havia um quadrado perfeito de madeira limpa contornado por um acúmulo de pó. Alguém roubara o computador de Graham Sykes.

Peter tinha certeza de que quem quer que tivesse feito aquilo tinha procurado Sykes pelas mesmas informações que ele buscava. Não haveria nenhum papel lá sobre A.I., nem a respeito de ele ser um falsificador, porque Thomas Gardner ou Júlia Alderson ou qualquer um cuja identidade Peter ainda tinha de descobrir levara aqueles papéis embora. E que motivo haveria para cobrir o rastro de A.I. se o *Pandosto* fosse genuíno?

Do outro lado da sala em relação às estantes, havia outra passagem grosseiramente coberta; Peter supôs que levava à cozinha.

Tinha perdido o apetite por completo, mas pensou que um copo d'água poderia acalmar seus nervos, em especial se o usasse para ajudar a descer um dos seus comprimidos contra ansiedade. Puxou a cortina de lado e entrou na pequenina cozinha, com espaço apenas para um fogão e uma pia. Uma única janela afundada em uma grossa parede de pedra mal deixava entrar a pouca luz da manhã para Peter ver, estatelado no chão, o corpo de Graham Sykes.

No início, ele não entendeu a cena. Tudo em que conseguia pensar era como Sykes devia estar desconfortável dormindo em um chão de pedra, com um braço dobrado atrás das costas. Conforme os olhos de Peter se ajustavam à luz, no entanto, a triste verdade o atingiu. A pele de Sykes estava cinzenta, os olhos estavam abertos e imóveis e uma escura piscina de sangue espalhava-se pelo chão. Uma linha vermelha perfeita estava entalhada pela frente do pescoço de Sykes. E, na pia, em direção à qual Peter virou-se para vomitar, estava uma faca de trinchar com cabo de osso coberta de sangue.

Peter ofegou violentamente, mas produziu apenas um gosto azedo de bile. Tirou a carteira do bolso e arrancou um pequeno envelope em que sempre guardava vários comprimidos. Temia que a situação presente estivesse além da medicação, mas enfiou dois na boca de qualquer forma, sem se preocupar com água, mas mastigando-os até formarem um pó azedo. Quando voltou ao escritório, seu pé escorregou no chão e ele olhou e viu que estava deixando um rastro de sangue pela casa.

Cambaleou pelo escritório e pela sala de estar, sem se importar em fechar a porta do chalé atrás de si enquanto se entregava ao ar frio e úmido da manhã. Parou por um momento, respirando profundamente algumas vezes em um esforço para fazer sua cabeça parar de girar. Assim que se sentiu um pouco mais equilibrado, começou a correr pelo campo, escorregando na grama molhada. Tirou as chaves do bolso, atrapalhando-se para colocá-las na fechadura do carro. Ligou o motor e estava dando ré, tentando apontar o nariz do Vauxhall para a ameaçadora inclinação na pista que descera na noite anterior, quando percebeu que deixara sua bolsa no escritório de Sykes.

Peter ficou sentado por vários minutos no carro parado, deixando o remédio fazer efeito, e só desligou o motor quando se sentiu um pouco menos irracional, mas não menos enjoado. Independentemente das consequências, sabia que tinha de recuperar o *Pandosto*. O assassino com certeza já tinha ido embora, e era improvável que a polícia chegasse por mais várias horas. Quem sabe, poderia levar dias para alguém descobrir o corpo de Sykes. As digitais de Peter já estavam por toda a casa, suas pegadas já no jardim e no campo, o rastro dos seus pneus já na pista. Outra viagem de volta à casa não daria aos investigadores forenses nada que eles já não tivessem. Peter puxou-se para fora do carro e arrastou-se devagar de volta para a casa. A bolsa estava bem onde ele a deixara, no chão do estúdio. Assim que a estava pegando, reparou em algo no chão que não vira antes: o cartão de visitas que dera a John Alderson, com o mesmo canto rasgado, mas salpicado com o sangue de Graham Sykes. Lá, com certeza, estava a prova de que Júlia Alderson estivera envolvida no assassinato.

A primeira tentativa de Peter de subir a pista íngreme e lamacenta terminou com o Vauxhall escorregando de volta para o ponto de onde começara, mas na segunda vez, ele pisou fundo no acelerador e conseguiu chegar ao topo, as rodas girando e a lama sendo espirrada até ele finalmente ter tração. Estava na metade do caminho para Exeter quando de repente ocorreu-lhe a ideia de que o assassino não encontrara o que estava procurando. Thomas e Júlia podiam ter conseguido silenciar Graham Sykes e podiam ter roubado seu computador, mas ainda havia uma cópia sobrevivente do manuscrito. Sykes a colocara no correio para Liz Sutcliffe, e Peter percebeu que ela estava correndo o risco de ter o mesmo destino de Sykes. No posto de gasolina seguinte, cantou pneu até parar perto de uma cabine telefônica e pulou do carro para ligar para Liz.

A secretária eletrônica da Bloomsbury Art Publishers informou a Peter que o escritório ficava aberto das 9 às 16 horas em dias de semana. O relógio de Peter marcava 10h15. Ele tentou de novo e ouviu a mesma mensagem. O telefone da casa de Liz Sutcliffe não tinha secretária eletrônica, apenas tocou e tocou. Será que Thomas e Júlia já tinham chegado a Londres? Peter tinha suposto que o som que ouvira naquela manhã havia sido dos assassinos fugindo, mas e se Sykes tivesse sido morto tarde da noite anterior e Thomas e Júlia tivessem ido direto para Londres em busca do manuscrito sobre A.I.? Se tudo estivesse bem em Londres, não haveria alguém para atender o telefone do escritório de Liz? Ele deveria ligar para a polícia? Se o fizesse, teria de explicar que Liz estava em perigo sem revelar-se como principal suspeito do assassinato de Sykes. Conforme o pânico aumentava dentro dele, Peter bateu o telefone de volta no gancho e correu para o carro. Dois minutos depois, estava em alta velocidade pela autoestrada, a 126 quilômetros por hora.

Passara os eventos da noite anterior e daquela manhã na cabeça várias vezes e sempre chegara à mesma conclusão: era o culpado pela morte de Graham Sykes. O assassinato só podia ter sido uma tentativa de encobrir algo que Sykes sabia sobre A.I., algo que jogaria dúvida suficiente sobre a autenticidade do *Pandosto* que Júlia Alderson e Thomas Gardner não conseguiriam vender por milhões por meio do ingênuo vendedor de livros americano, que, até então, tinham feito acreditar que encontrara o Santo Graal da literatura inglesa.

Tinham dado a Peter uma semana para avaliar o *Pandosto*, sabendo que não era tempo suficiente para detectar seus defeitos; pois era, com certeza, uma falsificação. Por qual outro motivo teriam assassinado Sykes? Presumiram que Peter iria testar a tinta e o papel, mas sabiam que A.I. era um mestre de falsificações e que seu trabalho passaria pelos testes básicos. Mas havia duas coisas com as quais Júlia e Thomas não tinham contado. Não esperavam que Peter descobrisse os livros que provariam a ligação entre A.I. e o falsificador John Payne Collier e não tinham esperado que descobrisse o livro de Graham Sykes sobre A.I. prestes a ser lançado, que sem dúvida expunha o personagem como falsificador. Deviam conhecer Sykes e seu trabalho, porque o velho fora xeretar na Mansão Evenlode. Peter supôs que Júlia Alderson e seu amante tivessem entrado em pânico quando aquilo aconteceu, sabendo que precisavam vender o *Pandosto* antes de Sykes publicar seu livro. A presença em Kingham de um vendedor de livros americano dera a eles a oportunidade perfeita. Júlia sugeriu ao irmão que vendesse alguns dos livros da antiga biblioteca da família, dando a ela a chance de colocar o *Pandosto* nas mãos de Peter. Não restavam dúvidas de que ela e Thomas o estiveram observando desde então, e, quando Peter foi à Cornualha e encontrou Graham Sykes, havia apenas uma forma de garantir que o velho não entregasse o jogo: matar Sykes e roubar seu manuscrito.

De repente, a presença do seu cartão de visitas no escritório de Sykes fez um sentido nojento. Não caíra por acidente. Peter não apenas tinha deixado evidências forenses por toda a cena do crime, mas estava sendo ativamente enquadrado pelo assassinato de Graham Sykes.

Se Peter não tivesse ido à Cornualha, era provável que Graham Sykes ainda estivesse vivo e roncando alto em sua cama; e Peter devia ter protegido Sykes, não o colocado em perigo. Quando pensou no pescoço de Liz Sutcliffe abrindo-se sob a pressão de uma faca de cozinha, seu pânico virou raiva. Ficou surpreso ao descobrir como se sentia possessivo com Liz e quão furioso ficava ao pensar em alguém fazendo mal para ela. Mas ele gostava da raiva;

ela afastava a náusea e a tontura e o deixava com determinação diante do seu medo.

Conforme acelerava na direção de Londres, olhava com frequência para o banco do passageiro, esperando que Amanda aparecesse e lhe dissesse o que fazer, mas ela parecia mais distante do que nunca. Se ela estivesse lá, ele pensou, iria acalmá-lo, iria convencê-lo de que tudo ficaria bem, de que a polícia descobriria o verdadeiro assassino. Na sua ausência, tudo o que Peter conseguia ver era um filme de Hitchcock passando em sua cabeça: o homem inocente é condenado, as portas de metal batem, a forca está preparada. Era verdade que o homem sempre acabava sendo salvo no último minuto, mas isso era nos filmes. Poderiam não existir mais forcas, porém isso não significava que pessoas inocentes não passavam a vida na prisão.

Ficou surpreso ao encontrar, quando olhou para a esquerda pela décima vez, Liz Sutcliffe sentada no banco do passageiro, enrolando espaguete em um garfo.

— Correr pode não ser a melhor ideia para um homem procurado por assassinato — ela disse, provocando-o.

— Pensei nisso — afirmou Peter. — Mas achei mais importante chegar até você.

— Acha que não cuido de mim mesma?

— Apenas acho que não espera a visita de um assassino.

— Eu não esperava conhecê-lo, e lidei com isso muito bem.

— Por que não atendeu o telefone? — perguntou Peter, mas, como não teve resposta, virou-se e viu o banco vazio de novo.

Passou por uma placa informando que estava a 160 quilômetros de Londres e subiu o medidor de velocidade para 136 quilômetros por hora.

Ridgefield, 1986

Peter passou grande parte do verão depois do seu penúltimo ano de faculdade na perua Volvo que Amanda lhe dera. O encosto do banco traseiro estava muito riscado, e o freio de mão às vezes teimava em travar, mas, até onde Peter podia dizer, apenas duas coisas a respeito do carro eram importantes: ele o deixou independente e tinha sido um presente de Amanda. Ele não virava a chave, fechava a porta ou trocava a marcha sem pensar nela.

Fez várias viagens naquele verão, começando com idas de um dia até Raleigh e Charlotte e, depois, um fim de semana em Atlanta, culminando com uma visita de três semanas à Nova Inglaterra.

— Três semanas? — disse Amanda, enquanto eles estavam deitados ao sol, lado a lado, perto da piscina dos Ridgefield.

— Ei, você me deu o carro — falou Peter. — E decidiu arrumar um emprego.

Amanda estava trabalhando três dias por semana em uma galeria de arte em Raleigh.

— Eu sei, mas vou sentir saudades.

— Eu também.

— Você só vai sentir saudades da cama — comentou Amanda.

Peter confessara que tinha planejado dormir no banco de trás do Volvo para economizar dinheiro. Charlie Ridgefield oferecera-se para investir no negócio de Peter, mas Peter não queria saber.

— Da cama e de quem está nela — disse Peter, sorrindo.

— É, eu notei que você não tem passado muito tempo no seu apartamento neste verão.

Os pais de Amanda pareciam gostar de ter Peter por perto e, ou não sabiam, ou não se importavam que Amanda fosse ficar com ele no quarto de hóspedes toda noite.

— Quer que eu volte para casa? — perguntou Peter.

— Não — respondeu Amanda, sorrindo. — Quero que fique bem aqui.

— Estarei bem aqui.

— É, daqui a três semanas — disse Amanda, fingindo estar magoada.

— Bem, podemos nos divertir enquanto nos despedimos esta noite — falou Peter.

— Divirta-se você — disse Amanda, jogando sua toalha na cabeça de Peter. — Eu vou nadar.

Peter tirou a toalha do rosto a tempo de ver o corpo de Amanda, de biquíni, cortar a água. Ele queria ser artista, para poder pintá-la. Não conseguia imaginar ser capaz de captar a beleza dela.

Naquela noite, ele realmente se divertiu, mas Amanda recusou-se a dizer tchau.

Seguindo para o norte, Peter encontrou livrarias em todas as cidadezinhas. Dirigiu pela Pensilvânia e por Nova York e passou cinco dias em Connecticut e Rhode Island antes de ir para Cape Cod. Aventurou-se a entrar em Boston e, no caminho de volta para o sul, estacionou o carro em Hoboken e pegou um trem para Nova York. O porta-malas do Volvo foi encolhendo aos poucos conforme as caixas de livros se multiplicavam.

Seu costumeiro nervosismo para conhecer pessoas não parecia se estender para outros amantes de livros, e algumas das partes mais gloriosas da viagem foram as longas conversas travadas com livreiros. Peter sentiu como se tivesse, enfim, entrado para uma fraternidade; não os clubes desordeiros regados a cerveja de Ridgefield, que não haviam tido mais interesse por ele do que ele tivera pelos grupos, mas uma irmandade real de homens e mulheres com uma paixão compartilhada.

Peter economizara dinheiro das horas extras que trabalhara na biblioteca e, embora não aceitasse o dinheiro de Charlie Ridgefield, permitira que tanto Francis quanto Hank investissem pequenas quantidades na sua jovem empresa. Quando Amanda tentou fazer o mesmo, Peter não permitiu.

— Você comprou o carro — disse —, já é investimento o bastante.

Mas ele permitiu que ela fizesse outra contribuição financeira ao verão dele. Toda noite ligava para ela a cobrar.

Compartilhava as descobertas de cada dia com ela: joias a preço baixo encontradas em uma prateleira empoeirada, vilas charmosas com áreas gramadas onde ele almoçara, livreiros que lhe deram boas-vindas ao seu meio. Amanda despejava informações sobre seu trabalho na galeria de arte e os artistas e colecionadores que conhecera. Porém, na maior parte do tempo, eles falavam sobre nada, falavam apenas para ouvir a voz um do outro, para estarem juntos.

— Mamãe disse que está com saudades de você — contou Amanda certa noite, enquanto Peter estava em pé em uma cabine telefônica de um posto de gasolina de uma estrada secundária em Massachusetts. — Não é um doce?

— Diga a ela que estou com saudades também — disse Peter.

Na verdade, ele percebeu que não sentia saudades apenas de Amanda; sentia falta da família da qual passara a fazer parte.

— E diga ao Charlie que passei pelo Fenway Park outro dia.

— E tem alguma mensagem para mim? — perguntou Amanda.

— Sim — respondeu Peter —, mas não tenho certeza se a AT&T aprovaria.

Ele estava em uma cabine telefônica de Princeton na noite em que Amanda não atendeu à ligação depois de apenas um toque e ouviu outra pessoa aceitar a cobrança depois de quase um minuto esperando ser atendido.

— Peter, é você?

— Quem está falando?

— É a Cynthia — disse a voz. — Desculpe por eu ter demorado tanto para atender. Vim para esperar sua ligação, mas tive problemas com a maldita chave. Jesus, sinto muito, Peter. Estava escurecendo e eu não conseguia ver a fechadura e foi apenas... apenas a maldita chave.

Peter conseguia ouvir lágrimas e histeria na voz de Cynthia.

— Cynthia, você está bem? Parece que você está meio enlouquecida.

— É a Amanda. Peter, você precisa vir para cá agora. É a Amanda.

Peter sentiu um aperto na barriga, aquele nó familiar que não sentira em semanas, mas que podia atingi-lo como um raio, sem o aviso das nuvens se juntando.

— O que tem a Amanda?

Ela não se sentira bem nos dias anteriores. Pensou que pudesse ser um surto de intoxicação alimentar; disse alguma coisa sobre mariscos ruins em um churrasco. No entanto, estava passando, ela garantiu. Na noite anterior, não tinha sido nada além de cólica; sua menstruação estava chegando e a pegara de jeito daquela vez.

— Ela está aí? — perguntou Peter, tentando manter a voz estável. Uma pessoa histérica ao telefone parecia o bastante.

— Ela está no hospital.

O estômago de Peter deu outro nó, e o suor apareceu na sua testa e nas palmas das mãos.

— Passe o número — ele disse apenas. — Quero ligar para ela. Preciso falar com ela agora. Qual é o número?

— Você não pode falar com ela — avisou Cynthia. — Ela está sendo operada.

Peter então sentiu o golpe de um ataque de pânico completo. Depois, após desligar o telefone, ocorreu-lhe que talvez aquela sensação fosse o pânico genuíno e justificável. A única maneira de diferenciá-lo dos seus ataques costumeiros e irracionais era que Amanda estava em perigo.

— Por que diabos ela está sendo operada? — indagou Peter, desistindo de qualquer fingimento de calma.

— Acham que seu apêndice rompeu — explicou Cynthia.

Ela parecia ter começado a chorar.

— Ela se sentiu muito mal hoje de manhã, e você sabe que os pais dela estão na França e, por isso, ela me ligou e eu a levei para o médico e ele disse... ele disse...

— Respire, Cynthia — disse Peter, que estava tendo dificuldade para respirar também. — O que o médico disse?

— Ele disse que achava que ela tinha algum tipo de infecção — contou Cynthia. — E fizeram exames e ultrassom e eles acham que o apêndice dela pode ter estourado e, por isso, esta tarde a mandaram para o hospital perto de Raleigh e agora ela está sendo operada e não querem me contar o que está acontecendo porque não faço parte da família.

O choro de Cynthia já estava constante.

— Que idiotice dizer que você não é da família — falou Peter, surpreso com sua própria raiva. — O que eles falaram antes de ela entrar na cirurgia?

Peter pôde ouvir Cynthia respirar fundo.

— Disseram que ela podia ficar bem, dependia do quanto a infecção estava espalhada. Disseram... disseram que, nesses casos, sempre há uma chance de... de...

— Estou indo — avisou Peter antes de Cynthia poder terminar a frase.

Ele não queria ouvi-la dizer o que ele sabia que os dois estavam pensando. Embora estivesse acordado desde as sete horas e já fossem quase 22 horas, engoliu um dos seus comprimidos contra ansiedade, entrou no Volvo e partiu para o sul.

Londres, 1876

Phillip Gardner estava deitado nos braços de sua amante, a luz do sol do inverno, que ia desaparecendo, brincava na pele branca e perfeita dela. A Srta. Prickett tinha gostado de sua prima de segundo grau, e Isabel convencera a governanta a viajar até Brixton toda quinta-feira. Tinham sido os três meses mais gloriosos da vida de Phillip. Na única ocasião após o casamento dele, quando a Sra. Gardner dignou-se a dividir a cama com Phillip, o desempenho dela fora mecânico e sem paixão. Isabel era o oposto. Ela se jogava a fazer amor com um abandono apaixonado que animava e, às vezes, até assustava Phillip. Em mais de uma ocasião, ele temera que os gritos dela pudessem fazer os vizinhos chamarem a polícia; outras vezes, quando ela caía na cama, exausta por seus esforços, ele temia pela saúde dela. Como uma criatura tão delicada podia ser capaz de um sexo tão energético era um mistério que intrigava e encantava Phillip. Naquele momento, ela rolou para cima dele, deslizando-o para dentro dela com uma mão hábil e mexendo-se languidamente sobre ele. Ele estendeu as mãos para os seios dela e enterrou os dedos na maciez deles enquanto ela aumentava o ritmo. Ele se empurrava descontroladamente, agarrando cada vez mais forte, sem saber ao certo se ela estava gritando de dor ou prazer ou os dois até, finalmente, dando um grito também, ele chegar ao clímax.

Quase uma hora depois, ele acordou e viu Isabel sentada à penteadeira, passando uma escova pelo cabelo que ia até a cintura. Ele adorava ver o cabelo dela solto e livre, adorava a maneira como ele descia em cascata pelos seios ainda descobertos, provocando os mamilos até ficarem rijos com cada passada da escova. Embora estivesse muito exausto para pensar em atraí-la de volta para a cama, nunca estava cansado demais para observar. Lá, no banco diante do espelho, virada parcialmente de costas para ele, de forma que ele conseguia ver não apenas o cabelo e a mão e a escova e os seios, mas também a brancura do ombro nu, a curva do quadril, o estreitamento na parte baixa das costas e até um vislumbre da divisão entre as nádegas, ela se transformara de mulher em obra de arte, tão perfeita quanto qualquer coisa que Phillip já vira na Academia Real. Ele apenas desejava poder pintá-la de uma forma que chegasse perto de fazer justiça à sua beleza e à felicidade perfeita que ele sentia naquele momento.

— Quando você precisa ir? — ela perguntou, vendo os olhos dele no espelho.

— Quando *você* precisa ir? — disse Phillip, provocando-a.

— Eu moro aqui — ela respondeu.

— Você quer dizer que está de visita aqui — falou Phillip, sentando-se na cama e assumindo um tom mais sério. — Com certeza seus pais esperam que você volte de sua grande viagem um dia.

— Prefiro não pensar nisso — ela afirmou.

— Eu também — disse Phillip —, mas não consigo suportar a ideia de que cada vez com você pode ser a última.

— Esta não será a última — ela garantiu, seu reflexo sorrindo para ele.

Pelo menos ele conseguira tirar essa promessa dela, de que se deitaria em êxtase com sua amada Isabel de novo. Levantou-se e colocou as roupas, sempre observando o cabelo dela cair sobre os seios enquanto ela os escovava.

— É melhor eu pegar o trem das 17h17 em Paddington — ele disse, respondendo à pergunta original dela.

Phillip inclinou-se para a frente e pressionou os lábios com delicadeza em um pedaço de ombro exposto, subindo a mão pela lateral do corpo dela para aninhar o seio e passar o polegar levemente pelo mamilo.

— Você não se incomoda de sair sozinho? — ela falou.

— Nem um pouco — afirmou Phillip, e ele a deixou diante do espelho, um sorriso nos lábios e a luz cada vez mais fraca do dia brilhando nos seus cabelos.

Londres, terça-feira, 21 de fevereiro de 1995

Peter nunca dirigira em Londres antes, e aquela não parecia a manhã certa para tentar. Ele viu uma placa para a estação de trem de Reading e decidiu que a maneira mais eficiente de entrar na cidade seria pegar um trem para Paddington.

Parou o Vauxhall no estacionamento de vários andares e levou a bolsa, sem querer deixar o *Pandosto* fora de vista por um único momento. Enquanto estava na fila para comprar um bilhete, podia ouvir o noticiário da manhã sendo exibido em uma televisão suspensa perto da bilheteria. Sentiu um tremor repentino quando ouviu as manchetes.

"Na Cornualha, nesta manhã, a polícia descobriu o corpo de um homem idoso brutalmente assassinado em seu remoto chalé. Os investigadores estão na cena do crime neste momento." Peter deixara a casa de Sykes apenas três horas antes. Se o assassinato já estava sendo noticiado, ele devia ter escapado por pouco mesmo. Mas como era possível Sykes ter sido descoberto tão rápido? Sua casa ficava a quilômetros da vila mais próxima. Quando Peter pegou o bilhete e virou-se na direção das plataformas, sentiu outra onda de medo atingir seu corpo. A polícia sabia sobre Sykes porque Júlia Alderson e Thomas Gardner tinham denunciado o crime que eles mesmos cometeram. Sem dúvida uma ligação anônima havia chegado em um forte sotaque da Cornualha: Vimos um homem americano estranho perto da casa do Sr. Sykes ontem à noite, dirigindo um Vauxhall bege. E, nesta manhã, saímos para caminhar e ouvimos um grito. Não há outra explicação.

Ele se jogou em um assento do trem para Londres e, quase esperava, em outro momento hitchcockiano, ver seu próprio rosto no jornal do homem sentado à sua frente. Quanto Alderson e Gardner tinham contado à polícia? Peter pegou o jornal abandonado no assento ao seu lado e escondeu-se atrás dele durante a viagem de meia hora até Paddington. Os outros passageiros, se repararam nele, devem ter pensado que estava fascinado pelos resultados do rúgbi.

Em Paddington, fez o seu melhor para submergir na multidão que saía da estação da linha principal para o metrô. Estava então completamente convencido de que todos os oficiais da lei nas Ilhas Britânicas estavam segurando uma cópia da foto dele e haviam recebido ordens para "detê-lo a todo custo". Quando saiu do metrô para a relativa calma da Praça Russell, ficou frente a frente com um policial uniformizado logo do lado de fora da estação. Depois de o policial passar por ele com indiferença, Peter permitiu-se pensar que talvez estivesse seguro por mais algum tempo.

A Bloomsbury Art Publishers ficava em um prédio estreito em Bury Place, virando a esquina depois do Museu Britânico. Dois andares para cima, em uma pequena janela, estavam pintadas as iniciais b.a.p., a única indicação, vista da rua, da presença do escritório de Liz Sutcliffe. Peter empurrou a porta e entrou em um corredor apertado que levava a uma escada em espiral estreita. Ao lado da escada havia um elevador, mas Peter supôs que ir a pé provavelmente seria mais rápido e subiu os degraus. Preso à porta da Bloomsbury Art Publishers estava um bilhete no papel timbrado da empresa: Terça-feira — B.A.P. fechada para que a equipe participe do seminário da Independent Publishers' Guild. Por favor, visite-nos em outro momento.

Ali estava o motivo de Liz não atender ao telefone. Peter encostou-se na porta, aliviado, mas ficou surpreso quando ela se abriu e ele tropeçou para dentro do escritório escuro. Assim que seus olhos se acostumaram à falta de luz, seu alívio evaporou. Papéis estavam espalhados por toda parte, cadeiras estavam viradas e gavetas de escrivaninhas estavam caídas de qualquer jeito pelo chão. O escritório fora saqueado. Peter aventurou-se mais para dentro e encontrou uma porta com o nome de Liz. Dentro, o escritório estava um caos. A situação era estranhamente parecida com a cena que ele deixara no escritório de Graham Sykes algumas horas antes.

Peter sabia que eles estiveram procurando a cópia do manuscrito de Sykes. O que não sabia é se tinham encontrado. Se tivessem, todas as esperanças de descobrir a verdade sobre A.I. por meio de Sykes provavelmente tinham acabado; se não, Liz ainda estava em perigo. Ele acendeu a luz e examinou os estragos em busca de pistas, mas o escritório estava em tal estado de desordem que ele poderia passar horas procurando entre os papéis espalhados, e ele não tinha horas. No chão perto da janela, encontrou um grande calendário de mesa. No dia 21 de fevereiro, Liz escrevera: "Trabalhar em casa, Bob e S. no seminário da IPG". Trabalhar em casa. Mas Liz não atendera ao telefone de casa. Peter sentiu a náusea e a tontura voltarem. Procurou rapidamente entre os papéis no chão alguma coisa que tivesse o endereço da casa de Liz. Tinha acabado de pegar um envelope endereçado a ela em um apartamento de Hampstead quando ouviu sirenes de polícia do lado de fora. Correu de volta para a área da recepção e viu uma pequena luz vermelha no alto de um canto, piscando sem parar. Um alarme silencioso, ele pensou. Isso significava duas coisas: Thomas e Júlia não podiam ter mais do que alguns minutos de vantagem sobre ele e a polícia estaria ali a qualquer momento.

Correu para o corredor e estava prestes a descer as escadas quando ouviu vozes no andar de baixo. Desesperado, apertou o botão do elevador e ficou surpreso quando as portas se abriram imediatamente. Caiu para dentro do elevador, apertou o botão do porão e segurou o fôlego. As portas se fecharam e o elevador desceu devagar. Peter podia ouvir passos ressoando escada acima conforme ele e a polícia passavam um pelo outro, separados apenas pelas portas do elevador. Quando foi descarregado no porão, ficou no final da escada e ouviu por um tempo. Sem escutar nada, subiu rapidamente os degraus e saiu pela porta, passando por dois carros de polícia. Assim que chegou ao final do quarteirão e saiu de vista, virando a esquina, disparou em uma corrida pela New Oxford Street e em direção à Tottenham Court Road. Lá, poderia pegar a Linha Norte para Hampstead.

Ridgefield, 1986

Peter estava ao lado da cama de Amanda havia quase dois dias, segurando a mão dela e dormindo apenas alguns minutos por vez, quando Sarah e Charlie Ridgefield enfim chegaram da França. Os médicos tinham mantido Amanda inconsciente, "para que ela use toda a energia para ficar bem", disseram. Porém, era tudo o que diziam sobre a condição dela para Peter ou Cynthia. Mesmo a alegação de Peter de ser noivo de Amanda não ajudou. As informações médicas só podiam ser liberadas para membros da família. Peter tinha sorte, disseram, por eles o deixarem ficar no quarto de Amanda além do horário normal de visita. Desde que chegara ao hospital, comida e sono haviam sido secundários, e, naquela intensidade de concentração, até a ansiedade o abandonara. Ele se recusava a imaginar qualquer coisa para Amanda além da recuperação completa do que quer que os médicos não estivessem contando para ele.

— Retiramos um apêndice rompido da paciente — explicou o Dr. Harris.

— O nome dela é Amanda — disse Peter. — A paciente tem nome, Amanda.

Harris tinha sido ríspido e, com frequência, completamente grosseiro nos dois dias anteriores. Peter recusava-se a receber seu comportamento agora alegre com qualquer atitude próxima de perdão. Ele estava sentado em um sofá da área de espera, as mãos apertadas por Sarah Ridgefield; Charlie estava ao lado da esposa. Apenas a promessa de finalmente ouvir o prognóstico de Amanda tirara Peter do lado dela. Harris dissera que era melhor discutir aqueles assuntos longe da paciente, embora ela ainda estivesse, como ele dizia, "dormindo".

— É claro — disse Harris, olhando seu prontuário. — Amanda. Tiramos um apêndice rompido e já havia uma grande infecção.

— Como isso pode acontecer? — perguntou Peter. — Como o apêndice dela pode simplesmente se romper?

— Ela teve alguns sintomas — falou Harris —, de acordo com a jovem que a trouxe para o hospital.

— Cynthia — Peter disse logo.

— Sim, Cynthia. De acordo com ela, a paciente... Digo, Amanda estava doente fazia dois dias e passando pelo que achava serem dores menstruais.

— E como ela está agora? — perguntou Charlie.

— Está lutando contra uma enorme infecção — respondeu o Dr. Harris, acrescentando rapidamente — e está lutando bem. Estamos administrando grandes doses de antibióticos e temos todos os motivos para acreditar que poderemos acordá-la em um ou dois dias. Se tudo correr bem, ainda teremos de mantê-la aqui por mais ou menos uma semana, mas a contagem de leucócitos já está bem mais baixa. Ela é forte.

— O que você não está nos contando? — perguntou Peter, segurando a mão de Sarah com um pouco mais de força.

Harris estivera remexendo no prontuário e não travara contato visual com os pais de Amanda.

— Foi uma infecção enorme, senhor...

— Byerly — disse Sarah, com gentileza. — O nome dele é Peter Byerly.

— Bem, Senhor Byerly — continuou o Dr. Harris. — Como eu disse, foi uma infecção enorme. Já aconteceu de casos assim causarem DIP.

— DIP? — disse Charlie.

— Doença Inflamatória Pélvica — explicou o Dr. Harris. — Basicamente, significa que a infecção se espalha para a região pélvica, onde pode afetar as trompas de falópio e os ovários.

— E afetou as trompas de falópio e os ovários? — questionou Charlie.

— Achamos que sim — respondeu o Dr. Harris. — É difícil ter 100% de certeza neste estágio, mas temo que seja muito provável... extremamente provável que a paciente... que Amanda fique infértil.

Peter viu lágrimas escorrerem pelo rosto de Sarah e puxou-a para o seu ombro, onde ela chorou baixinho.

Uma hora depois, Peter saiu do hospital pela primeira vez em quase três dias. Ele insistira em ser quem daria a Amanda seu prognóstico e que faria isso quando sentisse que ela estava pronta. Os Ridgefield concordaram.

No chão do seu apartamento, sob a entrada para cartas, uma pilha se acumulara durante sua ausência. Peter sentou-se no chão e examinou os cupons e as propagandas de liquidações, procurando o que sabia que estaria ali. Ficou surpreso ao encontrar um cartão-postal reproduzindo o retrato de Amanda Devereaux, no verso do qual estava escrito “Bem-vindo de volta, querido. Senti sua falta. Com todo o meu amor, Amanda. PS: A vovó sentiu saudades também!”. Peter teve um *flash* de uma imagem com ele e Amanda, deitados nus sob o retrato de Amanda Devereaux e atrapalhando-se com uma camisinha, rindo enquanto se apressavam para colocar tudo no lugar. O fato de que as precauções não seriam mais necessárias parecia uma perda imensurável para Peter, e, pela primeira vez desde que chegara ao quarto de Amanda no hospital, ele foi dominado pelas lágrimas.

Caiu para trás contra a porta, soluçando enquanto continuava a ver as cartas até encontrar aquilo de que precisava. Apertando o envelope contra o peito, chorou com vontade por mais dez minutos. Amanda dissera a Peter que era bom chorar bastante de vez em quando, que trazia uma sensação de limpeza, mas ele nunca passara pela experiência. Ainda tinha uma enorme sensação de perda, mas não sentia mais o desespero que estivera crescendo dentro dele desde quando o Dr. Harris dera o prognóstico.

Rasgou o envelope para abrir e leu: "Você foi pré-aprovado para uma linha de crédito de US$ 5.000,00". Devia ser o suficiente, ele pensou.

Parecia estranho pegar dinheiro emprestado com os Ridgefield, mas Peter dissera a si mesmo que o Ridgefield Bank and Trust era, no final das contas, uma empresa de sociedade limitada. Não era como se estivesse pedindo um empréstimo pessoal a Sarah Ridgefield. Além disso, ele estava confiante de que, em algumas semanas, poderia transformar o conteúdo das caixas no porta-malas do Volvo em dinheiro mais do que suficiente para pagar o empréstimo. Saiu do banco, fez uma parada no caminho para o hospital e estava de volta ao quarto de Amanda menos de três horas após tê-la deixado.

No dia seguinte, acordou quando a mão de Amanda começou a se torcer gentilmente presa à dele. Ela abriu os olhos, focou a imagem dele lentamente, sorriu e sussurrou, em um tom de grande alegria:

— Peter.

Kingham, 1876

Phillip e Isabel tinham um acordo: se ela precisasse entrar em contato com ele fora dos parâmetros de seus encontros regulares de quinta-feira, mandaria uma mensagem pelo vendedor de livros dele, Benjamin Mayhew. Phillip sabia que Mayhew seria discreto quanto às mensagens, e uma carta ou telegrama de um vendedor de livros não seria suspeita na Casa Evenlode, onde a Sra. Gardner costumava ser a primeira a examinar a correspondência da manhã.

Phillip teve sorte, portanto, quando a carta de Isabel chegou pelo correio da tarde, enquanto a esposa estava tirando um cochilo, e ele por acaso reconheceu, na pilha de cartas que estava na bandeja de prata da sala de visitas, a letra delicadamente curvada que vira uma vez na escrivaninha da sala de estar de Isabel. Agarrou a carta e correu para o escritório, onde a Sra. Gardner, que desdenhava seus esforços artísticos mais até do que a Academia Real, raramente ousava entrar.

Querido Phillip,

Preciso falar com você imediatamente. Por favor, encontre-me nos salões de chá da Fortnum & Mason, na Picadilly, amanhã às 15h.

Com carinho, Isabel

Phillip amassou a carta e lançou-a na lareira, onde o fogo logo a consumiu. Como ela podia ter corrido tal risco se ele criara um plano tão perfeito? Ela tinha virado, de repente, uma tola? Ou estava esperando que a Sra. Gardner o pegasse ou estava esperando forçá-lo a confessar? Ele dissera nos termos mais claros possíveis que não havia esperança de um relacionamento de longo prazo. Embora não amasse a Sra. Gardner, nunca pensaria em terminar o casamento. Ele devia à família manter o dinheiro investido na Mansão Evenlode.

Pegou o sobretudo e pediu à governanta, ao encontrá-la na escada, que informasse à Sra. Gardner que tinha sido chamado a Londres por seu advogado e passaria a noite no seu clube. Quando chegou a Londres, duas horas depois, foi direto para o Covent Garden, onde passou a noite em libertinagem com duas mulheres que ele suspeitava serem mãe e filha. Estava determinado, quando encontrasse Isabel, a não ter uma gota de energia sexual sobrando. Isso, pensou, removeria a única arma que ela tinha sobre ele, e ele provavelmente poderia repreendê-la por suas ações sem ser tentado para a sua cama.

Ela estava sentada, empertigada e ereta, a uma mesa perto do fundo do salão, alegremente alheia, pelo que parecia, ao desastre que poderia ter causado se sua carta tivesse chegado algumas horas antes. Ele estava ainda mais irritado com a exigência dela de se encontrarem em público. Quando o relacionamento deles era inocente, ele ficava mais do que feliz em ser visto com ela no Parque Hyde os nos Jardins de Kensington. Porém, quando passara a ter algo a esconder, ficara mais ciente da necessidade de sempre encobrir aquilo. Ainda assim, ela estava insistindo em encontrá-lo não apenas em público, mas em um salão de chá frequentado por conhecidos da Sra. Gardner.

Isabel estava de costas para a entrada e, assim, ele pôde chegar sem ela ver e bater o jornal na mesa em uma tentativa de assustá-la. O fato de ela nem recuar ou virar-se para olhá-lo pareceu a Phillip um mau sinal.

— Boa tarde, Phillip — ela disse.

— Sabe quanto problema poderia ter me causado? — ele brigou com ela em um sussurro ao se sentar. — Foi tola ao enviar aquela carta para a minha casa assim.

— Não me importo — ela respondeu simplesmente, olhando na direção da janela.

— Não, ficou claro que não se importa — disse Phillip. — E também, suponho, você não se importa de quem é o dinheiro que comprou para você esse broche de diamante que usa por toda a Londres.

— Temos um problema maior do que dinheiro e diamantes — ela afirmou, ainda sem reagir ao veneno dele.

Ficou irritado por ela permanecer tão plácida enquanto ele brigava com ela. Ele tinha tido uma grande satisfação com a discussão imaginada que eles travariam; sua raiva fazendo-a devolver ataques, a batalha longa e dura, a rendição total dela e o pedido de perdão, ele a deixando para contemplar seus pecados antes de, enfim, voltar aos braços dela após algumas semanas. Mas ela não parecia disposta a fazer seu papel.

— Nada é mais importante do que dinheiro — declarou ele. — Você parece esquecer que o futuro da família Gardner está sobre os meus ombros.

— O futuro da família Gardner está em um lugar totalmente diferente — ela falou, enfim virando-se para olhar nos olhos dele.

— Você não faz ideia do que está falando — acusou Phillip.

— Pelo contrário, Senhor Gardner — ela disse. — Sei muito bem do que estou falando. Já faz dois meses.

Ela não o chamava de Sr. Gardner desde pouco tempo após conhecê-lo, e isso o enervou.

— Dois meses desde o quê?

— Desde que comecei a carregar seu filho.

Por um instante, Phillip não conseguiu respirar. Ele não podia focar em Isabel, nem no rosto nem no corpo, mesmo as coisas do chá que chegaram naquele exato momento pareciam um borrão. Toda a sua raiva fora arrancada e restara... o quê? Uma criança fora do casamento? A ruína de seu casamento, sua propriedade, sua família?

— Tem certeza? — ele sussurrou.

— Bastante — disse Isabel. — Uma mulher sabe essas coisas, como eu agora percebi.

— A Senhorita Prickett sabe?

— Ainda não — disse Isabel, fria. — Mas logo terá de saber. Ficarei confinada aqui em Londres.

— E o que vai dizer aos seus pais?

— Que me matriculei em uma escola de arte.

— Não parece muito convencional.

— Não acha, Senhor Gardner, que já estabeleci minha falta de convencionalismo?

— Você parece ter pensado em tudo — disse Phillip.

— Não em tudo, Senhor Gardner. Não faço ideia de como será o relacionamento entre a criança e o pai.

Peter fora pego tão de surpresa pela revelação dela que levou um momento para absorver o fato de que a palavra *pai* se referia a ele. Era uma palavra que havia muito ele dissociara de si mesmo. A Sra. Gardner deixara claro logo depois do casamento que não lhe daria um herdeiro. Os filhos de seu irmão herdariam a Casa Evenlode com o dinheiro da Sra. Gardner, e Phillip teria restaurado a fortuna da família à custa, apenas, de sua felicidade. Depois de tudo de que abrira mão, não permitiria que nada interferisse naquele plano.

— E como sei que sou o pai? — perguntou Phillip.

Se o salão de chá estivesse mais lotado, talvez ela não tivesse feito aquilo; ainda assim, ela pareceu reagir por instinto. Deu um tapa forte no rosto dele, e, embora sua mão estivesse dentro de uma luva, ele sentiu a ardência da dor na bochecha. Ele levantou a própria mão para devolver o golpe quando ouviu uma voz aguda atrás de si.

— Ora, Senhor Gardner, é você? É você. Achei que fosse. Eu disse ao Senhor Thompson que era o Senhor Gardner, pode acreditar, sei que é.

A voz pertencia a uma mulher gorda, conhecida da Sra. Gardner, cujo nome Phillip esquecera, se é que alguma vez soubera.

— Espero ver o senhor e a Senhora Gardner no Royal Ascot desta temporada. Eu gosto muito do Royal Ascot, você não, Senhor Gardner? Estava dizendo agora mesmo ao Senhor Thompson o quanto gosto do Royal Ascot. Quem é essa adorável jovem?

A provável Sra. Thompson enfim parou para respirar e analisar Isabel e esperar uma explicação para a presença dela na hora do chá com um homem casado.

Quase sem pensar, Phillip disse:

— Uma jovem da América. Meu irmão pediu que a entrevistasse para um possível cargo de governanta dos filhos dele.

— Uma governanta americana, que incomum — comentou a Sra. Thompson.

— Sim, bem, se me dá licença, Senhora Thompson, preciso continuar com a entrevista.

— É claro, Senhor Gardner, é claro. Eu entendo. Mande lembranças minhas à Senhora Gardner, por favor, e diga que a veremos no Royal Ascot.

A Sra. Thompson voltou a cruzar o salão de chá, sem interromper seu monólogo, mas apenas aumentando o volume:

— Era o Senhor Gardner. Eu falei que era o Senhor Gardner. Disse que os veremos no Royal Ascot.

— Então, Senhor Gardner — disse Isabel, quando a Senhora Thompson tinha por fim desaparecido. — Devo continuar sendo a governanta do seu irmão ou resolveremos de outro jeito?

Londres, terça-feira, 21 de fevereiro de 1995

Desde sua primeira visita a Londres, Peter adorava andar de metrô. Amanda sempre preferira táxis; dizia que podia ver a arquitetura da cidade assim, mas Peter alegava que o metrô era mais barato e, geralmente, mais rápido. O que mais o atraía, no entanto, era o anonimato. Não precisava dizer a ninguém aonde estava indo ou jogar conversa fora com um motorista. E ele adorava o mapa. Acima do solo, Londres era completamente confusa, mas, no subsolo, nas mãos do maravilhoso mapa do metrô, Peter entendia a cidade.

Enquanto sacudia em direção a Hampstead na Linha Norte, a adrenalina que estivera guiando Peter pareceu gastar-se, e ele afundou no banco, acomodando-se em um medo apático. O trem estava saindo da terceira parada quando Liz Sutcliffe apareceu ao lado dele mais uma vez, ainda enrolando o macarrão. Ela falava não a partir da imaginação de Peter, mas de sua memória. Em algum ponto durante o almoço italiano, Peter perguntara a Liz o que, cedo ou tarde, perguntava a todo londrino que conhecia: "Qual é a sua estação do metrô?" Descobrira que era uma ótima forma de começar conversas e, embora muitas vezes pegasse Amanda rindo quando fazia a pergunta, ela depois lhe diria que ele tinha sido ótimo ao iniciar o papo. "O metrô salva os americanos da ansiedade social", ela dizia.

— Belsize Park — Liz Sutcliffe respondera, antes de colocar um garfo cheio de macarrão na boca e desaparecer.

Seu endereço era em Hampstead, mas a estação de metrô mais próxima era uma parada mais perto do centro de Londres. Se Thomas Gardner e Júlia Alderson estavam com apenas alguns minutos de vantagem e indo até Hampstead, ele podia ainda ter uma chance de chegar primeiro até Liz.

Peter pulou para fora do trem em Belsize Park e encontrou a rua de Liz no mapa da área da estação do metrô. Saiu correndo da estação e subiu o morro, percebendo que, ainda que Thomas e Júlia pudessem ter um caminho mais longo vindo da estação Hampstead, estariam descendo o morro. Virou em uma calma rua residencial que levava ao apartamento de Liz e deu uma olhada na esquina e morro acima para ver se achava Thomas e Júlia. Nem reparou na figura usando uma parca que passou andando por ele e, de repente, virou-se e parou ao seu lado.

— Peter, é você?

As bochechas rosadas por causa do frio e a fumaça do seu hálito quente dissolvendo-se no sol do meio do dia, Liz Sutcliffe estava parada ao lado de Peter, um sorriso perplexo no rosto.

— O que está fazendo aqui? — ela perguntou.

Peter inclinou-se para a frente, as mãos nos joelhos, tentando recuperar o fôlego. Liz esperou com paciência, como talvez fizesse com um cachorro ou uma criancinha. Por fim, ele conseguiu ofegar:

— Assassinato.

— Como? — disse Liz, ainda com um sorriso maternal, como se Peter estivesse fazendo um jogo que provava que ele era uma criança de seis anos excepcionalmente esperta.

— Sykes — falou Peter. — Graham Sykes foi assassinado.

Liz ergueu Peter pelo braço para poder olhar nos olhos dele.

— De que diabos você está falando?

— Eu fui vê-lo — contou Peter. — Foi horrível. Foi tão horrível.

Ele sentiu a náusea e os tremores voltarem enquanto se lembrava da cena; dessa vez não sentiu pânico, mas repulsa e tristeza. Uma lágrima escorreu por sua bochecha fria.

— Cortaram a garganta dele — ele sussurrou.

— Puta que pariu — disse Liz, ficando com o rosto pálido. — Que merda.

— Eu sinto muito — falou Peter. — Eu devia mantê-lo a salvo. Eu devia alertá-lo, mas ele estava... Nós estávamos discutindo e...

Ele se lembrou da discussão com Sykes na noite anterior. Se Peter não tivesse sido tão teimoso, talvez tivesse se lembrado de avisá-lo sobre a ameaça de Thomas Gardner. Naquele momento, só conseguia ver o rosto do homem morto e todo aquele sangue.

— Foi horrível — disse.

— Como isso pôde acontecer? — comentou Liz.

A pergunta dela ficou pairando no ar frio por um instante enquanto Peter tentava afastar a imagem do corpo de Sykes.

— Vou explicar tudo — ele disse enfim, respirando fundo e sentindo que estava se puxando para fora de um abismo. — Mas preciso tirá-la daqui antes.

— O que quer dizer? — perguntou Liz. — O que isso tem a ver comigo?

— Saquearam seu escritório — contou Peter. — E talvez já tenham encontrado seu apartamento.

Antes de poder pará-la, Liz saiu correndo pela rua. Peter alcançou-a assim que ela parou do outro lado da rua em relação à sua casa. Um painel de vidro na porta de entrada fora quebrado e uma janela do segundo andar estava aberta. Embaixo da janela, várias pilhas de livros e papéis estavam na calçada. Liz ficou parada de olhos arregalados diante da cena. Com medo de que Thomas e Júlia ainda pudessem estar no apartamento dela, Peter escorregou o braço em volta de Liz e levou-a mais para a frente naquele quarteirão.

— Precisamos sair de Londres — ele avisou quando tinham virado a esquina. — Agora.

— Meu carro está na próxima rua — informou Liz, em voz baixa, e ela levou sua mão até a de Peter e puxou-o quarteirão abaixo. Quando tinha entrado devagar com seu Citroën na fila de trânsito que subia a Haverstock Hill na direção de Hampstead, ela perguntou a Peter para onde eles iam.

— Kingham — declarou Peter, que já pensara um pouco no assunto.

Mesmo que significasse voltar para os assassinos, ele pensou que poderia manter o fingimento de estar fazendo negócios com John Alderson por tempo suficiente para resolver o mistério do *Pandosto* e talvez encontrar alguma evidência que o exonerasse e envolvesse Júlia Alderson e Thomas Gardner no assassinato de Sykes.

Foi apenas quando já estavam a caminho que Liz perguntou:

— Eles estavam atrás do quê?

— Estavam atrás do manuscrito de Sykes — respondeu Peter. — Não encontraram no chalé porque ele já tinha enviado para você. Presumo que não tenham achado no seu escritório, ou não teriam vindo para o seu apartamento, a menos que...

— A menos que o quê? — disse Liz.

— Bem, eles não apenas tentaram pegar o manuscrito de Sykes, eles o mataram... Acho que porque ele sabia o que havia lá. Não será tão ruim se tiverem encontrado o manuscrito no seu apartamento. Apenas fico feliz por não a encontrarem.

— Eles também não encontraram o manuscrito — disse Liz.

— Como você sabe? — questionou Peter.

— Porque eu passei a manhã em Hampstead Heath lendo o texto — contou Liz, colocando a mão dentro da bolsa e puxando um maço de folhas amarradas. — Está bem aqui.

Ridgefield, 1986

Nos dois dias anteriores, Peter repassara na cabeça cem vezes a conversa que ele e Amanda haviam tido apenas algumas semanas antes, na noite em que ela lhe dera o Volvo. Depois de uma segunda rodada fazendo amor, eles estavam deitados um ao lado do outro, suas mãos unidas sem agarrar, olhando para o teto.

— Você gosta de ser filho único? — Amanda perguntara.

— Não sei — respondeu Peter. — Acho que, se tivesse um irmãozinho, teria alguém para conversar. Eu poderia ser mais... socializado. Mas também me preocuparia com ele crescendo naquela casa. Sou bom em me preocupar.

— Eu gostaria de ter uma irmãzinha — disse Amanda.

— Não uma irmã mais velha? — indagou Peter.

— Não. Acho que, como eu fui a primeira, sempre pensei que outra pudesse nascer. Nunca sonhei com uma mais velha, mas costumava desejar ter uma irmã mais nova. Para eu cuidar, sabe? Quero que meus filhos tenham irmãos.

— Quantos? — questionara Peter, após uma longa pausa.

— Quer dizer quantos filhos eu quero ter?

— É.

— Três ou quatro — contou Amanda. — Se os três primeiros forem meninos, posso tentar mais uma vez para ter uma menina.

— Então você gostaria de ter meninas? — Peter perguntou, de repente vendo a si mesmo e Amanda caminhando por um parque com dois bebês de cabelos escuros usando vestidos rosa com frufrus. Ele achou a imagem igualmente assustadora e cativante.

— Eu gostaria de pelo menos um de cada — declarou Amanda. — Mas sou realista. E você?

— Eu gostaria de ter qualquer criança que tenha você como mãe — disse Peter, e Amanda deitou a cabeça no peito dele e caiu no sono quase no mesmo instante.

Depois disso, Amanda às vezes soltava um comentário aparentemente impensado — mesmo Peter sabendo que ela não era de fazer isso — sobre querer que a filha fizesse aulas de balé ou esperar que o filho tentasse matrículas em outras escolas que não Ridgefield. Peter começou a pensar em si mesmo como um pai que ficaria em casa, escrevendo catálogos de livros antigos no seu *home office* enquanto as crianças cochilavam.

Mas ele estava então sentado ao lado da cama de uma mulher que nunca poderia ter filhos e acordou-a com delicadeza.

— Como está se sentindo? — perguntou.

— Melhor — disse Amanda. — Mais forte. Acho que consigo me sentar.

Peter apertou um botão e a cama levantou Amanda até uma posição sentada.

— Não tão ereta quanto você gosta — comentou Peter.

— Ainda assim — falou Amanda —, sinto-me mais humana.

— Precisamos conversar — disse Peter.

— Não parece bom — declarou Amanda. — Além disso, achei que fosse a mulher quem usasse essa frase.

— Algumas coisas aconteceram enquanto você estava doente.

— Peter, você está me assustando. Alguém morreu?

— Ninguém morreu — disse Peter. — É só que você teve uma infecção muito ruim.

— Mas disseram que ela está sumindo.

— E está. Está sumindo. Você vai ficar bem. É só que...

— Não vou ficar bem, vou?

— A infecção chegou aos seus ovários — contou Peter, pegando a mão dela. — Teremos de repensar a ideia de ter filhos.

— Ah — disse Amanda suavemente, virando o olhar para longe de Peter pela primeira vez na conversa.

Ela olhou para fora da janela, para o céu de azul pálido de verão, por um longo minuto antes de Peter puxá-la de novo em sua direção. Ele não fez nenhuma tentativa de limpar as lágrimas que caíam pelo rosto dela.

— É só que eu...

— Eu sei — disse Peter. — Nós dois.

Eles ficaram sentados em silêncio por bastante tempo, a mão de Amanda apoiada sem energia sobre a dele. Peter achou que devia dar uma chance de ela processar a notícia antes de ele ir em frente. Por fim, quando não conseguia mais suportar o silêncio, disse:

— Também tem outra coisa. Uma notícia boa.

— Seria bom ouvir notícias boas — falou Amanda, forçando um sorriso enquanto passava a manga pelos olhos.

Peter apertou a mão dela com mais firmeza e saiu da cadeira.

— Você perdeu alguma coisa? — perguntou Amanda quando ele ajoelhou no chão ao lado dela.

— Sim — disse Peter. —Há cerca de dois anos, perdi meu coração.

— Peter, o que está fazendo?

— Amanda Ridgefield — disse Peter, que, para sua surpresa, não sentiu pânico, mas uma enorme paz quando falou —, quer se casar comigo?

Amanda começou a chorar de novo, mas Peter pensou ter visto um sorriso por trás das lágrimas. Ele se levantou e tirou um anel do bolso.

— O que acha? — perguntou.

Antes que ela pudesse interrompê-lo, ele colocou o anel no seu dedo.

— Peter, é... é lindo.

Ela estava soluçando, e Peter esperou pacientemente que ela se recompusesse. Depois de alguns instantes, ela tirou a sua mão da mão dele e pegou um lenço de papel.

— Não quero que se case comigo porque está com pena de mim — ela afirmou.

— Não sinto pena de você — garantiu Peter. — Olhe, nós podemos adotar, podemos fazer todo tipo de coisa. Estou preparado para fazer várias coisas para que você seja... que nós sejamos felizes. A única coisa para a qual não estou preparado é para sair deste quarto sem ser o seu noivo.

— E não é um pedido por compaixão?

— Amanda, você me conhece. Você nos conhece. Você sabe o quanto eu a amo. Por que acha que tenho comprado e vendido todos aqueles livros? Para ganhar dinheiro para isto.

Ele apontou para o anel, que já parecia uma parte natural da mão dela.

— De verdade? — disse Amanda.

— De verdade — disse Peter.

— Então tudo bem, Peter Byerly. Sim.

Embora Peter ficasse triste com frequência por causa da cicatriz deixada no coração de Amanda por não poder engravidar, nunca se arrependeu de ter escolhido aquele momento para pedir a mão dela. Tinha planejado comprar o anel depois de ter vendido todo o conteúdo de livros do Volvo e fazer o pedido no Dia das Bruxas, na Sala Devereaux, mas sentiu a necessidade de contrabalancear a tristeza de Amanda, e da família dela, com alegria. Charlie e Sarah ficaram quase tão felizes quanto Amanda quando viram o anel no dedo da filha e ouviram a notícia.

— Vou chamá-lo de “filho” agora — disse Charlie, dando um tapinha nas costas de Peter, em um gesto que não conseguiu esconder a intensidade da sua emoção. — Espero que não se importe.

— Não — respondeu Peter. — Nem um pouco.

Peter levou Amanda para casa cinco dias depois. Ele passou o restante do verão no quarto de hóspedes da casa Ridgefield, ajudando a cuidar da noiva até ela se curar. Amanda pareceu voltar ao que era, sentando-se no escritório para ler, rindo e provocando Peter na cozinha e em volta da piscina, e até fazendo amor quando seus pais foram passar o fim de semana em Nova York. Porém, daquele momento em diante, houve entre Amanda e Peter uma barreira não dita, que não existira antes, em torno do assunto filhos. Ele quase nunca reparava, mas, de vez em quando, quando eles viam um bebê em um restaurante ou passavam por um canal que exibia um filme da Disney, Peter sentia o leve constrangimento, como se fossem amigos que se viram nus sem querer. Peter aprenderia que o casamento ganha cicatrizes assim, mas era a mácula na intimidade completa deles — ainda mais que a infertilidade de Amanda — que o machucava. O fato de nunca ter tido coragem de conversar com Amanda sobre aquilo era algo de que se arrependeria pelo resto da vida.

Kingham, 1876

Quando seu filho nasceu, Phillip Gardner já tinha, enfim, persuadido Isabel a ser racional, ainda que isso não tivesse sido fácil. Nas primeiras várias vezes em que ele a visitara depois do encontro na Fortnum's, ela insistira que não queria dinheiro dele, mas carinho e um pai para seu filho. Ele explicara que eram as duas coisas que ele não podia oferecer. Foi a Srta. Prickett, no final das contas, quem ajudou Isabel a ver que a situação não tinha esperança, e por isso Phillip ficara grato.

Quando a criança estivesse com idade suficiente para viajar, ficou decidido que Isabel voltaria para a América. O bebê seria apresentado como uma criança abandonada que Isabel encontrara do lado de fora da escola de arte e de quem a Srta. Prickett não tivera meios de separá-la. Isabel admitira que seus pais estariam dispostos a adotar o pequeno e criá-lo como parte da família. Enquanto isso, Phillip estaria disponível para o que quer que Isabel precisasse, dentro de limites razoáveis. Ele conseguiria um médico, se fosse necessário, e concordou em pagar uma quantia regular não para Isabel, que não aceitaria, mas para a Srta. Prickett, que a usaria para comprar roupas e outros itens para o bebê.

Isabel podia continuar entrando em contato com ele por meio de Benjamin Mayhew, mas Phillip instruíra Mayhew a não mandar as mensagens para Kingham. Ele encontraria uma desculpa para ir a Londres e visitar o livreiro pelo menos uma vez por semana; para o que quer que precisasse de atenção mais imediata, a Srta. Prickett teria de servir.

Desde a conversa deles na Fortnum's, Phillip e Isabel continuaram a se encontrar regularmente, embora esses encontros fossem completamente castos. Conforme Isabel chegava aos últimos meses do seu confinamento, as visitas de Peter às acomodações dela eram em geral limitadas a uma breve conversa com a Srta. Prickett sobre a saúde de Isabel. Quanto às suas necessidades físicas, Phillip sentiu-se curiosamente desinteressado dessas atividades desde que descobrira a condição de Isabel. Ele evitava o Covent Garden.

A criança, conhecida pelo pai apenas como Phillip, nasceu em uma fria manhã no final de novembro. A Srta. Prickett mandou uma carta a Benjamin Mayhew imediatamente, mas Phillip havia acompanhado a Sra. Gardner em uma viagem a Yorkshire para visitar a sobrinha e chegou a Londres apenas um pouco antes do Natal. Na primeira vez em que ele colocou os olhos no seu único filho, o menino tinha três semanas de idade. Isabel expressara, durante a prolongada ausência de Phillip, um desejo intenso de não ver o pai do seu filho e, assim, a Srta. Prickett levara o bebê adormecido até a sala de estar, onde ofereceu o pacotinho a Phillip.

— Acho melhor você segurá-lo, Srta. Prickett — Phillip dissera.

Ele ficara aterrorizado com a ideia de uma criança tão pequena ser oferecida por sua babá *de facto* para aquele que era um total estranho.

— Acho que tem razão, Senhor Gardner.

Ela se sentou com a criança nos braços por alguns minutos e, depois, voltou ao quarto do bebê. Na ausência dela, Phillip saiu da casa.

Caminhando pelas ruas frias de Londres até o Parque Hyde, onde havia certa vez passeado com tanta inocência com Isabel sob o sol do verão e, depois, pelo longo caminho até a Praça Trafalgar e subindo a Fleet Street até o escritório de Mayhew, Peter decidiu que não devia ver o filho de novo. Mal dera uma olhada no rosto do menino, mas ver a criança, ficar cara a cara com a realidade do que tinha acontecido, deixara-o dividido. Aquela evidência dos seus pecados causara-lhe o sentimento mais horrível de vergonha e nojo que já experimentara. Ao mesmo tempo, estava tomado pela sensação de ligação que sentia com aquele bebê tranquilo. Era seu filho, seu herdeiro por direito, que ele nunca conheceria. Phillip não podia suportar a ideia de voltar à escuridão emocional que existia naquele estreito espaço entre amor e vergonha. Em alguns meses, Isabel e o menino iriam embora para sempre. Até então, ele devia evitar Londres.

O vento que soprava de Churchill uivava pelos beirais da Casa Evenlode em uma tarde de março, enquanto o sol estava baixo no céu azul pálido de Cotswold. Phillip não tinha inveja dos trabalhadores que estavam colocando pedras bem alto no último andar da nova ala oeste. A Sra. Gardner estava novamente em Yorkshire visitando a sobrinha, que não estava bem. Phillip ficara para trás a fim de supervisionar o trabalho, embora naquele dia precisasse de pouca supervisão e tivesse ficado no escritório o dia todo, respondendo a correspondências e lendo. Havia acabado de colocar outra tora no fogo e se acomodado em sua poltrona favorita quando a faxineira — ela era nova e Phillip *continuaria* esquecendo seu nome — apareceu na porta, silenciosa como um fantasma.

— Sim, o que foi? — disse Phillip, incomodado com a perturbação.

— Uma jovem e sua acompanhante vieram vê-lo — ela falou. — Como não conheço a jovem ou o que deseja, pedi que ficasse à porta. Elas têm um... Bem, eu não sabia se o senhor iria querê-la na sala de visitas.

• • •

De uma janela do andar de cima da Mansão Evenlode, Reginald Alderson espiou pelo visor de um longo telescópio de latão, direcionado para a porta de entrada do vizinho a 2,5 quilômetros de distância. Provou ser útil pagar algumas libras ao gerente da estação de trem para informá-lo quando a Sra. Gardner saísse da vila, mas ele desejava que ela tivesse ido antes. Ainda assim, Reginald era um homem paciente. Fora paciente todos aqueles dias em que seguira Phillip pelas ruas de Londres e fora recompensado ao vê-lo conversar com uma jovem americana da Academia Real. Fora paciente ao seguir a garota e descobrir onde estava morando. Fora paciente ao esperar a acompanhante da garota tirar um dia de folga, um dia quando ele se sentara perto da Srta. Prickett no trem para Brixton e tivera a primeira de muitas conversas úteis.

— Que coincidência — ele dissera — eu fazer este caminho para Brixton toda quinta-feira também.

Ele fora paciente ao esperar que a Sra. Gardner fizesse uma viagem longa sem o marido, mas, assim que ela partira, a fase final de seu plano entrou em ação. Phillip Gardner escrevera uma carta mal-educada a Reginald dois anos antes, não muito tempo depois de ter se casado com a Sra. Gardner, oferecendo-se para comprar a coleção de documentos históricos dele. Por sorte, Reginald guardara aquela obscenidade e tivera pouca dificuldade para copiar a letra ao escrever a carta que chamara Isabel, a Srta. Prickett e a criança para a Casa Evenlode. Quando Gardner as expulsasse, pois deveria saber que a Sra. Gardner voltaria naquela noite, Reginald convenientemente as encontraria logo do lado de fora do portão e ofereceria à sua querida amiga Srta. Prickett e aos jovens de quem cuidava alojamento para aquela noite. Depois que o trio estivesse acomodado na Mansão Evenlode, o resto seria fácil.

Ridgefield, 1986

No começo do outono do seu último ano em Ridgefield, Peter estava lendo uma tarefa para sua aula de História Medieval na Sala Devereaux quando Francis Leland largou uma caixa de papelão empoeirada na mesa em frente a ele.

— O que acharia de ganhar algumas horas extras este ano? — perguntou Francis.

— Há mais horas no dia? — falou Peter.

Ele já estava passando a maior parte do tempo em que estava acordado ou nas aulas, ou na biblioteca. Francis o fazia trabalhar 15 horas por semana nas Coleções Especiais, e ele trabalhava com Hank na Conservação quando podia. Seu tempo ficara mais limitado conforme trabalhava para cumprir seus requisitos acadêmicos. O reitor ficara cansado de Peter inventar aulas; naquele semestre, ele estava fazendo a carga total dos cursos de Letras, História e Economia.

— Bem, há mais seis caixas de onde esta veio, e acho que é hora de catalogarmos esse material — disse Francis. — Dadas as suas... circunstâncias especiais e seu talento para catalogar, é o homem perfeito para o trabalho.

— O que são? — Peter perguntou, sua curiosidade nas alturas.

— As cartas e os papéis pessoais da Senhora Amanda Devereaux — explicou Francis.

— Fala sério? — disse Peter, pulando na caixa. — Por que não me falou sobre eles antes?

— Para ser sincero — começou Francis—, eles não são prioridade. Os pesquisadores estão mais interessados na coleção da Senhora Devereaux do que na dama em si. Mas agora que você vai entrar para a família, pensei que gostaria de aprender sobre catalogar manuscritos e Amanda Devereaux ao mesmo tempo.

— Pode apostar que sim — declarou Peter, abrindo a caixa enquanto seu texto de história ficava na mesa, esquecido.

Nos vários meses seguintes, Peter trabalhou nos papéis de Devereaux, examinando com cuidado a correspondência com colecionadores e negociantes de livros. Todo dia, contava a Amanda algo novo sobre sua avó, e Amanda incentivava a paixão dele em silêncio, apesar de não conseguir acompanhar o labirinto de colecionadores e negociantes com quem a avó interagira. Aos sábados, quando ele e Amanda passavam a tarde na casa dos Ridgefield, Peter sentava-se ao lado da piscina ou na varanda fechada regalando Sarah Ridgefield com contos sobre a coleção da mãe. Sarah tinha um interesse genuíno no que Peter descobria.

— Quando eu atingi idade suficiente para entender o que era colecionar livros, ela já tinha desacelerado um pouco — Sarah falou. — Lembro-me daquela viagem para a casa de leilões em Nova York, mas, tirando isso, ela não compartilhava essa parte do seu mundo comigo.

— Mas você nem olhou os papéis? — perguntou Peter.

— Não adiantaria nada sem você para explicar quem era Rosenbach ou Huntington ou qualquer um dos outros. Você é um excelente guia, Peter — disse Sarah, beijando-o no rosto.

— Eu estava lendo a correspondência dela com Henry Folger esta manhã — contou Peter.

— Você está falando do fundador da Folder Shakespeare Library? — indagou Sarah.

— Exato. Folger era *o* colecionador de Shakespeare. Parece que eles foram bons amigos. Acho que Folger poderia ser um rival terrível quando se tratava de colecionar livros, mas as cartas dele para a sua mãe eram bem gentis.

Amanda Devereaux, Peter descobriu, nunca fez uma oferta por um *Primeiro Fólio* de Shakespeare enquanto Folger estava vivo, uma cortesia para o amigo que colecionava dúzias de *Primeiros Fólios,* de longe o melhor conjunto do mundo. Uma carta para Amanda de Emily Jordan Folger, escrita duas semanas após a morte do marido, dizia, em parte, "Ele valorizava sua amizade e, sem dúvida, ficará contente se você enfim adquirir um *Primeiro Fólio*". Passaram-se mais de 15 anos para Amanda comprar o *Primeiro Fólio* que Peter lera com tanta frequência.

— Tantos dos grandes colecionadores eram gentis com ela — contou Peter — e a tratavam como uma igual... Ainda que colecionar livros, naquela época, fosse basicamente um clube de meninos. É claro que ela não pôde entrar no Clube Grolier. Ficou muito brava com isso.

— O que é o Clube Grolier? — perguntou Amanda, que acabara de entrar no aposento com uma expressão que dizia a Peter que ela estava determinada a não deixar Sarah monopolizar a conversa com seu noivo.

— É um clube de colecionadores de livros em Nova York — explicou Peter. — O mais antigo clube de colecionadores de livros da América; só aceitava homens até os anos 1970.

— Isso deve ter deixado a vovó puta — disse Amanda, escorregando para o sofá ao lado de Peter.

— Amanda! — disse Sarah. — Olhe o que fala!

Peter notara que, nos últimos tempos, o discurso de Amanda havia ficado mais colorido quando ela estava perto da mãe. Quando perguntou a ela a respeito, ela encolheu os ombros e falou que estava apenas tentando ver se a mãe iria reparar, mas Peter achou que tinha mais na história. Como os pais de Amanda não haviam ficado chocados com sua opção por um marido socialmente inadequado, ela estava determinada a assustá-los de outra maneira. Peter via aquilo como parte de um plano que Amanda parecia ter implementado desde sua doença para se colocar no mundo de Peter, em vez do mundo de seus pais, em todas as oportunidades. Ele presumia que os noivados serviam para aquilo — permitir que a noiva tivesse tempo para passar do mundo dos pais para o mundo do noivo —, e, é claro, Peter não estava surpreso por sua amizade com Sarah Ridgefield, que ameaçava tornar aqueles dois mundos um só, ainda incomodar Amanda às vezes.

— Desculpe, mãe — ela disse, pegando a mão de Peter e apertando-a um pouco. — Continue, Peter.

— Bem, ela ficou tão puta com o Clube Grolier — contou Peter, apertando a mão de Amanda de volta para deixá-la sabendo com quem, acima de tudo, estava a lealdade dele — que se tornou membro fundador do Clube Hroswitha.

— Do quê? — perguntou Sarah.

— Do Clube Hroswitha — repetiu Peter. — Era um clube para damas colecionadoras de livros nos anos 1940.

— Damas? — disse Amanda, com um toque de escárnio politicamente correto na voz.

— Era como as mulheres se chamavam em 1940, querida — respondeu Sarah.

— Elas se encontraram no apartamento da sua mãe em Nova York uma vez — Peter continuou. — Parece que o Clube Hroswitha ficou devidamente marcado.

— As moças da família sempre souberam o que fazer em uma sala cheia de livros raros — comentou Amanda, dando um beliscão secreto em Peter.

— O que você está querendo dizer com isso? — questionou Sarah, mas Peter foi poupado do constrangimento da resposta de Amanda quando Charlie os chamou para jantar.

Londres, terça-feira, 21 de fevereiro de 1995

Liz insistiu em ouvir o relato de Peter de sua viagem à Cornualha antes de compartilhar com ele o conteúdo do manuscrito de Graham Sykes, e, assim, enquanto eles avançavam lentamente pelo tráfego de Londres, Peter contou a ela sobre sua visita ao velho estudioso. Ele contornou a questão do *Pandosto*, dizendo apenas que Sykes ficara interessado no documento que ele mostrara, mas, à medida que dançava ao redor da verdade, Peter começou a ver que não tinha escolha a não ser confiar em Liz Sutcliffe. Querendo ou não, ela agora era parte da história.

— Não entendo — disse Liz. — O manuscrito de Graham fala de um escândalo de 130 anos de idade. Fora do mundo dos malucos por arte vitoriana, quem vai ligar? Não há nada lá pelo que valha... valha a pena matar alguém.

Peter tomou fôlego e, depois, mergulhou.

— Que tal a relíquia mais valiosa da história da literatura inglesa? Valeria a pena matar por ela?

— Quão valiosa?

— Milhões.

— E onde está essa relíquia? — perguntou Liz.

— No banco de trás do seu carro — respondeu Peter.

— Bem, agora me sinto segura — Liz falou. — Quer me contar o que está acontecendo aqui?

E Peter contou tudo, desde sua descoberta da pintura até a visita à Mansão Evenlode e a descoberta do *Pandosto*, e também sua suspeita de que Thomas Gardner e Júlia Alderson estivessem tentando encobrir o fato de que o *livro* era uma falsificação tempo o bastante para ganharem alguns milhões de libras de alguma inocente instituição americana, como a Universidade Ridgefield. Eles tinham chegado à M40 quando ele terminou a história, mas o tráfego estava quase parado.

— Então, se A.I. for um falsificador — começou Liz —, é muito provável que o *Pandosto* seja falso.

— Exato — disse Peter. — Então, o que você pode me dizer sobre A.I.? Ele era Phillip Gardner?

— Não sei — respondeu Liz.

— Mas pensei que Sykes tivesse escrito toda uma revelação do cara — comentou Peter.

— Para ser sincera — falou Liz —, fiquei um pouco decepcionada com o manuscrito. Parecia faltar alguma informação-chave.

— Como a verdadeira identidade do seu personagem? — perguntou Peter.

— Ele disse que não queria me contar isso até um pouco antes de o livro ir para a gráfica — explicou Liz. — Apenas o chamava de "Sr. X". Mas isto é o que eu sei: A.I. era um artista amador que foi deixado de fora da Academia Real e da Sociedade de Aquarelas por alguém chamado Reginald Alderson.

— O ancestral de John Alderson — afirmou Peter. — Então a história volta mesmo a Kingham. A.I. deve ser Gardner.

— De acordo com Sykes, A.I. casou-se com uma viúva rica que o mantinha em boa condição econômica e estava financiando a reconstrução da sua casa. Depois, ele se envolveu com uma mulher americana em Londres e cometeu o erro de engravidá-la. Um erro enorme para um homem sustentado pela esposa cometer em 1876.

— Igualzinho ao que as velhas irmãs me contaram — declarou Peter —, mas elas não sabiam da gravidez.

— Alderson descobriu o caso e começou a chantagear A.I., mas Sykes não foi muito claro quanto ao que Alderson estava extorquindo. Alderson tinha muito dinheiro, e a chantagem parece um grande risco para um homem rico correr simplesmente para ficar mais rico. Parece que a maioria da produção de A.I. está pendurada nas paredes da Mansão Evenlode, mas Sykes diz que são pinturas quase sem imaginação, aquarelas na maior parte, e, já que Alderson deixou A.I. de fora da Academia Real, por que teria extorquido pinturas que poderia ter comprado por quase nada?

— Sei exatamente o que ele extorquiu — afirmou Peter. — Segurei em minhas mãos.

— O *Pandosto*? — indagou Liz.

— Talvez — disse Peter —, mas não era a única coisa na Mansão Evenlode que veio da Casa Evenlode. Todos os documentos daquela caixa que Júlia Alderson mostrou estavam marcados com "C.E.". Alderson e Gardner eram colecionadores rivais; Alderson deve ter chantageado Gardner para ficar com seus melhores materiais.

— Um colecionador se rebaixaria à chantagem apenas para conseguir alguns documentos velhos? — Liz quis saber.

— Você não passou muito tempo com bibliófilos, né? — perguntou Peter.

Ele recordava-se dos grandes esforços aos quais Thomas Wise e Mark Hofmann tinham sido levados por causa de suas paixões. Talvez A.I. não fosse um falsificador, mas apenas uma vítima de chantagem. Talvez o *Pandosto* fosse genuíno.

— De uma coisa Sykes tem segurança — continuou Liz. — Das datas. Ele diz que a criança nasceu no final de 1876; a chantagem começou na primavera seguinte e continuou por dois anos. Depois, qualquer que fosse a trilha de evidências que Sykes estava seguindo, parece que secou. Por isso fiquei tão brava com o manuscrito.

Ele levanta mais perguntas do que respostas. O que aconteceu com a criança? O que aconteceu com a amante? Por que a extorsão durou tão pouco tempo?

— Onde Sykes conseguiu todas essas informações? — questionou Peter.

— Grande parte veio da correspondência de A.I. com seu vendedor de livros. Um cara chamado Benjamin Mayhew.

— Está falando sério? — disse Peter.

— Seriíssimo — respondeu Liz.

— Benjamin Mayhew é um dos nomes no *Pandosto*.

— Bem, faz sentido. Então, quem diabos foi A.I.?

— Tem que ter sido Phillip Gardner — falou Peter. — As evidências se encaixam perfeitamente. É óbvio que Sykes nunca viu a caixa de documentos, ou teria descoberto do que se tratava a chantagem.

— Você contou a ele sobre os outros documentos? — perguntou Liz.

— Não — garantiu Peter —, apenas o *Pandosto*. Para ser honesto, as outras coisas nem se comparam a ele.

— Há outra coisa que você precisa saber — começou Liz, depois de terem dirigido por alguns quilômetros em silêncio.

O tráfego enfim diminuíra na autoestrada, e eles estavam em velocidade na direção de Oxford.

— O quê? — perguntou Peter.

— Bem — falou Liz —, você parece convencido de que Thomas Gardner e Júlia Alderson foram os responsáveis por matar Sykes e saquear minha casa e meu escritório.

— Devem ter sido eles — declarou Peter.

— Bem, não poderiam ser os dois — contou Liz —, porque eu liguei para a Mansão Evenlode esta manhã de uma cabine telefônica em Hampstead quando voltava do parque e falei com Júlia Alderson. Ela não poderia estar em Londres saqueando meu escritório.

— Por que diabos você ligou para ela? — indagou Peter, sacudindo-se para a frente no seu assento pela primeira vez desde que tinham deixado Londres.

— Graham a mencionava nos seus agradecimentos como a pessoa que lhe mostrou as aquarelas de A.I. Eu quis tentar falar com ela para nos deixar reproduzi-las no livro.

— E o que ela disse? — perguntou Peter.

— Ela está me esperando para um chá amanhã às três da tarde.

Londres, 1877

Benjamin Mayhew deslizou para o seu assento de sempre no salão de vendas da Sotheby's. Do outro lado do salão, encostado na porta, estava a familiar e amedrontadora figura de Reginald Alderson. Olhando o catálogo da venda do dia, Benjamin refletiu sobre como a tarde seria decepcionante para Reginald. Benjamin sabia que Reginald colecionava documentos assinados por reis e rainhas da Inglaterra. Sabia, também, que a coleção de Alderson não tinha as assinaturas de apenas quatro monarcas, e todos eles estavam representados na venda daquela tarde: quatro documentos que sairiam da Sotheby's com Benjamin Mayhew, com destino à Casa Evenlode e à coleção de Phillip Gardner.

Benjamin levantou o olhar na direção de Alderson de novo e percebeu que ele não era, no final das contas, ameaçador, como queria parecer nessas inúteis aparições na Sotheby's. Pelo contrário, um sorriso suspeito brincava no rosto de Alderson conforme ele tirava uma mecha de cabelo da testa.

Conforme o leilão se desenrolava, o comportamento de Alderson ficou ainda mais estranho. Ele não saiu de seu lugar à porta nem levantou a mão para fazer ofertas por documentos que Mayhew sabia que ele cobiçava tanto. Deve ter sido uma decepção para o consignador, pois a competição animada entre Alderson e Mayhew levara os preços de documentos a novas alturas nos últimos tempos, e presumia-se, entre a maioria dos antiquários de Londres, que o leilão daquele dia não seria exceção. Em vez disso, Mayhew teve facilidade para comprar os quatro documentos reais, assim como vários outros itens muito interessantes, sem um adversário sério. Alderson parecia divertir-se com a situação. Assim que a última martelada foi dada, ele deu um toque no chapéu olhando para Mayhew e desapareceu do salão, que estava então ressoando com o burburinho dos comentários sobre a venda. Mayhew aceitou os parabéns dos colegas por mera formalidade, pois, por mais satisfeito que estivesse por ter novos tesouros para o seu melhor cliente, tinha a incômoda sensação de que Reginald Alderson estava tramando alguma coisa.

Dois dias após a venda na Sotheby's, Phillip Gardner apareceu em Londres para reivindicar seus prêmios. Longe de ser o exultante vencedor que Benjamin Mayhew costumava ver depois de um leilão bem-sucedido, Phillip cambaleou para dentro do escritório do livreiro como a imagem de uma terrível derrota.

— Você sabe que ganhamos — disse Mayhew, abrindo o grande portfólio em sua mesa e exibindo os documentos que passaram a pertencer a Gardner. — Algumas aquisições espetaculares, e a um preço excelente.

Phillip nem deu uma olhada nos documentos; com um longo suspiro, simplesmente caiu em uma poltrona fofa sob a janela.

— Conhece um camarada chamado Collier? — falou Gardner. — John Payne Collier.

— Conheço o trabalho dele — respondeu Mayhew, intrigado com o quanto aquela pergunta incongruente fora abrupta.

— Mas não o conhece pessoalmente? Não é cliente seu?

— Não — disse Mayhew. — Ele ainda está vivo? Deve ser um homem bem velho agora. Estava morando em Maidenhead, foi a última notícia que tive. Sempre houve uma mancha no trabalho dele depois daquela história com o livro de Shakespeare.

— Ele forjou as anotações nas margens, certo? — perguntou Gardner.

— Parece que sim. Eu era jovem na época, tinha acabado de começar no mundo dos livros. Causou uma boa agitação, posso afirmar.

— E ele mora em Maidenhead, você disse?

— Acho que, se ele ainda estiver vivo, talvez ainda more lá. Por que o interesse repentino em Collier?

— Estive pensando em começar uma coleção de livros sobre falsificações — contou Gardner.

— É algo bem diferente.

— De forma alguma — disse Gardner. — Parece-me que um homem que coleciona documentos deveria saber tudo o que puder sobre falsificações, nem que seja para se proteger.

Benjamin sabia o suficiente sobre a excentricidade dos colecionadores para não questionar as motivações por trás de uma nova paixão, mas apenas pegar aquele novo interesse como uma oportunidade para mais vendas.

— São só as falsificações de Shakespeare que lhe interessam ou qualquer falsificação? — perguntou Mayhew.

— Qualquer uma, eu acho — respondeu Gardner. — Há outros falsificadores de Shakespeare?

— Acho que posso conseguir para você uma bela coleçãozinha de livros sobre William Henry Ireland — afirmou Mayhew. — Ele era o melhor. Manuscritos forjados, cartas e todo tipo de coisa. Ele não tinha vergonha nenhuma.

— E esses livros me diriam como ele fez as falsificações? — perguntou Gardner, e, pela primeira vez na conversa, Benjamin Mayhew suspeitou saber o que seu cliente estava pensando.

Ridgefield, 1987

O campus de Ridgefield estava uma confusão de cornisos e azaleias, e os estudantes tinham voltado do feriado de Páscoa usando short e camiseta quando Peter tirou a última pilha de cartas da última caixa de papéis de Amanda Devereaux e, enfim, encontrou algo que não podia compartilhar com Sarah e Amanda; uma correspondência que, única entre os papéis que ele catalogara, mostrava Amanda Devereaux não como colecionadora de livros, mas como mulher: a correspondência entre ela e seu futuro marido, Roberto Ridgefield.

Eles haviam se conhecido em um salão de vendas da Sotheby's em Nova York, onde o primeiro encontro de Robert Ridgefield com Amanda Devereaux o deixara tanto derrotado em um leilão quanto cativado. Ela acabara de completar 40 anos; ele era 20 anos mais velho. Eles trocaram cartas primeiramente sobre livros; Ridgefield não era um colecionador sério, mas às vezes fazia uma oferta por algo que lhe agradava. Eles se viram em Nova York, onde Ridgefield morava durante a maior parte da temporada. Amanda gostava de estar no salão de leilão para vendas importantes, e Ridgefield logo aprendeu a seguir as programações na Sotheby's e na Parke-Bennet para não perder uma chance de encontrá-la. Declarações de amor invadiram aos poucos as cartas de Ridgefield para Amanda Devereaux; as cartas dela para ele tratavam na maior parte de assuntos de bibliografia, mas ela não rejeitava os avanços epistolares dele nem os convites cada vez mais frequentes para eventos sociais. Essa dança delicada entre o velho banqueiro e a brilhante colecionadora de livros culminou na primavera de 1939. A última carta da coleção, que Peter sentiu-se levado a esconder tanto de Sarah Ridgefield quanto de sua filha, estava datada de 2 de maio.

Meu caro Senhor Ridgefield,

Escrevo para responder ao seu gentil pedido do dia 25, pelo qual agradeço. Por muitos anos, considerei-me uma solteirona e não pensei em casamento, sendo meus livros tanto marido quanto filhos para mim. No entanto, conforme me aproximo da idade após a qual tais posicionamentos não podem ser revogados, começo a sentir que não apenas um marido de carne e osso, mas crianças também de verdade, se for da vontade de Deus, enriqueceriam minha vida de uma forma que meus livros, por mais preciosos que possam ser para mim, nunca fizeram.

É minha potencial aquisição destes últimos que me leva a escrever para você. Durante anos, ignorei os protestos tanto da família quanto dos amigos de que a vida de uma mulher não pode ser completa sem filhos. Eu me imaginava uma "mulher moderna" acima de tais coisas. No entanto, em anos mais recentes, gradualmente passei a concordar com um grande colecionador meu compatriota que, certa vez, disse-me que os filhos eram a maior bênção da vida dele e que a ausência das crianças na minha seria minha maior tristeza.

Você não é um homem jovem, Senhor Ridgefield, e, embora possa representar minha única oportunidade de acrescentar um marido à minha coleção, eu não poderia em sã consciência aceitar sua proposta sem dizer que, neste momento avançado da minha vida, pois eu completei quatro décadas, como você sabe, tenho um grande desejo de maternidade, que eu esperaria ser honrado por qualquer marido. Na sua idade, pode não gostar da ideia de ser pai e eu entenderia perfeitamente seus sentimentos nesse caso. Se, contudo, você estiver disposto a me dar a chance da maternidade, eu aceitarei, com humildade e afeto genuíno, seu pedido de casamento.

Afetuosamente,
Amanda Devereaux

Ridgefield obviamente concordara com os termos da Srta. Devereaux para aceitar o pedido; 11 meses depois, Sarah Ridgefield nascera. Porém, o coração de Peter sofria pela neta da Srta. Devereaux quando lesse aquela carta. Não importava o quanto Amanda fingisse não estar incomodada pelo fato de não poder gerar filhos, Peter sabia que chegaria o momento em que ela sentiria o mesmo vazio que sua avó sentira. No entanto, para Amanda, não haveria banqueiro rico esperando na coxia para lhe dar uma prole. Haveria apenas Peter, tentando ajudá-la a lidar com a perda.

Duas semanas depois de guardar a última pasta com os papéis de Amanda Devereaux na caixa de armazenamento do arquivo, Peter Byerly formou-se em Ridgefield.

— Mais um ano e será sua vez — disse Peter quando Amanda o encontrou na multidão e admirou sua beca.

Charlie Ridgefield deu-lhe um tapinha nas costas e Sarah beijou-o no rosto. Os pais de Peter chegaram atrasados e perderam a cerimônia.

Durante três anos, Peter tivera sucesso em evitar que seus pais e os pais de Amanda ficassem cara a cara; um esforço no qual ele fora auxiliado pela apatia de sua mãe e seu pai. Os Byerly tinham encontrado Amanda duas vezes: uma no campus e outra quando ela insistira que Peter a levasse para casa no jantar de Ação de Graças. Nas duas ocasiões, ele a apresentara apenas como Amanda e não fizera menção à sua família rica.

A mansão dos Ridgefield e a casa de fazenda dos seus pais estavam em vários acres de terra sem uso e tinham apenas 13 quilômetros de distância entre si, mas os habitantes daquelas residências não poderiam ter vindo de mundos mais diferentes. Duas horas depois da formatura, na recepção realizada para ele por Amanda e seus pais, os dois mundos colidiram.

O pai de Peter, Joseph Byerly, parecia tenso e desconfortável em um terno antiquado e uma gravata mal amarrada, que a esposa, Doreen, obviamente o forçara a usar para a ocasião. Ele ficou em um canto do quintal, perto da única coisa no mundo dos Ridgefield que ele entendia: o bar. A presença não intrusiva, ainda que cada vez mais embriagada, do pai era bem melhor do que a da mãe de Peter, cujo vestido de uma bagunça verde-limão parecia feito com as cortinas de um *trailer* usado como casa. Doreen Byerly passou pela multidão de professores, parentes, recém-formados e membros da família Ridgefield como se fosse a anfitriã.

— Aquele é o meu filho, Peter — ela dizia para qualquer pessoa que ouvisse, em voz alta o bastante para ser escutada da rua. — Ele está noivo de Amanda Ridgefield, sabe? Tudo isso será dele um dia.

Após horas disso, Peter buscou refúgio no quarto de hóspedes, onde Amanda o encontrou.

— O convidado de honra está escondido? — ela provocou, empurrando-o para a cama e beijando-o com força nos lábios.

— Tem certeza de que quer entrar nesta família? — perguntou Peter, fazendo um sinal na direção da porta.

Ele estava imaginando seus pais morando na casa de hóspedes e assustando os netos quando se lembrou de que não haveria netos.

— Estou disposta a aceitar o que é bom mesmo com o que é um pouco constrangedor — respondeu Amanda.

— Não se preocupe, pedirei ao meu pai que não traga minha mãe aqui até o casamento. Falarei assim que ele ficar mais sóbrio — avisou Peter, rindo enquanto Amanda puxava seu cinto. — Isso deve acontecer mais ou menos em 1995.

— Pais são constrangedores mesmo — afirmou Amanda, escorregando uma mão para dentro da calça de Peter.

— Você sabe que todas as *socialites* de Ridgefield estão do outro lado daquela porta — disse Peter.

— Se elas soubessem — falou Amanda — o que a bem-arrumada e comportada Senhorita Amanda Ridgefield está aprontando no quarto de hóspedes com um universitário formado.

Quando Peter e Amanda voltaram para a festa meia hora depois, o Sr. e a Sra. Byerly tinham ido embora.

No final das contas, eles não iriam ao casamento. Dois meses depois da formatura de Peter, seu pai saiu de caminhonete com a esposa e duas garrafas vazias de uísque escocês, na I-40, a 150 quilômetros por hora. Na noite depois do funeral, enquanto Peter estava deitado nos braços de Amanda na estreita cama de solteiro da sua infância, ele foi tomado pela sensação de que era um filho sem pais prestes a se tornar um marido sem filhos. Apesar de seus pais terem sido, durante a maior parte da sua vida, um fardo ou um constrangimento; apesar de se ressentir com eles por sua negligência, às vezes até os odiasse, eles eram, apesar de tudo, seus pais. Por mais que tentasse fingir que eles não eram parte de quem ele era, sabia que perdera uma parte de si.

— Você nunca falava muito sobre eles — disse Amanda.

— Não.

— Pode falar comigo sobre o que quiser agora, sabia?

— Eu sei — falou Peter, apertando o braço de Amanda. — Por isso eu a amo.

— Você os amava?

Peter ficou olhando para o teto por bastante tempo antes de responder.

— Eu queria saber.

Oxfordshire, Inglaterra, terça-feira, 21 de fevereiro de 1995

Mais ou menos quando ele e Liz estavam serpenteando por Woodstock, passando os imponentes portões do Palácio de Blenheim, Peter olhou no retrovisor e viu Amanda no banco de trás. Ela piscou um olho para ele, mas, quando ele se virou para falar com ela, ela tinha desaparecido. No banco não havia nada além da bolsa de Peter, contendo seu futuro, fosse glória ou perdição.

— Ah, eu me esqueci de contar — disse Liz, puxando a atenção de Peter de volta para o banco da frente. — Descobri algo sobre W. H. Smith. Liguei para Lawrence ontem à noite. Ele é o palestrante de quem falei. É seu sobrinho-trineto, no final das contas.

— O que você descobriu?— perguntou Peter, que esquecera quase por completo aquela linha de investigação.

— Bem, se Shakespeare for parte desse mistério, não é surpresa Smith estar envolvido. Ele foi um dos antistratfordianos originais.

— Está brincando — disse Peter.

— Ele achava que Francis Bacon tinha escrito as peças de Shakespeare — contou Liz. — Ele escreveu um panfleto nos anos 1850, eu acho, e um livro pouco depois.

— E é o mesmo cara que administrava a cadeia de lojinhas de livros e era... Como você chamou? Lorde Comissário do Almirantado ou algo assim?

— Sir Joseph Porter, Cavaleiro Comandante do Banho em *H.M.S. Pinafore* — disse Liz, com uma risadinha. — O mesmo homem.

— Por que Smith acharia que Bacon escreveu as peças de Shakespeare se viu o *Pandosto*? — disse Peter.

— Ele viu? — questionou Liz. — O que a inscrição dizia exatamente?

Peter estendeu a mão para o banco traseiro e pegou a bolsa. Com cuidado, tirou o *livro* de seu envelope. Ele se encolhia de medo ao pensar nos perigos aos quais expusera aquele possível tesouro nos últimos dois dias. Delicadamente, abriu a capa e leu a anotação relevante da lista de donos.

— B. Mayhew para William H. Smith.

— Então, acho que Mayhew pode ter vendido livros para A.I. *e* W. H. Smith.

— Talvez — disse Peter.

— Não diz exatamente que Smith foi dono do livro, diz? — perguntou Liz.

— Mesmo que dissesse — falou Peter —, e se ele o encontrou depois de ter defendido Bacon?

— Pode ter sido constrangedor — comentou Liz.

— Imagine só — começou Peter, aquecendo-se para falar de seu conto hipotético. — Mayhew consegue o *Pandosto* de alguma forma. O nome anterior na lista é Robert Harley, que fora dono dele no início do século 18. Assim, ele ficou escondido em algum lugar por mais ou menos 150 anos.

"Mayhew conhece W.H. Smith, é seu cliente, e Mayhew não quer que Smith seja exposto ao constrangimento de ter sua teoria sobre Bacon refutada. Assim, manda fazer uma bela capa dobrável, porque não pode suportar deixar tal tesouro sem proteção. Ele era vendedor de livros, no final das contas... Iria quer preservar o *Pandosto*."

— Sim, eles são uma raça tão nobre — disse Liz, sorrindo.

— E, depois, esconde o livro na Casa Evenlode, imaginando que A.I. não descobrirá o que é e que ele ficará seguro e escondido até depois de Smith morrer.

— Parece um pouco arriscado — comentou Liz. — Digo, se A.I. era colecionador de documentos, saberia do que se tratava. E, se Mayhew queria mesmo escondê-lo, por que não destruí-lo?

— Não suportaria fazer isso — garantiu Peter. — Não se fosse um bibliófilo. Está no nosso sangue proteger coisas assim.

— Ah, certo, entendo quão corretos e morais todos vocês são. Mas e se Mayhew era um falsificador e fez essa falsa relíquia de Shakespeare para poder extorquir o extremamente rico W. H. Smith ameaçando desmentir sua teoria sobre Bacon? — perguntou Liz. — Não faria mais sentido?

— Mas nós achamos que A.I. era o falsificador mais provável — afirmou Peter. — Ele era o artista.

— Também era amigo de Mayhew. Para mim, está parecendo que você quer uma versão da história que permita que o *Pandosto* seja genuíno.

— Seria bom — Peter admitiu.

— E essa capa de que está falando? — indagou Liz. — Onde está?

— Deixei em casa — contou Peter. — Mas com certeza é do século 19, então tem de ter sido feita por um dos últimos nomes da lista... Ou para eles, de qualquer forma.

— E o que você vai fazer quando chegarmos a Kingham exatamente? — Liz quis saber. — Ir até Thomas Gardner e dizer "Oi, você é assassino e, se for, por quê?"?

Peter lembrou-se do seu último encontro com Thomas Gardner. Lembrou-se, também dos rumores sobre os quais as velhas irmãs de Kingham tinham falado, de que Phillip Gardner havia matado a esposa e a enterrado na capela da família, talvez com a amante.

— Eu com certeza gostaria de ver o lado de dentro da capela Gardner — respondeu Peter, quase para si mesmo.

— Espere um pouco... Acho que Graham pode ter visto — disse Liz.

— Está brincando — declarou Peter.

— Ele falou algo sobre passar por uma velha capela no campo quando estava fazendo a pesquisa. Disse que a coisa toda o deixou nervoso porque o cara que estava lhe mostrando o lugar carregou uma maldita espingarda o tempo todo.

— Thomas Gardner! — falou Peter. — Tem de ser.

— De qualquer modo — continuou Liz. —, Graham disse que passou uma hora examinando cada pedra da capela com Gardner ou quem quer que fosse.

— E ele encontrou o que procurava? — perguntou Peter.

— Não, ele disse que não deu em nada. Mas disse que ficou com a sensação de que o sujeito com a espingarda estava escondendo alguma coisa.

— Aposto que sim — disse Peter.

— Bem — falou Liz, enquanto virava na direção de Chipping Norton —, o que quer que façamos ao chegar a Kingham, teremos de entrar nessa capela.

Cambridgeshire, Inglaterra, 1878

Infelicidades pessoais faziam parte dos materiais de Benjamin Mayhew. Apesar de vender livros antigos para aqueles cujas vidas iam bem, com frequência adquiria produtos quando alguém perdia a carreira, a fortuna ou a vida. Naquela manhã, não era diferente, ele pensou, espalhando o *Times* em sua mesa e analisando os obituários. Ficou surpreso ao ver o nome de certo nobre cuja biblioteca ele visitara em muitas ocasiões. Benjamin lhe vendera alguns livros ao longo dos anos, mas não o suficiente, talvez, para ser o livreiro escolhido pela família. Ainda assim, lembrava-se bem de uma visita à impressionante casa em Cambridgeshire quando o filho mais velho da família parara na biblioteca e dissera:

— Ela terá de ser um pouco reduzida quando meu pai se for.

De fato, era uma biblioteca lotada, com tantos livros empilhados que poucos podiam ser encontrados quando necessário ou admirados como artigos belos quando não eram requisitados. Benjamin pegou o trem seguinte em King's Cross. O filho, de cuja observação sobre a biblioteca Benjamin se lembrava, reconheceu imediatamente a finalidade da visita.

— Temo que esteja atrasado — disse.

— Fiquei sabendo — falou Benjamin com compaixão. — Sentirei falta da amizade de seu pai.

— Você e meu pai nunca foram amigos — comentou o filho, sem emoção. — E eu quis dizer que você está atrasado para os livros. Meu pai me deixou vender quase metade da biblioteca há três meses.

Benjamin estremeceu por dentro, bravo por outro livreiro tê-lo derrotada no que era, sem dúvida, uma descoberta de tesouros.

— Você pode dar uma olhada nos livros de Shakespeare se quiser, no entanto. Meu pai insistiu em guardá-los até morrer, mas eu ficarei feliz em me livrar deles.

Benjamin lembrava-se da atitude do falecido cavalheiro em relação aos seus livros in-fólio de Shakespeare. A lenda da família, ele dizia, descrevia-os como *Segundo* e *Quarto Fólios*, respectivamente. Porém, ele, como o pai, recusava-se a permitir que fossem retirados da estante, ou mesmo tocados. Eram reverenciados como um tesouro de família, uma relíquia preciosa de glórias passadas, além dos limites para as presentes gerações. Se eram tão velhos quanto o homem descrevera, Benjamin poderia vendê-los quase com certeza para um dos seus ricos clientes americanos com um único telegrama. Ele seguiu o filho para a biblioteca significativamente emagrecida.

— Espero um preço alto — disse o filho. — Dê uma olhada e eu voltarei em meia hora. Tenho coisas mais importantes para cuidar do que livros velhos. Estão na última prateleira, embaixo do Gainsborough.

Virou-se e deixou Benjamin sozinho.

Com mãos trêmulas, Benjamin puxou com delicadeza da prateleira os bem apertados livros com o nome de W. Shakespeare na lombada. Ficou animado ao pensar que nenhuma outra mão tocara naqueles volumes por pelo menos uma geração. A encadernação estava em ótimas condições, e Benjamin suspeitava que tivesse sido refeita no início do século 18. Abriu o livro com cuidado no meio e ficou olhando abismado para as páginas. Não sabia se devia rir ou ficar bravo. Estavam completamente em branco.

Virou as páginas até o final do livro, sem encontrar uma única linha de letras. Voltando para a frente do volume, descobriu que tinha mesmo a página de título da edição do *Segundo Fólio* das obras de Shakespeare, publicado em 1632. As obras em si, entretanto, não estavam lá. Depois da página de título, havia oito páginas com parte do terceiro ato de *Otelo*. O restante do volume não era nada além de papel em branco. Não era de espantar que o pai do velho homem não tivesse desejado que ninguém tocasse em seus preciosos livros. Benjamin vira aquele truque de encadernação ser usado, antes, para fazer um panfleto ou outra peça fina parecer-se mais com um exemplar completo. Não podia acreditar que o senhor daquela mansão fora tão enganado pelo próprio pai. Deixou o livro de um lado e abriu o segundo volume, o que alegava ser um *Quarto Fólio* de 1685. Mais uma vez, a página de título estava correta e, conforme Benjamin passava as páginas, viu que todas tinham texto. Talvez o dia não fosse uma perda completa. Mas, à medida que começou a folhear o volume com cuidado, descobriu que faltavam várias peças. Sem *Hamlet*, *Rei Lear*, *Sonho de uma noite de verão* e *Conto de inverno*, um *Quarto Fólio* era pouco mais do que uma curiosidade. Benjamin não viu motivo para fazer nada além de rir, embora tenha tentado ser o mais silencioso possível, por respeito ao luto.

Estava prestes a recolocar os livros quando notou, bem no fundo da prateleira, um volume fino que fora aparentemente espremido entre eles. A julgar pela maneira como a metade final da encadernação estava pressionada, Benjamin supôs que o livro ficara lá pelo menos durante todo o tempo em que existiu a proibição de mexer nos exemplares de Shakespeare; talvez mais tempo. Aquela encadernação, gasta e estragada, parecia poder datar do século 17, ou mesmo antes. Abriu a capa devagar e com cuidado para ver se podia conter uma das peças que faltavam no *Quarto Fólio*.

Benjamin conhecia as obras de Robert Greene, vendera muitos panfletos de Greene para clientes britânicos e americanos, mas nunca vira um exemplar daquilo, a primeira impressão do romance *Pandosto*. Não foi o livro em si, no entanto, mas as anotações nas margens, que prenderam os olhos de Benjamin. Não demorou muito para deduzir exatamente o que estava segurando. Na palestra dada por seu amigo William Henry Smith, apresentando a teoria de Smith de que Francis Bacon era o autor das peças de Shakespeare, Benjamin ouvira-o dizer: "se alguém puder apresentar para mim uma única evidência da época que ligue William Shakespeare de Stratford às peças publicadas com esse nome, eu retratarei por completo o meu posicionamento". Depois, contudo, quando os dois homens estavam caminhando para o clube de Smith, ele confidenciara a Benjamin que "seria muito constrangedor se isso um dia acontecesse".

— Não se preocupe — Benjamin dissera. — Não vai acontecer.

Naquele momento, Benjamin estava sentado e debruçado sobre aquele exato documento. Como sobrevivera sem ser detectado por mais de 250 anos, ele não podia imaginar, mas não tinha dúvida de que, quando aquele *Pandosto* fosse a público, a humilhação de Smith viria logo em seguida.

Se Benjamin tentasse comprar o *Pandosto*, sem dúvida o jovem que logo voltaria à biblioteca descobriria do que se tratava e, sem demora, todos os negociantes de livros e colecionadores do mundo estariam correndo até a Sotheby's para um leilão bem público. Era improvável que ele, Benjamin, fizesse um centavo com o livro. Se, por outro lado, roubasse o livro para evitar o constrangimento de Smith, podia ser eventualmente recompensado pelo Lorde Comissário do Almirantado. Fechou o livro e colocou-o no meio do seu jornal.

— Não posso lhe oferecer o que esses livros valem — ele disse ao novo senhor da mansão alguns minutos depois, refletindo que era, de certa forma, verdade.

— Sinto por desperdiçar seu tempo, então — disse o jovem. — Pode sair sozinho.

Ridgefield, 1988

— Não me entenda mal — disse Charlie Ridgefield, dando um gole de *bourbon*. — Amo minha esposa. Você me entende porque a ama também, não?

— Ela é a única mãe que tenho agora — respondeu Peter, olhando seu copo vazio —, e ela me entende melhor do que minha própria mãe entendia.

Os dois estavam sentados em um canto escuro do quintal nos fundos da casa. Os outros convidados do jantar de ensaio para o casamento tinham, pouco a pouco, ido para a cama, alguns nos quartos vagos da casa e da casa de hóspedes, outros para o Marriot, no centro de Ridgefield. A cerimônia abarcaria três dias de eventos, que haviam começado com a formatura de Amanda. Peter não reparara no momento em que ele e o pai de Amanda foram deixados a sós, mas fazia pelo menos meia hora desde que a última pessoa saíra do quintal. Peter não podia adivinhar se Charlie Ridgefield havia planejado aquela confissão pré-casamento com o futuro genro ou se a conversa na qual ele se via fora mera confluência de oportunidades, emoções e Jim Beam, mas Charlie estava falando com mais liberdade com Peter do que já acontecera antes.

— Casar com uma Ridgefield... Bem, é um desafio — contou Charlie. — Esta é uma cidade pequena, Peter, e o mundo das pessoas tão ricas quanto os Ridgefield... é um mundo pequeno. Não importa o quanto você está apaixonado, há muitas pessoas que presumirão que você está se casando com uma Ridgefield por apenas um motivo.

— Dinheiro — disse Peter.

— Exato.

— Eu sei por que estou me casando com Amanda — afirmou Peter. — Não me importo de verdade com o que as outras pessoas pensam.

— Não? — perguntou Charlie. — Eu estava me formando em Administração na faculdade, e gosto muito de negócios. Quando casei e me estabeleci, decidi entrar no mercado de bancos e adorei. Adorei a ideia de poder começar de baixo e trabalhar para crescer e de que cada promoção que ganhasse seria algo que eu conquistaria com meu trabalho duro. Bem, assim que eles descobriram que eu era casado com Sarah Ridgefield, tudo isso saiu pela janela. Meu patrão supôs que eu não precisava de uma promoção, porque eu só trabalhava como hobby. Quando eu consegui uma promoção, todo mundo supôs que era por causa da minha esposa, não porque eu merecia. Eu era condenado se fazia e condenado se não fazia. Enfim, desisti e fui trabalhar no Banco Ridgefield. Lá, pelo menos, eu poderia continuar subindo os degraus, e, se as pessoas quisessem pensar que era por causa de quem eu era, bem, elas que se ferrassem.

Ele tomou outro gole de *bourbon*.

— Mas eu não vou entrar nos negócios — declarou Peter. — Acho que o mundo de vendas de livros antigos é um pouco diferente dos bancos.

— É? — disse Charlie. — Diga-me, Peter, por que quer ser vendedor de livros?

— É minha paixão — respondeu Peter. — Sei que pode parecer bobagem para algumas pessoas, mas é a maneira como quero mudar o mundo. Unir livros e pessoas que vão amá-los e preservá-los para a próxima geração.

— Sua paixão, exatamente. E você merece algum respeito por isso, certo?

— Acho que sim — falou Peter. — Como eu disse, nunca me preocupei com o que as pessoas acham de mim.

— Mas como você se sentiria se essas pessoas que você está unindo aos livros, as pessoas que compartilham da sua paixão, acharem que você é um riquinho que está apenas jogando um jogo? Se as mesmas pessoas que você quer usar para mudar o mundo olharem para você e não virem uma paixão... Na melhor das hipóteses, verão como um hobby, algo para passar o tempo entre partidas de golfe e bailes de debutantes.

— Estariam enganadas — declarou Peter, com a voz mais alta do que queria, porque, de repente, entendeu o que Charlie estava dizendo: que seu sonho de ser um membro respeitado da comunidade livreira poderia acabar no momento em que ele dissesse "sim".

— Pode apostar que estariam errados — falou Charlie. — Você sabe disso e eu sei disso, mas certo e errado não importam nesse esporte, filho. Tudo o que importa é o que as pessoas acham, e, quando elas descobrirem com quem você é casado, fim de jogo. Bem-vindo aos Ridgefield.

Charlie terminou sua bebida e ficou em pé.

— Nós nos veremos no altar, filho — ele disse, e cambaleou pelo quintal até a casa, deixando Peter sozinho na escuridão.

Peter e Amanda estavam deitados, sem fôlego e entrelaçados nas cobertas em sua terceira noite em Londres, sua quinta noite como marido e mulher. Os pais de Amanda tinham insistido em pagar pela lua de mel, e os recém-casados haviam aproveitado as passagens de primeira classe e a suíte no Ritz. Durante todo o tempo, Peter tentara, sem sucesso, esquecer a conversa com Charlie Ridgefield.

— As camas são incríveis — disse Amanda. — As camas são até mesmo melhores que o tapete da sala Devereaux.

— Nós já tínhamos feito amor em uma cama antes — lembrou Peter.

— Sim, mas estes são, tipo, lençóis de 800 fios. Eu te amo e amo esta cama.

— Posso fazer uma pergunta? — disse Peter.

— Pode me perguntar o que quiser, Senhor Byerly — respondeu Amanda. — Afinal, eu sou a Senhora Byerly. Gosto dessas palavras. Senhora Amanda Byerly entrelaçada nos braços do Senhor Peter Byerly e em um conjunto de lençóis de 800 fios.

— Você me amaria mesmo sem os lençóis de 800 fios? — perguntou Peter.

— É claro que sim. Do que você está falando?

— É só uma coisa que seu pai disse para mim na outra noite.

— Depois do jantar de ensaio? Meu Deus, eu sinto muito. Ele estava bêbado, não estava? Ele não costuma ficar bêbado, mas, quando fica, ele tende a ter mau humor.

— Ele não estava de mau humor — contou Peter —, apenas foi sincero.

— O que ele disse? — Amanda indagou, traçando círculos preguiçosos no peito de Peter com sua unha manicurada.

— Ele disse... Bem, acho que ele disse que as pessoas vão pensar que me casei com você por causa do seu dinheiro.

— Mas você sabe que não é verdade.

— Claro que sei — afirmou Peter. — Mas ele disse que as pessoas não vão... não vão me levar a sério... como vendedor de livros, eu quero dizer. Vão pensar que eu encaro isso apenas como um hobby, que estou vivendo do seu dinheiro.

— Bem, isso é bobagem — declarou Amanda.

— É? — falou Peter. — Se morarmos em uma casa grande e dirigirmos carros bacanas e voarmos de primeira classe para a

Inglaterra quando quisermos, as pessoas vão saber que não é a venda de livros que paga por tudo isso.

— O que você está dizendo é que meu pai é um homem sustentado pela esposa?

— Ele se sente assim às vezes, sim.

— Quando está bêbado — disse Amanda, rolando para longe de Peter.

— Olhe — Peter começou —, é ótimo não termos que nos preocupar com dinheiro, podermos morar onde quisermos e fazer o que quisermos, mas é só que...

— O quê?

— Eu gostaria de saber que podemos conseguir por conta própria. Que teríamos sucesso mesmo se você não fosse uma Ridgefield.

Amanda ficou deitada em silêncio por um longo momento.

— Peter — ela disse enfim —, você ainda me amaria se eu não fosse bonita?

— Você sabe que sim — Peter respondeu.

— E ainda me amaria se eu tivesse uma doença horrível ou se fosse aleijada?

— É claro.

— É claro que sim. Porque a minha aparência e a maneira como meu corpo funciona, tudo isso é parte de quem eu sou. Bem, ser uma Ridgefield é parte de quem eu sou também. Por muito tempo tentei negar isso, mas foi você quem me ajudou a entender que não era problema. E, agora, está me pedindo para esconder quem eu sou.

— Não estou pedindo para você esconder quem é — garantiu Peter. — Amo sua família, você sabe disso. E quero que ela seja parte da nossa vida. Apenas acho que seria bom tentar... Bem, viver com o dinheiro que ganharmos de verdade. Seria tão horrível começar em um apartamento como a maioria dos casais faz?

— Não — disse Amanda, com suavidade. — Não seria nada terrível.

Ela deslizou sua mão para a dele.

— Posso decorar o apartamento?

— Não se importa? — perguntou Peter. — Digo, se deixarmos o dinheiro da família de lado por ora?

— Peter, eu posso abrir mão de lençóis de 800 fios e voos de primeira classe e carros da moda e casa e de tudo o mais que venha com o dinheiro dos Ridgefield. Quero dizer, essas coisas são boas, mas quem se importa com o que é bom? Não é o dinheiro que importa para mim, é minha família e é você... em especial você. Eu o amo. Você, Peter Byerly, é tudo de que preciso.

— Mas estes lençóis são bons — disse Peter.

— É, acho que, se vou morar em um apartamento minúsculo e fazer compras no Kmart, com certeza preciso fazer amor mais algumas vezes nestes lençóis.

Ela o puxou para os seus braços, e Peter sentiu uma onda de amor tão intensa que pensou que iria explodir.

Kingham, terça-feira, 21 de fevereiro de 1995

Estava escuro quando Peter e Liz entraram em Kingham. Peter estava com medo de que alguém estivesse observando seu chalé e, assim, ele virou na West Street depois de passar pelo parque e dirigiu pela vila, parando com barulho no estacionamento de pedregulhos do hotel The Mill House. Peter nunca entrara no hotel, mesmo tendo passado por ele com frequência no caminho para a estação de trem.

Em uma pequena mesa de recepção no *foyer* de piso de pedra, ele pediu dois quartos e deu seu nome como Robert Cotton. Liz sugerira que, se o chalé estivesse sendo vigiado, o hotel local poderia não ser totalmente seguro também. Quando Peter foi pegar o cartão de crédito, ela o puxou para longe da mesa e sussurrou:

— Você nunca assiste a dramas sobre crimes? Os cartões podem ser rastreados, sabia? Quanto dinheiro você tem?

No final das contas, Peter só tinha dinheiro para um quarto e estava pensando que o King's Head, a 1,6 quilômetro dali, em Bledington, podia ser mais barato quando Liz adiantou-se e disse, em um sotaque americano incrivelmente convincente.

— Um quarto com duas camas, por favor. Meu irmão e eu estamos acostumados a dividir.

Peter caiu na cama, exausto, assim que fecharam a porta, mas Liz ficou andando em frente à janela, que ela abrira para deixar entrar o ar frio da noite.

— Todas as respostas estão lá fora — ela disse, olhando a escuridão. — Vou enlouquecer se só ficar aqui sentada a noite toda.

— Você poderia dormir — Peter sugeriu.

— Está brincando? — perguntou Liz. — Nunca estive tão acordada.

Ela se inclinou para fora da janela e respirou fundo.

— A propósito — disse —, obrigada por vir me resgatar. Foi muito galante.

Ela se sentou na ponta da cama de Peter e lhe deu um beijo na bochecha.

Peter nunca pensara em si mesmo como galante, mas achou o beijo surpreendentemente agradável. Quando sentiu que estava começando a corar, Liz levantou-se e disse:

— Acho que vou descer até o bar e pegar uns sanduíches para a gente. Ninguém em Kingham me conhece, então não deve ser perigoso.

Quando Liz deixou Peter, ele chutou os sapatos e puxou o edredom sobre o corpo. Estava pegando no sono quando viu Amanda deitada na outra cama, olhando para ele a pequena distância.

— Dormindo com outra mulher, pelo que vejo — ela disse.

— Não é assim — Peter falou.

— Não me importo — ela contou.

— Eu sei, mas não é assim — Peter repetiu, quase sem conseguir focar os olhos de Amanda.

— Quero que você seja feliz, Peter — ela disse.

— Estou feliz — garantiu Peter.

— Peter — falou Amanda em tom de repreensão.

— Certo, talvez eu não esteja feliz — disse Peter —, mas, nestes últimos dias, senti-me mais vivo do que me sentia desde que...

— Vivo é bom — comentou Amanda. — Vivo é um começo.

Peter ficou deitado por vários minutos, lutando para manter os olhos abertos e conseguir absorver a visão de Amanda.

— A Liz é legal — ela disse, enfim.

— É apenas uma amiga — murmurou Peter.

Ele não fazia ideia de quanto tempo havia se passado quando Liz o sacudiu para acordá-lo. Onde Amanda estivera antes, ele via apenas uma bandeja de sanduíches.

— Tenho notícias — Liz disse, enquanto Peter se içava para sentar. Ela empurrou um sanduíche de queijo e picles para ele e ele começou a mordiscar o pão.

— Acho que conheci as suas irmãs no bar — Liz começou. — As duas senhoras de quem me contou. Não perguntei os nomes delas porque não queria parecer intrometida, mas deviam ser elas. Parece que terça-feira é a noite de passear delas. Bem, estavam cheias de notícias. Pelo jeito, você perdeu bastante do drama da cidadezinha de interior enquanto estava fora. Dizem que Thomas Gardner estava caçando faisões atrás do que resta da Casa Evenlode, e nem é temporada de faisão, embora eu não soubesse disso, mas acho que todos na vila sabiam, porque ficaram discorrendo sobre esse aspecto em particular da história, de que Thomas Gardner estava caçando malditos faisões fora da temporada, e não sobre o que realmente aconteceu a Thomas Gardner enquanto caçava faisões fora da temporada.

Liz parou para tomar fôlego.

— Isso vai levar a algum lugar? — perguntou Peter, esperançoso.

— Desculpe, desculpe — disse Liz. — Eu falo muito quando estou animada. De qualquer forma, isso foi há dois dias, e parece que Thomas deixou a arma cair ou algo assim e ela disparou, não sei bem como, havia uma discussão sobre os detalhes, mas, basicamente, ele atirou na própria perna.

— Thomas Gardner atirou na própria perna?

Peter segurou uma risada ao se lembrar de como correra a toda a velocidade pela entrada da Casa Evenlode para evitar o lado perigoso do cano da espingarda de Gardner.

— *Dois dias atrás*, Thomas Gardner atirou na própria perna. Ele andou se arrastando para a estrada principal e caiu na lateral, onde o vigário o encontrou. Ele está em uma cama do hospital de Chipping Norton desde então.

Peter exalou o ar, fazendo barulho.

— Então não pode ter matado Graham Sykes.

— Thomas Gardner e Júlia Alderson têm álibis — comentou Liz, dando uma mordida em seu sanduíche e olhando para Peter com um sorriso. — Você não percebeu o que mais isso significa, percebeu?

— O quê?

— Thomas Gardner está em um hospital de Chipping Norton. Dizem que pode voltar amanhã, mas, esta noite, a Casa Evenlode está desprotegida.

— A capela — disse Peter, sentindo uma onda de energia fluir por suas veias.

— Exatamente — declarou Liz. — Se quisermos ver o lado de dentro da capela, esta é a noite.

Ao escalarem o muro do vizinho de trás, Peter e Liz conseguiram entrar no chalé de Peter pelo jardim de inverno, bem escondido da rua, caso alguém estivesse vigiando. Não acenderam nenhuma luz, mas uma lua pálida deu iluminação suficiente para Peter encontrar aquilo de que precisava: uma lanterna, um mapa da Ordnance Survey, um saco plástico com fechamento cheio de remédios contra ansiedade e sua faca de encadernador. Esta última ele encontrou na caixa de materiais para encadernação sobre a qual Liz caiu na sala de estar.

— Você podia muito bem ter arrumado a casa antes de sair — ela disse.

— Eu não sabia que voltaria escondido no meio da noite — falou Peter —, acompanhado.

Quando ele tirou a faca da caixa e colocou na bolsa, Liz perguntou para que era.

— Não sei — respondeu Peter —, mas é a coisa mais afiada que tenho e pode ser útil.

Quando estavam prestes a sair, Peter reparou na luz piscante da secretária eletrônica. Diminuiu o volume e apertou o *Play*.

— Peter, aqui é Nigel, do Museu Britânico. Tenho os resultados para você. O papel com certeza é do século 16. A tinta é mais complicada. Sem mandá-la para outro lugar realizar testes mais detalhados do que os que fazemos aqui, tudo o que posso dizer com certeza é que não é moderna. Poderia facilmente ser do século 16 também, mas não podemos afirmar. Se quiser, posso enviar para a datação de carbono, mas pode ficar um pouco caro. Me ligue. Até mais.

— Então talvez o *Pandosto* seja real — comentou Liz.

— Talvez sim, talvez não — disse Peter.

A segunda mensagem era de Francis Leland.

— Não descobri nada sobre Matthew Harbottle ou Benjamin Mayhew ainda — ele disse —, mas você vai dar risada quando eu contar sobre William H. Smith. Ligue para mim e darei os detalhes, mas a versão curta é que ele começou uma cadeia de lojinhas de livros e foi um dos primeiros antistratfordianos.

— E eu não sei?— disse Peter, desligando a secretária eletrônica.

De volta ao Mill House, Peter debruçou-se sobre o mapa e descobriu, como suspeitava, uma rota de caminhada que seguia na direção de Cornwell e passava ao lado do pé do morro sob a Casa Evenlode.

— Será mais seguro do que ir pela estrada — afirmou Peter.

— E para entrar na capela? — perguntou Liz. — Não acha que estará trancada?

— Que pena eu não ter um pé-de-cabra em casa — falou Peter. — Não é uma ferramenta-padrão nos negócios com livros antigos.

— Tenho uma chave-de-roda no carro — disse Liz.

E, com essa arma acrescentada ao arsenal, eles voltaram pela vila até a rota de caminhada que levava para fora de Kingham e passava por campos escuros.

Peter nunca estivera naquela rota. Mesmo à luz do dia, não seria fácil segui-la, com a interrupção frequente de cercas artificiais e cercas-vivas onde deveria haver portões ou passagens. No escuro, era quase impossível, mas eles não ousaram usar a lanterna. Uma luz balançando pelo vale na direção da Casa Evenlode seria visível para qualquer um que observasse do cume... ou de uma das janelas da Mansão Evenlode.

Após quase uma hora rastejando pelo caminho, chegaram ao gorgolejante rio Evenlode. No alto de um morro à esquerda eles podiam ter apenas um vislumbre da sombria silhueta da Casa Evenlode à lua pálida.

— De acordo com Louisa — sussurrou Peter —, a capela está no pé deste morro. Então, deve estar perto.

Caminharam devagar pela margem do rio até chegarem a uma parede de pedra.

— O limite da propriedade de Gardner? — perguntou Liz.

— Deve ser — concluiu Peter.

Liz escalou a parede com agilidade e pulou para o outro lado. Peter foi menos ligeiro e conseguiu rasgar a perna da calça ao pular para o chão. A uma curta distância à frente deles, um pequeno grupo de árvores e arbustos formava o único esconderijo possível da área para uma capela.

— Louisa disse que a capela estava coberta de trepadeiras — contou Peter enquanto Liz o puxava pela mão em direção às árvores. — Deve ser aqui.

Eles mergulharam sob galhos baixos e entraram na escuridão

total. As ramificações das árvores bloqueavam a pouca luz que a lua ainda oferecia através da névoa que subia do rio.

— Mesmo se a encontrarmos, como vamos enxergar para entrar? — perguntou Liz.

— Teremos de arriscar usar a lanterna — Peter respondeu.

Ele estava procurando a lanterna na bolsa quando Liz gritou:

— Que droga! Não era uma árvore. O que meu joelho atingiu não foi uma maldita árvore.

— O que era? — questionou Peter.

— Parece o canto de uma parede de pedra — contou Liz. — E, sim, estou bem, obrigada por perguntar.

Peter acendeu a lanterna e deixou o feixe de luz baixo, perto do chão. Emergindo da hera perto do joelho de Liz estava um canto de calcário Cotswold cor de mel; não a pedra irregular e sem acabamento de um muro externo sem rejunte, mas pedra nivelada e com acabamento profissional. Eles contornaram a construção, batendo a chave-de-roda contra a parede coberta de hera, mas ouvindo apenas o clique-clique de metal na pedra.

— Tem de haver uma porta em algum lugar — disse Liz.

— Louisa disse que a capela estava em ruínas, mas esta parede parece bastante sólida para mim.

Peter estendeu a mão para bater a chave na parede de novo e caiu pela hera, batendo o quadril com força na pedra.

— Isso doeu — ele disse.

— Nem me diga — falou Liz. — Você entrou? Está bem escuro onde eu estou.

Peter olhou ao redor e percebeu que estava em uma pequena varanda. A passagem arcada para o lado de fora estava quase completamente coberta de hera, mas o lado oposto tinha uma porta pesada de madeira.

— Encontrei a entrada — avisou Peter, colocando a mão de volta pela hera e tentando pegar Liz. — Dê sua mão.

— Isto não é a minha mão — Liz disse, com uma risadinha, e deu sua mão para Peter poder puxá-la pelas vinhas. — Você podia pelo menos me pagar um jantar antes — ela falou, rindo.

— Desculpe — disse Peter, corando no escuro.

— Está tudo bem, Peter. Eu estava apenas provocando. É algo que os amigos fazem. Além disso, você não faz ideia de onde me agarrou, faz?

— Bem, tenho uma ideia — respondeu Peter.

— Pervertido — brincou Liz, batendo na bunda dele. — Agora, por favor, diga que a porta não está trancada.

Peter virou o anel de ferro pendurado na porta e levantou o trinco.

— É o que parece — disse.

Ele empurrou a porta para abri-la e os dois entraram na capela privativa da família Gardner.

A capela não era tão pequena nem estava tão destruída quanto Peter esperava, ainda que não pudesse dizer se havia sido restaurada no último século ou se a memória de Louisa estava falha. A nave tinha o comprimento de dez passos e a largura de quatro, sem transeptos e com dois degraus levando para uma pequenina capela-mor. O teto arqueado tinha talvez seis metros de altura e era suportado por vigas de madeira. Bem altas nas paredes estavam janelas estreitas e fechadas. Não havia móveis, mas, além dos muitos memoriais nas paredes, havia três sepulturas independentes nas quais efígies de pedra de Gardners antigos dormiam em descanso eterno.

Peter e Liz andaram devagar em direção a outra estrutura do local, o altar de pedra na capela-mor. Não tinha marcações, exceto por uma cruz gravada na frente. Peter colocou a bolsa sobre a pedra lisa e apontou a lanterna para baixo, para o que devia ter sido a nave se houvesse bancos na capela.

— Acho que devemos começar a ler as lápides — ele disse.

Peter andou em direção à maior das sepulturas e estava prestes a ler a inscrição quando o barulho alto de algo raspando no fundo da capela foi seguido por uma batida desagradável.

— A porta! — gritou Liz, correndo e passando por Peter, que a seguiu.

A pesada porta de madeira, que eles haviam deixado meio aberta, estava então fechada com firmeza.

— Não tinha muito vento hoje — Liz comentou.

— O vento não teria conseguido mexer essa porta — afirmou Peter.

Ele tentou virar o anel de ferro, mas ele não se movia, e a porta também não mexeu quando eles a empurraram. Encostando-se contra a porta do que era então, efetivamente, a prisão deles, os dois não falaram nada por um tempo. Peter esperava sentir o golpe de um ataque de pânico e até colocou a mão no bolso para sentir o saco de pílulas abrigado ali, mas, em vez disso, sentiu-se estranhamente calmo. Mais calmo do que se sentira desde o assassinato de Sykes.

— Vão levar um tempo para trazer a polícia até aqui a esta hora da noite — ele disse. — É melhor trabalharmos.

Kingham, 1878

Phillip molhou a pena em um pote de tinta que ele misturara de acordo com uma antiga receita no caderno de couro estragado que estava aberto em sua mesa. A pena escorregou com facilidade pelo papel enquanto ele seguia os contornos do texto apoiado à sua frente. A falsificação, no final das contas, era um trabalho para o qual Phillip Gardner tinha aptidão única. Durante toda a sua carreira como artista, ele fora acusado de ser derivativo e nada original; pouco melhor que um copista. Mas, como copista, ele não apenas atingira excelência, mas era um mestre. As marcas em uma página pareciam fluir diretamente pelos seus olhos e sair da ponta da sua pena. E, com a orientação do caderno, ele resolveu o problema de conseguir canetas, papéis, pergaminhos e tintas do período de qualquer que fosse o documento que estivesse falsificando. Naquela manhã, era uma carta de Lorde Nelson para sua amante, Lady Emma Hamilton.

A luz de suas velas brilhava com constância, não havia ar se movendo em seu quarto esquecido, e Phillip tinha descoberto que aquele tipo de iluminação era suficiente para o seu trabalho. Como artista, ele havia ocupado um aposento amplo no andar superior da casa com janelas voltadas para três direções. Um artista precisava de luz, mas um falsificador tem mais necessidade de segredo, e, no quarto escuro, Phillip aperfeiçoara o seu ofício.

Fazia quase um ano desde que Phillip recebera a carta de chantagem de Reginald Alderson ameaçando revelar tanto sua amante quanto seu filho bastardo à Sra. Gardner. Phillip ficara acordado a noite toda, pensando no que fazer. Ele parecia preso entre duas opções inaceitáveis: entregar sua coleção para o pior inimigo de sua família ou perder a Sra. Gardner e, com ela, a capacidade financeira de manter a Casa Evenlode. Qualquer uma das opções o faria ser criticado nos anais da família Gardner. Foi apenas quando a luz que anuncia a manhã forçou caminho por entre a névoa e entrou por sua janela que Phillip pensou em uma solução possível. Se ele não era melhor do que um copista, como o estabelecimento elitista da Academia Real alegava, por que não usar aquele talento para sair desse problema?

Livros sobre falsificações não eram fáceis de achar, mas Phillip lera sobre as falsificações shakespearianas de John Payne Collier anos antes. Collier acabara sendo desmascarado por especialistas, mas Reginald Alderson não era um especialista. Assim, Phillip apresentou-se a Collier como um estudioso solidário trabalhando em uma história das falsificações do século 19.

— Tenho certeza de que você é apenas a vítima da enganação de outra pessoa — Phillip dissera ao velho Collier. — Mas pensei que poderia, talvez, me dar algumas informações de dentro do mundo das falsificações.

Sua bajulação falsa capturara mais do que informações. Collier dera a Phillip vários livros e, o que era mais importante, vários minutos sozinho em seu escritório enquanto ele ia lavar as coisas para o chá. Em uma gaveta baixa da escrivaninha, Phillip descobrira o velho caderno com capa de couro cheio de anotações sobre técnicas de falsificação: como fazer instrumentos de escrita antigos, obter papel velho e pergaminho, misturar tintas de diferentes períodos e fazer documentos velhos parecerem novos. Havia sido simples roubar o volume. Se tinha sido escrito por Collier ou outra pessoa, ele não sabia e nem se importava; o importante era que havia funcionado.

Benjamin Mayhew estava sentado em um canto da sala de estar de um clube exclusivo com um charuto em uma mão e um copo de conhaque na outra. Seu anfitrião, William Henry Smith, já falava havia certo tempo sobre sua teoria de que Francis Bacon escrevera as obras de William Shakespeare; uma teoria sobre a qual não falara em público por muitos anos, mas que, quando incentivado por Benjamin, ficava feliz em explicar. Na prateleira do escritório de Benjamin, a menos de 1,6 quilômetro dali, estava um livro que podia estilhaçar a teoria de Smith. Smith não era apenas um dos clientes mais antigos de Benjamin, era, de longe, o que tinha o lugar mais especial. Benjamin passara a gostar de suas ocasionais noites como convidado em um clube do qual nunca poderia esperar fazer parte por seus próprios méritos. Enquanto um empregado completava seu copo de conhaque, ele pensou que poderia fazer mais do que apenas esconder o *Pandosto* para proteger a reputação do velho amigo.

— Você chegou a encontrar o Senhor Collier? — Benjamin perguntou a Phillip Gardner quando os dois estavam sentados na sala acima da loja de livros de Benjamin.

— Encontrei — contou Gardner. — Um velho interessante. Deu-me exemplares de alguns de seus livros para a minha coleção. É claro que eu lhe disse que acreditava que ele era uma vítima inocente. Acho que ele estava senil o bastante para acreditar em mim.

— Ele provavelmente acredita nisso também — falou Benjamin. — Ainda assim, foi um homem brilhante na sua época.

— Acha a falsificação brilhante? — questionou Gardner.

— É uma forma de arte, não?

— Se chamar fraude de forma de arte — respondeu Gardner.

— E se eu disser a você — começou Benjamin — que um destes documentos é uma falsificação?

Ele indicou com um movimento da mão quatro itens espalhados pela mesa, itens que Benjamin tivera grande trabalho para conseguir a fim de fazer aquela pergunta para Gardner. Havia dois documentos de tribunal em pergaminhos do século 15 e duas cartas do século 18. Nenhum deles se referia a alguém importante, e, assim, Benjamin podia confiar que Gardner não os veria com um olhar de comprador; uma condição que, ele sabia muito bem, podia levar à cegueira.

Gardner examinou os documentos por vários minutos, segurando cada um contra a luz em vários ângulos antes de devolvê-lo à mesa e pegar o seguinte. Por fim, pegou uma carta datada de 1756, passou o dedo pela superfície do papel e quase imediatamente bufou.

— Bem, claramente é este — disse. — E devo dizer que é um trabalho muito ruim.

— O que o faz dizer isso? — perguntou Benjamin, já convencido de que suas suspeitas sobre Gardner estavam corretas.

— Sinta a maneira como a caneta arranhou o papel — explicou Gardner. — Isso não acontece com uma pena. Isto foi escrito com uma caneta de ponta metálica, e elas só foram produzidas em massa nos anos 1820. É uma carta caseira comum, e, assim, podemos presumir com segurança que foi escrita com algo que estava disponível por toda parte; e, em 1756, canetas com pontas de metal não estavam.

Gardner jogou a carta na mesa sem se importar mais.

— Você parece um especialista — comentou Benjamin.

— Como eu disse, tenho colecionado livros sobre falsificações. Temos de nos proteger, sabe?

— Sim, mas livros sobre falsificação não podem mostrar como é o toque do papel quando foi escrito com uma ponta metálica — disse Benjamin. — Mas não se preocupe, seu segredo está seguro comigo.

— Que segredo?

— Há apenas dois tipos de pessoas que poderiam ter detectado essa falsificação tão rápido — afirmou Benjamin, levantando a carta. — Alguém com muita experiência na área de detecção forense ou um falsificador com prática. Você não é do primeiro tipo; posso apenas presumir que seja do último.

— Está me acusando de ser um falsificador? — perguntou Gardner.

— Eu não chamaria bem de acusação — respondeu Benjamin —, é mais um elogio.

Desde o dia em que Reginald Alderson não dera lances para concorrer com Phillip Gardner, Benjamin suspeitara de que algo estranho estivesse acontecendo. O súbito interesse de Gardner por falsificações aumentara ainda mais suas suspeitas. A única explicação que ele podia imaginar era que Gardner estava passando cópias falsificadas de documentos para Alderson; o motivo ele não podia supor.

— Veja bem — disse Gardner. — Que jogo é esse? Foi você quem contou a Alderson sobre Isabel?

— Desculpe? — falou Benjamin, que não via ligação entre a jovem americana cujas cartas a Gardner ele pedira para Benjamin guardar e a conversa daquele momento sobre falsificação.

— Ele está me chantageando, sabia? — contou Garner, bravo. — Reginald Alderson ameaçou contar à Senhora Gardner. Nem preciso dizer que, se ela descobrisse, você perderia um cliente muito bom.

— Meu caro amigo — disse Benjamin, sorrindo. — Não tenho nenhuma intenção de contar alguma coisa à Senhora Gardner. E, para ser sincero, eu tinha esquecido por completo sua amiga americana.

Estou apenas à procura de um bom falsificador, um falsificador melhor do que o que escreveu a carta desmascarada tão rápido por você.

— Entendo — disse Gardner, acalmando-se.

Ele pegou a carta falsificada da mesa e deu uma risada silenciosa antes de amassá-la e jogá-la no fogo.

— Nesse caso — começou —, você está falando com o homem certo. Acontece que eu sou um falsificador fantástico.

Ridgefield, 1988

Poucos meses depois de voltarem da lua de mel, Peter concordou com a proposta de Amanda de que, desde que eles vivessem de forma modesta, poderiam gastar um pouco do que ela chamava delicadamente de sua "renda independente". A empresa dele crescia devagar, e Amanda estava começando a trabalhar como decoradora, mas um pouco de renda extra significou que, após um ano em um apartamento, eles pudessem se mudar para uma pequena casa em um bairro mais antigo perto do campus. A casa precisava de reforma, e Peter passou os fins de semana aprendendo a lixar tinta, dar acabamento em pisos e montar paredes de *drywall*.

— É como encadernar um livro — ele disse a Amanda certo dia, quando chegou para o almoço coberto de tinta. — Só é maior.

No verão antes de eles comprarem a casa, viajaram para a Inglaterra de novo. Seria a primeira daquelas que se tornariam viagens bianuais para comprar livros. Eles voavam de classe econômica e ficavam em pousadas onde o banheiro costumava estar no final do corredor. Amanda nunca reclamava.

Na primavera de 1993, quando Peter viu que a viagem seguinte iria coincidir com o aniversário de cinco anos deles, pensou que talvez fosse o momento de viajar com um pouco menos de economia.

— Você tem alguns clientes novos — ele disse a Amanda, na cama, certa noite — e eu também. Por que não ficamos em hotéis desta vez?

— Eu meio que gosto daqueles lugarzinhos no interior — afirmou Amanda —, mas com certeza deveríamos passar nosso aniversário no Ritz.

E foi o que fizeram. Peter esquecera-se de como aqueles lençóis eram gostosos.

Uma semana depois, vagando pelos Cotswold em busca de livrarias, Peter e Amanda acabaram chegando à vila de Kingham e decidiram fazer um piquenique no parque do local.

— É uma vila perfeita, não é? — disse Amanda, enquanto eles estavam deitados na grama após o almoço.

— É cheia de paz — comentou Peter. — Deveríamos ficar aqui alguns dias.

— Você acha que tem algum lugar para ficar? — perguntou Amanda.

Eles haviam andado pela vila procurando uma acomodação e encontrado uma placa de "À venda" em frente a um chalé com terraço. Depois, não conseguiam lembrar quem havia sugerido primeiro, mas, parados à brisa fresca de maio em frente àquele chalé vazio, eles de repente se imaginaram do lado de dentro.

— Precisa de reforma — disse Peter.

— A gente vem para Londres o tempo todo — falou Amanda. — Seria bom ter uma casa como base.

— Seria — concordou Peter.

E ele teve uma visão intensa do fogo crepitando na lareira, uma xícara de chá em sua mão e Amanda lendo um bom livro em um dia úmido de inverno. Era a coisa mais sedutora que ele já imaginara.

— Por que não? — perguntou Amanda. — Podemos pagar.

— Você pode pagar — disse Peter.

— Eu ainda não dei seu presente de aniversário — falou Amanda.

E, sem mais discussão, ficou decidido. Eles não haviam entrado no chalé, estavam em Kingham fazia pouco mais de uma hora, mas parecia o certo a fazer. Três meses depois, Peter e Amanda eram donos de um chalé na Inglaterra; dois meses depois, o lento processo de reforma começou.

— Obrigado — disse Peter a Amanda enquanto estavam deitados em sua cama, em Ridgefield, na noite em que a compra foi finalizada.

— Pelo quê? — perguntou Amanda.

— Pelo chalé — respondeu Peter.

— De nada — disse Amanda, aconchegando-se contra as costas dele.

— Isso me faz sentir um vendedor de livros de verdade, tendo um chalé na Inglaterra.

— Todos os vendedores de livros têm chalés na Inglaterra? — indagou Amanda.

— Na verdade, não conheço nenhum que tenha — respondeu Peter —, mas dá uma... Não sei, uma legitimidade à minha alegação de ser especialista em livros ingleses.

— Querido, você *é* especialista em livros ingleses — disse Amanda.

— Vai ser ótimo, não vai? — falou Peter.

— Vai dar algum trabalho — afirmou Amanda —, mas sim.

— Quanto tempo você acha que as reformas vão demorar?

— Bem, se os empreiteiros britânicos forem parecidos com os daqui, ficarei surpresa se levar menos de um ano — contou Amanda. — Talvez no próximo ano possamos ir para o Natal.

— Parece bom — declarou Peter.

Amanda estava passando a mão para cima e para baixo no peito dele e ele ficou deitado e silencioso por vários minutos, aproveitando a lenta provocação que vinha com a promessa de fazerem amor.

— Estes lençóis parecem extremamente macios — ela murmurou enquanto Peter subia a mão pela lateral do corpo dela e cruzava seu peito.

— Eu esperava que você reparasse — disse Peter. — São um presentinho para você. Têm 800 fios.

Kingham, terça-feira, 21 de fevereiro de 1995

Peter e Liz estavam presos na capela dos Gardner havia quase uma hora e não estavam mais perto de descobrir nenhum segredo do que estiveram quando a porta fora batida e fechada. Eles tinham examinado cada memorial nas paredes, além das três efígies de pedra, mas, além de traçarem a árvore da família Gardner desde o século 16, eles não conseguiram nada. Não encontraram nenhum sinal de Phillip Gardner.

Estavam sentados no chão frio de pedra, as costas contra a porta impossível de se mexer, quando Peter viu, enquanto brincava com a lanterna pelo interior da capela, um padrão identificável nos riscos em partes do piso.

— Acho que há túmulos no chão — ele disse, engatinhando para a frente e passando os dedos por aqueles traços finos.

— Não consigo saber o que dizem — falou Liz. — As palavras estão quase apagadas.

— Duvido que nosso amigo Phillip esteja morto há tempo suficiente para esta pedra ter sido gasta até ficar tão lisa — declarou Peter.

— Aqui há outro — avisou Liz e, logo, eles estavam cruzando a capela engatinhando, às vezes entendendo um nome ou data. Estavam em frente aos degraus da capela-mor, Peter segurando a lanterna perto de uma pedra, tentando ler o que vinha após a data 1705, quando Liz deixou a chave-de-roda cair um pouco fora do feixe de luz e os dois congelaram ao ouvir o baque oco.

— O que foi isso? — perguntou Peter.

— Desculpe, eu deixei cair a...

— Faça de novo — pediu Peter.

Liz pegou a chave e deixou-a cair na pedra e, de novo, o estranho barulho de um espaço oco ficou no ar por um segundo.

— Há algo aí embaixo — disse Liz.

— Ou, mais precisamente, não há nada aí embaixo — disse Peter. — Nada sólido, pelo menos. Deixe-me ver sua chave-de-roda.

Liz entregou a chave a ele, que tentou encaixar a ponta chata no piso, no canto de uma pedra, mas as junções com as pedras ao lado eram muito finas; não havia espaço para o lado de alavanca de uma chave-de-roda.

— Como vamos levantar a pedra? — perguntou Peter.

— Dê a chave para mim — pediu Liz.

— Não adianta — declarou Peter. — Não há espaço para...

Antes de conseguir terminar a frase, Liz bateu a chave com força no centro da pedra e o som de algo estilhaçando e quebrando ecoou pela capela. A pedra quebrou-se, e os pedaços caíram na escuridão.

— Funcionou — disse Liz.

Peter e Liz ajoelharam-se nas margens de um buraco de menos de um metro quadrado. A escuridão pareceu devorar a luz da lanterna de Peter quando ele virou-a para o buraco, mas ele achou ter visto o chão bem lá embaixo.

— Vou primeiro — decidiu Peter.

— Está louco? — perguntou Liz. — Você não faz ideia do que tem lá.

— Por isso vou descer — afirmou Peter.

Ele estava bastante surpreso com sua coragem; não era um sentimento que tivesse tido desde a perda de Amanda. Colocou os pés no buraco e, aos poucos, baixou o resto do corpo, mexendo-se para passar pela estreita abertura. Conseguiu manobrar os braços acima da cabeça e viu-se segurando o chão da capela com as pontas dos dedos, pendurado no espaço vazio. Acima dele, ainda podia ver o rosto preocupado de Liz Sutcliffe, iluminado pelo brilho da lanterna, mas, assim que seus dedos começaram a doer, seu rosto foi substituído pelo de Amanda, que soprou um beijo para ele e sussurrou:

— Confie em mim, solte-se.

Peter deixou os dedos escorregarem da pedra e sentiu um sopro de vento frio enquanto mergulhava pela escuridão e batia em uma pedra áspera no chão. Sentiu uma dor aguda no calcanhar quando suas pernas se dobraram sob seu peso, mas, depois de ficar deitado na escuridão por um momento ofegante, levantou-se, não se sentindo muito machucado.

— Você está bem? — perguntou Liz, a voz com um tom de pânico.

Peter olhou para cima, para o quadrado surpreendentemente pequeno de luz no teto, talvez três metros acima, e viu o rosto preocupado de Liz.

— Estou bem — disse. — Jogue minha bolsa e a lanterna e poderei ajudá-la a descer.

— Eu não vou descer — garantiu Liz. — Já é ruim o bastante estar presa aqui. Eu tenho um pouco de claustrofobia.

— Acho que é um salão bem grande — Peter falou. — Deixe-me ver a lanterna.

Liz inclinou-se no buraco e deixou cair a bolsa e, depois, a lanterna nas mãos preparadas de Peter. Ele balançou a luz rapidamente pela câmara onde estava. A alguns metros de distância, havia uma pesada mesa de carvalho. Ele conseguiu colocá-la sob o buraco e subir nela.

— Olhe — disse. — Agora posso ajudá-la a descer. Não é um espaço menor do que esse onde você está.

— Isso não faz com que eu me sinta melhor — avisou Liz. — Por outro lado, você tem a lanterna.

Ela se sentou no canto do buraco, os pés balançando acima da cabeça de Peter, e, depois, respirou fundo e baixou o corpo devagar. Peter segurou primeiro os pés dela e, depois, as panturrilhas e, quando ela largou do mundo acima, ele deixou o corpo dela escorregar por seus braços até ela estar em pé e segura na mesa. Ela manteve os braços em volta dele por um longo minuto, e Peter sentiu-a tremer. Ele a abraçou com força, para consolá-la, ele pensou, mas, quando ela devolveu o abraço com a mesma pressão, ele sentiu uma eletricidade em suas veias. Por um segundo, esqueceu sua missão e perguntou-se se devia beijá-la.

— Então, como você planeja sair daqui? — perguntou Liz, quebrando o constrangimento e descendo da mesa.

— Tenho certeza de que a polícia nos ajudará quando vierem me prender por assassinato — disse Peter, tirando a ridícula ideia de romance da cabeça.

— O que é este lugar? — falou Liz, quando os dois já tinham saído da mesa.

Peter não olhara com atenção para o local ainda, em sua pressa para ajudar Liz a descer em segurança. Estava mexendo o feixe da lanterna devagar por cada superfície enquanto eles ficavam parados no centro absorvendo tudo. Estavam na cripta da capela. O teto era mais alto diretamente sobre suas cabeças, por onde tinham entrado; no resto do espaço, arcos baixos criavam uma série de cantos. Os primeiros desses para os quais Peter virou a luz estavam preenchidos não por altares ou túmulos, mas ferramentas, garrafas, mesas e cadeiras.

— Parece um tipo de oficina — disse Liz.

— É exatamente isso — afirmou Peter. — Ou era.

Ele caminhou até uma das mesas e examinou várias garrafas com rolhas perto das quais estava uma fileira de canetas e penas parecendo antigas. Na alcova seguinte havia uma pequena impressora manual; além dela, outra mesa com ferramentas distribuídas com cuidado. Peter reconheceu uma faca de encadernador entre outros instrumentos arrumados à sua frente.

— Agora, para quê alguém precisaria de uma impressora, canetas e tintas velhas e um monte de equipamentos de encadernação?

— Parece todo o material necessário para falsificar um livro do século 16 — comentou Liz.

— Era nisso mesmo que eu estava pensando — concordou Peter.

— Então acha que o *Pandosto* é mesmo falso? — perguntou Liz.

— Cada vez parece mais que sim — respondeu Peter enquanto andava pelas alcovas que cercavam a câmara.

Uma estava vazia, exceto por uma pilha de madeira serrada contra a parede de trás; na seguinte, havia um sarcófago de pedra sem adornos.

— Venha segurar a lanterna para mim — ele pediu. — Acho que é o túmulo de alguém.

Liz virou o feixe de luz para a tampa do sarcófago, mas Peter não conseguiu ver o que estava gravado lá sem subir no túmulo e passar os dedos pelas letras enquanto lia em voz alta:

— Tendo deixado sua marca, Phillip Gardner, 1832 a 1879, amado irmão, e todos os seus segredos descansam aqui.

— Amado irmão? — disse Liz.

— A.I. — falou Peter. — Nós o encontramos.

— O que significa "todos os seus segredos descansam aqui"? — perguntou Liz.

— Temos de olhar aqui dentro — afirmou Peter.

— Mas é um túmulo. Você não pode profanar um túmulo.

— Não estou profanando — garantiu Peter. — Mas algo além de Phillip Gardner está sepultado aqui, e, já que estou sem fazer nada esperando ser preso, vou descobrir os segredos dele. Passe a chave-de-roda para mim.

As tentativas iniciais de Peter de alavancar a parte de cima do túmulo resultaram em pouco mais do que alguns arranhões na pedra. Ele tentou bater na placa de pedra com a chave-de-roda, esperando quebrá-la como acontecera com a entrada da cripta, mas aquela placa era muito mais grossa. Depois de 15 minutos de esforços sem efeitos, Peter caiu contra a parede, ofegante e suado.

— Como vamos tirar isso? — ele perguntou, arfando.

— Acho que não vamos — disse Liz.

— Você não percebe? — começou Peter. — Preciso saber. Se vou apodrecer em uma prisão inglesa por um assassinato que não cometi, pelo menos tenho de saber toda a história do *Pandosto*.

— Você não vai para a cadeia — disse Liz.

— Não tenha tanta certeza — aconselhou Peter.

— Além disso — falou Liz —, pensei que o que você queria saber mesmo era a história da aquarela que se parecia com...

— Que se parecia com Amanda — Peter completou, suavemente. Ele quase se esquecera do que começara toda aquela situação. Fora Amanda quem o guiara. O que ela teria feito? Quando ele levantou o olhar, ela estava sentada à mesa onde havia garrafas de tinta e canetas.

— Não se pode resolver tudo com força, Peter — ela disse.

— Eu sei — concordou Peter.

— Sabe o quê? — perguntou Liz.

— Que não se pode resolver tudo com força — respondeu Peter, enquanto observava Amanda desaparecer.

— Eu estava pensando a mesma coisa — falou Liz, que estava ajoelhada, as mãos no chão, e examinava a base do túmulo de Phillip Gardner com a lanterna.

— Então, o que usamos se não usarmos a força? — questionou Peter.

— Uma chave — disse Liz.

— Como é?

— Há algo aqui que parece uma fechadura.

— Não vi nenhuma chave aqui — comentou Peter.

— Bem, duvido que ele simplesmente deixaria a chave por aí.

— Espere um pouco: o que a primeira parte da inscrição dizia mesmo? — perguntou Peter.

— "Tendo deixado a sua marca" — lembrou Liz. — O que significa? Que tipo de marca? Quer dizer o *Pandosto*?

— Tendo deixado a sua marca — Peter murmurou para si mesmo enquanto passava o dedo pela mesa com o equipamento de encadernação de livros.

Em uma série de prateleiras acima da mesa, havia fileira após fileira de ferramentas de latão com cabo de madeira, como as que ele usara para decorar a encadernação do *At the Back of the North Wind* de Amanda.

— Pergunto-me se poderia ser a marca de um encadernador.

— O que é isso? — perguntou Liz.

— Encadernadores às vezes têm uma marca especial que colocam em todas as encadernações para indicar os trabalhos como seus.

— Então temos de ver todas essas ferramentas — disse Liz.

— Não — falou Peter. — Acabei de perceber. Já vi a marca de Gardner. Seu exemplar do livro de Collier, o que estava dedicado a ele... Era uma reencadernação. Gardner deve tê-la feito.

— O que era a marca?

— Tinha a forma de uma borboleta — contou Peter. — Ele colocou do lado de dentro da capa de trás. Ilumine aqui.

Peter não demorou mais de cinco minutos para encontrar o carimbo de borboleta entre as ferramentas de Gardner.

— Tente esta — ele pediu, passando a ferramenta de carimbo para Liz.

Ele virou a luz para o pequenino buraco na pedra enquanto Liz inseria a ferramenta.

— Ela encaixa — Liz avisou —, mas não vira.

Peter pensou em como Hank lhe ensinara a usar os carimbos de latão em um pedaço de couro fresco.

— Pressione o cabo com a parte baixa da mão — ele orientou — e, depois, balance-a para a frente e para trás com muita delicadeza, começando na direita e indo para a esquerda.

— O que o leva a pensar que...

— Apenas tente, tudo bem? — Peter interrompeu, com impaciência.

— Certo, certo — disse Liz. — Não fique bravo.

Peter prendeu a respiração e observou os ombros de Liz ficarem tensos enquanto ela aplicava pressão no carimbo. Nada aconteceu.

— Agora, aumente a pressão aos poucos — disse Peter, fechando os olhos e lembrando-se da sensação do couro cedendo ao carimbo. — Mas sem muita força, ou o couro rasgará.

— O que quer dizer com o couro...

Mas Liz foi interrompida por um clique alto que ecoou pela câmara. Peter abriu os olhos e viu que uma abertura larga aparecera entre a placa de pedra em cima do sarcófago e o túmulo embaixo.

— O que foi isso? — perguntou Liz.

— Acho que você acabou de destrancar o túmulo de Phillip Gardner — explicou Peter.

— Não tenho certeza de que ele vai ficar tão feliz com isso — disse Liz, levantando-se.

Peter já começara a empurrar o topo de pedra e descobrira que ele estava deslizando com facilidade, tanta facilidade que, antes de ele poder pará-lo, ele caiu no chão, onde se quebrou em dois com um estrondo ensurdecedor. Passaram-se vários segundos até o barulho diminuir e muitos outros mais para a poeira baixar.

— Maravilha — disse Liz. — Agora estamos presos em uma cripta com um corpo morto e sem ter como sepultá-lo de novo. Estou me sentindo cada vez mais confortável.

— Não tem corpo — avisou Peter, virando a lanterna para o túmulo.

— Como assim não tem uma droga de corpo? — Liz perguntou, dando um passo hesitante na direção do túmulo.

— Não tem corpo aqui. Não tem nada além de uma caixa de metal.

— Uma caixa de metal? O que são, as cinzas dele?

— Duvido — respondeu Peter enquanto puxava a caixa pesada para si.

Ocorreu-lhe que aquela caixa, que arranhava a pedra fazendo barulho enquanto ele a puxava, era mais ou menos do tamanho e da forma de um *Primeiro Fólio* de Shakespeare. Ele a levantou para fora da sepultura e a carregou até a mesa no centro da câmara. Não havia fechadura, e Peter empurrou facilmente a tampa com dobradiças.

— Um monte de papéis? — disse Liz, espiando dentro da caixa.

— Temos algum tempo antes de a pilha da lanterna acabar — avisou Peter. — Vamos ler, que tal?

Em cima da pilha de papéis estava um envelope selado, endereçado em uma letra bonita e inclinada apenas a "Phillip". Peter tirou a faca de encadernador da bolsa e abriu o envelope com um golpe suave. Tirou o conteúdo, desdobrou quatro folhas de papel e leu em voz alta. A primeira página estava escrita com a mesma letra que o envelope.

> Eu, Phillip Gardner, da Casa Evenlode, em Kingham, ordeno, por meio desta, que minha propriedade passe para os filhos de meu irmão Nicholas. Não incluo nessa herança o conteúdo desta caixa nem os itens da minha coleção de livros e documentos raros, que, onde quer que estejam, deixo na totalidade para meu filho, nascido Phillip Gardner, ou ao seu herdeiro mais novo vivo.

— Deve ter sido o filho bastardo — disse Liz. — Do contrário, para quê o testamento secreto?

— Então Sykes estava certo — falou Peter, examinando o testamento de novo. — E qual é a desse "onde quer que estejam"?

— Pode ser porque alguns deles estavam na coleção de Reginald Alderson? — sugeriu Liz.

— Deve ser — concordou Peter. — Será que o filho tem herdeiros vivos? Acho que John Alderson não ficaria muito feliz em ver os termos deste testamento serem executados.

— Mas como você poderia provar que os documentos de Alderson eram na verdade de Phillip Gardner?

— Isto pode ajudar — respondeu Peter, segurando uma carta com as palavras Mansão Evenlode impressas na parte de cima.

Senhor Gardner,

Passei uma noite reveladora com minha querida amiga Senhorita Evangeline Prickett e os jovens aos seus cuidados. Imagine meu choque ao descobrir que a Senhorita Isabel deu à luz um filho e colocou nele o nome de Phillip Gardner. Não o aborrecerei com os amargos detalhes do caso que levou a esse filho bastardo; você já os conhece bem. No entanto, imagino que a Senhora Gardner acharia a história esclarecedora. Caso você queira evitar que ela saiba a verdade sobre o marido, transferirá para mim sua coleção de documentos históricos e literários. Sei que a perda de toda a coleção levantará suspeitas, e, assim, acho melhor se você mandar os itens para mim um ou dois por vez ao longo dos próximos meses. Dessa forma, pode-se dizer que você perdeu o interesse e vendeu as peças para financiar a considerável construção na Casa Evenlode.
Você ficará feliz em saber que não irei dar lances contra você no leilão de documentos reais da próxima semana. Espero que as peças cheguem à minha casa em uma semana após a venda. Você não deve esperar comissão.

Reginald Alderson

— A carta da chantagem — disse Liz.

— Exato — afirmou Peter.

Ele baixou a carta e, animado, pegou o item seguinte do envelope. Era uma pequena folha de papel de carta, na qual uma correspondência estava escrita em letra apertada e trêmula.

> Meu querido Phillip,
>
> Envio esta carta por meio do seu vendedor de livros, Senhor Mayhew, como você solicitou, e prometo que será a última, mas devo dizer que seu filho e eu chegamos em segurança à América. Minha família é mais compreensiva do que você pode acreditar, e, assim, eu não inventei, como sugeri, uma mentira sobre uma criança abandonada. Tanto a Senhorita Prickett quanto eu fomos sinceras com minha família sobre os eventos dos últimos meses. Tudo o que meu pai pediu foi que o pequeno Phillip seja criado com o nome da nossa família, não o nome Gardner. Com todo o amor e a aceitação que ele mostrou com sua filha perdida, não posso deixar de honrar seu pedido. Por favor, saiba que, o que quer que eu tenha sido para você, você nunca será substituído no meu afeto.
>
> Sempre sua, Isabel

— Ela voltou para os Estados Unidos — comentou Liz.

Havia mais uma folha de papel na mesa.

— Esta foi escrita por Gardner também — disse Peter, olhando para a assinatura. — Mas não está endereçada a ninguém. Apenas começa.

E Peter leu.

> Não tenho o costume de fazer confissão, mas, se me importei pouco nesta vida com minha esposa ou com o que me resta de família; se provei ser um fracasso na carreira e nas finanças;

se a moral nunca esteve entre as minhas prioridades, uma coisa eu cultivei e dela cuidei: minha coleção. Quaisquer que tenham sido os primeiros impulsos sombrios que me levaram a colecionar, passei a perceber que, naquelas cartas e naqueles manuscritos e documentos, está minha única chance de conceder algo ao mundo. Apesar da ameaça de ruína financeira e matrimonial que ele lançou sobre mim, haveria tanta chance de eu passar esses tesouros ao Senhor Reginald Alderson quanto de eu destruí-los. Assim, confesso aqui que, por meio da chantagem de meu vizinho, descobri minha verdadeira vocação como artista. Alguns podem chamar de falsificação; para mim, foi mera preservação... Preservação da minha própria paz por um curto período, preservação da minha coleção para sempre.

Embora esta confissão seja para aqueles entre meus herdeiros que possam um dia encontrar e resgatar essa coleção, escrevi uma ao Senhor Alderson na qual me dá muito prazer informar-lhe que os documentos que ele extorquiu de mim nestes últimos dois anos têm tanto valor quando as minhas aquarelas, que ele impediu de terem uma exposição adequada. Algumas delas estão penduradas nas paredes de casas de amigos, o restante eu destruí, exceto por um grupo selecionado que mandei para o Senhor Alderson. Satisfaço-me ao pensar em seus descendentes um dia as elogiando. Para garantir que o Senhor Alderson não engane outros como eu o enganei, incluí em cada uma de minhas falsificações uma pista para sua origem; minha técnica, acredito eu, é indetectável, mas uma leitura cuidadosa do texto de cada documento revelará o defeito. Assim, os Alderson, para sempre, serão forçados a viver com a enganação que proferi sobre a família.

Por algumas horas após minha morte, o Senhor Alderson pode acreditar que venceu, que possui uma verdadeira relíquia literária: o livro que entregarei logo mais a ele. Depois, minha última carta ao Senhor Alderson chegará e ele saberá a verdade não apenas sobre sua maior relíquia, mas sobre todos os documentos que acredita serem tão valiosos. A vingança será minha, afinal.

Espero que, qualquer que tenha sido o ancestral que fez o segredo desta cripta, tenha feito isso para oferecer acesso nefasto aos Alderson, não intercâmbio amigável. De qualquer forma, usarei esse segredo não apenas para entregar minha falsificação final, mas também para dar de presente a Reginald Alderson minha pequena coleção de livros sobre essa arte. Se ele perceberá que eles apareceram inexplicavelmente em suas estantes, talvez eu nunca saiba.

À Senhora Gardner, não peço desculpas. À minha Isabel, se ela um dia vir isto, declaro que, no final, pensei apenas em você, minha amada. Perdoe meus erros e seja abençoada.

Phillip Gardner, 22 de novembro de 1879

— Não é surpresa que a caixa na Mansão Evenlode dissesse "nunca vender" — contou Peter. — Todos os documentos de lá eram falsificações.

— E estes devem ser os originais — disse Liz, puxando o restante dos papéis da caixa.

— Exato — falou Peter, olhando rapidamente pela pilha de documentos. — É tão bizarro vê-los, porque já vi todos antes,

— E o *Pandosto*? — perguntou Liz. — Poderia ser a "grande relíquia literária"?

Peter tirou o *livro* da sua caixa e abriu-o na mesa.

— "Uma leitura cuidadosa do texto de cada documento revelará o defeito" — ele disse. — Eu examinei o texto com muito cuidado.

— E as anotações nas margens? Sem isso, é apenas um livro raro, certo?

— Eu li tudo também — disse Peter.

— Sim — falou Liz —, mas você leu como alguém que estava animado para descobrir uma grande relíquia de Shakespeare, não alguém procurando um defeito.

Liz começou a examinar as anotações nas margens.

— O que você acha que ele quis dizer com defeito? — perguntou Peter.

— Algo que não está certo textualmente, eu acho — Liz respondeu. — Alguma referência a algo que Shakespeare não poderia ter sabido, ou um anacronismo. Sabe, a Hermíone usando um relógio digital. Esse tipo de coisa.

Peter olhou por cima do ombro de Liz enquanto ela virava a página e corria o dedo devagar pela letra rabiscada nas margens. Embora parecesse menos possível a cada minuto, uma parte dele ainda queria acreditar que William Shakespeare de Stratford-upon-Avon escrevera aquelas anotações. Ele se divertira pensando no dia em que mostraria o *Pandosto* a Francis Leland, o aprendiz mostrando o Santo Graal para o mestre. Era uma fantasia que ele ainda não estava muito pronto para perder.

— Em que ano Shakespeare morreu? — perguntou Liz, a ponta do dedo parando perto do final de uma página.

— Em 1616 — respondeu Peter. — Por quê?

— Caramba! Ouça isto: "Morte de Garinter injusta como a execução de Raleigh".

— Não sabemos o que Shakespeare pensava da execução de Raleigh — Peter defendeu. — Ele pode ter achado que foi injusta.

— Você está errado, Peter. Sabemos exatamente o que Shakespeare pensou da execução de Raleigh.

— Liz, acredite em mim, eu li os livros e...

— Peter, sabemos o que Shakespeare pensou. Ele não pensou nada. Porque Shakespeare estava morto fazia dois anos quando Raleigh foi executado.

— Raleigh perdeu a cabeça em 1618 — disse Peter, de repente se lembrando da data de sua aula de história da Inglaterra. — Como eu deixei isso passar?

— É sutil — disse Liz —, e você não estava procurando.

Peter viu o Santo Graal se dissolver em um fascinante exemplo de falsificação do século 19. A julgar pela presença de uma impressora na toca de Gardner, Peter supôs que nem o texto era autêntico, embora provavelmente tivesse sido copiado de uma primeira edição genuína de *Pandosto*. Poderia conseguir alguns milhares de libras em um leilão, então não se podia dizer que era sem valor, mas estava longe de ser extraordinário. Com sua pergunta urgente da última semana respondida, ele de repente foi atingido pela dura realidade de sua situação. Estava preso no subsolo de uma capela remota do interior. Era o principal suspeito de um assassinato brutal, com muitas evidências o incriminando. E ele era o portador de um livro que perturbaria só um pouquinho os estudos shakespearianos e passaria completamente despercebido no restante do mundo.

— Aposto que Mayhew contratou Gardner para fazer a falsificação do *Pandosto* — comentou Liz, que ainda parecia animada em desvendar o mistério do livro. — Disse a Gardner para deixar uma pista textual, como fizera em suas outras falsificações. Ele deve ter planejado que fosse descoberto e revelado como falso. Seria um constrangimento para os stratfordianos.

— E faria seu amigo William H. Smith se sair bem ao mesmo tempo.

— E quanto ao "acesso nefasto" para os Alderson e ao fato de colocar os livros em segredo na biblioteca deles? — indagou Liz, pegando a confissão de Gardner em seu leito de morte.

— "Espero que, qualquer que tenha sido o ancestral que fez o segredo desta cripta, tenha feito isso para oferecer acesso nefasto aos Alderson, não intercâmbio amigável" — leu Peter.

— Você não acha que...

— Deve haver uma passagem — disse Peter. — Uma passagem que leva daqui à Mansão Evenlode.

— Mas por quê? — perguntou Liz.

— Quem sabe o porquê? — disse Peter, agarrando a lanterna dela e direcionando-a para o fundo da alcova. — Nem Phillip Gardner sabia o porquê. Talvez seja uma coisa tipo Romeu e Julieta.

Peter não encontrou nada além de uma parede sólida e logo passou para a alcova seguinte.

— Ou talvez a briga entre as duas famílias fosse apenas fachada... Pelo menos no começo, quero dizer. Esta capela deve ter ao menos 400 anos, a julgar pelos túmulos. Venha, me ajude a tirar estas tábuas.

Ele chegara à alcova, que não tinha nada além de uma pilha de madeiras velhas serradas encostadas contra a parede dos fundos. Ele e Liz levaram vários minutos para tirar as tábuas, e, durante esse tempo, o silêncio da cripta deu lugar ao bater de madeiras na pedra, conforme eles jogavam as tábuas para longe da parede. Quando a última peça já havia sido lançada no chão, o silêncio voltou, embora a poeira girasse no ar e grudasse no rosto suado de Peter. Ele pegou a lanterna e virou-a para a alcova, onde a luz brilhou na parede do fundo. Lá, no centro do arco, havia uma porta estreita feita de tábuas sem acabamento. Peter puxou a maçaneta e a porta se abriu, revelando um lance de escada que levava para baixo, escuridão adentro.

Kingham, 1879

Todo grande artista, pensou Phillip Gardner, tem sua obra-prima, e a falsificação do *Pandosto*, que levou quase um ano para concluir, era a sua. Era verdade que existia certa frustração por sua obra-prima ter de permanecer desconhecida, mas, sabendo que, no final das contas, traria constrangimento para a família Alderson, era recompensa o bastante.

Phillip começara cobrindo as guardas com papéis novos; escondendo todas as evidências para o observador casual de que os rabiscos nas margens fossem os de William Shakespeare, pois a falsificação adequada do *Pandosto* necessitaria de ajuda externa e ele não queria levantar suspeitas. Depois, fotografou o texto de cada página. Ele foi cuidadoso ao escolher um fotógrafo sem formação superior e sem ligações com o negócio de livros. Um estúdio de Manchester encaixou-se perfeitamente nas suas necessidades.

Nesse meio-tempo, começou, com a ajuda de Benjamin Mayhew, a recolher o papel no qual o *Pandosto* seria impresso. O livro tinha formato in-quarto e, assim, cortando com capricho páginas em branco do final de volumes in-fólio do mesmo período, Phillip conseguiu coletar folhas nas quais quatro páginas do novo *Pandosto* pudessem ser impressas. Ele poderia, então, dobrar as folhas ao meio para encadernar.

O passo seguinte foi transformar as fotografias em placas de zinco com base nas quais o texto poderia ser impresso. Depois de mascarar as anotações nas margens das fotografias, disse ao dono de uma oficina em Birmingham, onde encomendou as placas, que estava fazendo um *fac-símile* de um livro antigo e obscuro para estudar. Três semanas depois, pegou as fotografias e as placas de zinco. As primeiras ele jogou na lareira da sala de visitas, as últimas ele usou para imprimir o texto do *Pandosto* nos papéis que Mayhew tinha recolhido. Misturou uma quantidade grande de tinta de acordo com uma das receitas de Collier para isso e Mayhew o ajudou a encontrar e comprar uma impressora manual, que ele passou alguns meses aprendendo a usar com perfeição.

A impressão zincográfica não deixa uma marca tão profunda no papel quanto os tipos montados à mão e, assim, depois de a impressão estar pronta, Phillip embarcou na parte mais entediante do seu trabalho. Com um pedaço bem pequeno e polido de osso, traçou cada letra, apertando apenas com força suficiente para imitar a impressão feita por tipos móveis do século 16. Ele praticara essa técnica durante semanas em papéis de rascunho antes de aprender a aplicar a pressão certa; suas primeiras tentativas tinham deixado o papel marcado de buracos e rasgos.

Quando concluiu a falsificação do texto, Phillip seguiu para a parte divertida: copiar as anotações nas margens com meticulosidade usando uma pena, uma quantidade de tinta do século 16, seu olho de especialista e sua mão firme. Toda a sua prática na falsificação de documentos foi útil então, conforme copiava cada mancha e borrão perfeitamente. Fez apenas uma mudança, acrescentando a linha que seria a desgraça tanto do *Pandosto* quanto de Reginald Alderson: "Morte de Garinter injusta como a execução de Raleigh."

Durante seu trabalho na *falsificação*, Phillip ficara interessado em todos os aspectos das artes do livro e, embora estivesse longe de ser um encadernador experiente, reunira algumas ferramentas e alguns equipamentos de encadernação e teve um modesto sucesso ao reencadernar vários de seus livros. Para o *Pandosto*, no entanto, ele apenas comprou um livro de tamanho parecido e com capa de couro antiga e costurou o bloco de texto recém-impresso na capa velha. Ao mesmo tempo, retirou as guardas falsas do *Pandosto* original, revelando mais uma vez a lista de donos.

— É um belo trabalho — disse Benjamin Mayhew, virando as páginas do *Pandosto* falsificado.

— Não está pronto — avisou Phillip. — Ainda preciso desgastar as pontas das páginas. Quase odeio entregá-lo ao Alderson. Ele se tornou... Bem, eu fiquei ligado a essa falsificação em especial.

— Você não devia se afeiçoar muito aos seus livros — aconselhou Mayhew. — São apenas objetos, no final das contas.

— Ah, mas você é vendedor de livros, não colecionador de livros. Além disso, este é uma criação minha.

— Isso deve lhe dar ainda mais satisfação quando Alderson for feito de bobo.

— Qual é o seu plano exatamente? — perguntou Phillip.

— Já organizei tudo — contou Mayhew. — Um colega meu oferecerá seu *Pandosto* a Alderson por um preço irresistível. Esse colega vai fingir não saber o que o livro tem. Quando Alderson levar o livro a público, meu amigo William Smith revelará que é uma falsificação, graças à sua pequena pista. Smith ficará feliz porque os stratfordianos ficarão constrangidos; e eu ficarei feliz porque meus dois melhores clientes estarão felizes. Agora, tenho uma coisinha para deixar o *Pandosto* ainda mais atraente para Alderson.

Mayhew mostrou a Phillip uma bela capa de fundo de couro, da qual tirou uma pasta elaborada. Nela, colocou a obra-prima de Phillip, dobrando novamente e com cuidado as pontas e, depois, deslizando-a de volta para a capa.

— Imponente na medida certa — disse Phillip, pegando a suntuosa capa de Benjamin. — Mas o que você fez com o original?

— Cuidarei dele — garantiu Benjamin.

— Parece uma pena destruí-lo.

— Não há escolha, meu bom homem, não há escolha. Sua falsificação preserva as anotações verdadeiras nas margens para as gerações futuras. Algum estudioso motivado descobrirá com muita pesquisa que você não poderia ter inventado tudo.

— Eu me pergunto — disse Phillip — se você me daria um comprovante de venda. Apenas para que eu saiba que fui dono dele um dia, ainda que por pouco tempo.

— Não vejo por que não — respondeu Benjamin. — E, quanto ao resto, deixe tudo comigo.

Phillip queria se sentir triunfante enquanto subia os degraus da Casa Evenlode em sua volta de Londres e da reunião com Benjamin Mayhew. Ele criara uma obra-prima, completara sua primeira incumbência como artista e garantira o eventual constrangimento público de Reginald Alderson. No entanto, também fora envolvido na destruição de um grande tesouro literário. Também era um dos dois únicos homens vivos que sabiam com certeza absoluta a verdadeira identidade de um dos maiores autores ingleses, e teve de concordar em levar aquele segredo para o túmulo.

Estava virando a maçaneta quando a porta da frente foi aberta com um puxão. Em pé diante dele, com uma carta apertada na mão e um olhar de fúria no rosto, estava uma mulher que ele não via fazia alguns dias.

— Boa tarde, Senhora Gardner — ele disse.

— Senhor Gardner, quando nos casamos, exigi apenas uma coisa de você em troca do meu significativo apoio financeiro para você e sua propriedade: fidelidade. Talvez seja algo estranho a desejar de um homem que eu não amo nem respeito, mas chamo de minha pequena excentricidade.

— Sim, fiz uma ótima viagem a Londres — falou Phillip, caminhando para o hall de entrada atrás da esposa. — Obrigado por perguntar.

— Foi tão boa quanto as viagens que fez a Londres para ver Isabel? — questionou a Sra. Gardner.

Ridgefield, 1994

Peter lembrava com precisão fotográfica do momento em que Amanda lhe dissera que estava com dor de cabeça. Não parecera importante no momento, e, por isso, Peter não sabia por que se lembrava tão bem daquele instante, mas se lembrava. Eles haviam acabado de voltar da visita final a Londres e encontrado notícias de outro atraso nas reformas do chalé em Kingham, e Amanda, que geralmente deixava de lado tais atrasos com uma risada e um comentário sobre empreiteiros serem iguais no mundo todo, socara a mesa do telefone por causa da frustração.

— Estou começando a achar que nunca verei esse projeto finalizado — disse.

Ela estava ao lado da janela, o sol da tarde brilhando em alguns fios de cabelo bagunçados, as sobrancelhas franzidas de preocupação, os lábios formando um bico. Talvez Peter se lembrasse do momento porque raramente vira Amanda tão brava.

— Você está bem? — ele perguntou.

— Ah, estou bem — respondeu Amanda, e a tensão pareceu escorrer para fora dela em um segundo. — Só estou com dor de cabeça, nada mais.

Após um cochilo e uma xícara de chá, Amanda sentiu-se melhor, e nenhum deles pensou mais naquilo. Ela ter outra dor de cabeça no voo para casa na semana seguinte não foi nada incomum, Peter também teve. Alguém na cabine da classe executiva poderia não ter dor de cabeça com aquele bebê chorando? Peter pensou em talvez deixar Amanda pagar passagens da primeira classe na viagem seguinte.

Sarah e Charlie Ridgefield deram uma festa pelo aniversário de seis anos de Peter e Amanda uma semana depois de eles voltarem para casa.

— Vocês estavam fora comprando livros no aniversário de cinco anos — disse Sarah —, assim, faremos neste ano, então.

Amanda não se sentira bem naquela manhã, outra dor de cabeça e mal-estar no estômago, e Peter insistira que ela voltasse para a cama, sem ousar dar voz à fantasia secreta que ele estava cultivando naquele momento: de que ela tivesse, por algum milagre, engravidado. Enquanto Amanda adormecia no sofá da sala, que estava com as cortinas fechadas naquela tarde, ele se lembrou da expressão no rosto dela quando ele pedira Coca-Cola em vez de chá no café da Tate Gallery duas semanas antes; como poderia seu rosto divertido, carinhoso e protetor ter sido outra coisa além de maternal? Como era possível que Amanda não gerasse um filho um dia? Peter pensou que, talvez, se os sintomas recentes dela não fossem indicação de um milagre, pudesse ser a hora certa de tocar no assunto de adoção. Ele precisava ser pai de algo além de sua empresa de livros, pensou; Amanda precisava ser mãe de algo além do seu chalé inglês.

Ela se sentiu muito melhor na hora da festa, embora Peter não a tivesse visto muito naquela noite. Cynthia, que estava então escrevendo para um jornal na Virgínia, estava de volta a Ridgefield pelo fim de semana. Amanda e Cynthia não se viam havia quase um ano, e, apesar das conversas semanais de uma hora ao telefone, estavam desesperadas para colocar as notícias em dia e passaram a maior parte da festa coladas, no canto mais distante do quintal. Quanto a Peter, depois do desagradável período de reapresentações constrangedoras aos amigos da família que ele não via desde o casamento, ele se acomodou a uma mesa com Charlie Ridgefield. Seu sogro não tocara no assunto dinheiro desde a noite antes do casamento de Peter. Naquela noite, os dois falaram sobre viagens à Europa e a temporada de futebol americano de Ridgefield, que se aproximava.

Durante a noite toda, Peter observou Amanda pelo canto do olho e imaginou que segredos ela estava compartilhando com Cynthia e se eles incluíam uma notícia alegre que ela dividiria com ele quando chegassem em casa. Mas, quando a festa acabou, Amanda estava exausta e perguntou a Peter se tinham que dirigir até a casa deles.

— Não podemos dormir no quarto de hóspedes? — perguntou, e Peter disse que sim.

Ela estava dormindo antes de ele terminar de escovar os dentes.

Há dias em que, sem aviso prévio, sua vida muda de maneira crítica. Quando Peter acordou, banhado pelo sol da manhã, em 14 de maio de 1994, suspeitou que poderia ser um desses dias. Estava convencido de que Amanda compartilhara alguma notícia avassaladora com Cynthia na noite anterior e contaria para ele naquele dia. Então, a fraca esperança de que ela pudesse estar grávida solidificou-se em quase uma certeza. Quando se levantou, deixando a esposa dormir, ele passou dez minutos em frente ao espelho do banheiro praticando expressões de surpresa.

Peter, Sarah e Charlie haviam tomado o café da manhã, e Charlie estava dizendo que talvez fosse ao escritório por algumas horas, mesmo sendo sábado, quando um grito eclodiu do andar de cima. Peter soube na hora que não era um grito de medo ou perigo, mas um berro de dor. Ele foi o primeiro a chegar ao lado da cama de Amanda, onde ela estava sentada segurando a cabeça e balançando para a frente e para trás, gemendo alto, mas Charlie Ridgefield empurrou-o para o lado e pegou a filha nos braços.

Amanda gritou de novo, e Charlie desceu a escada dois degraus por vez, com Peter e Sarah o seguindo.

— Vão para o carro — foi tudo o que Sarah conseguiu dizer.

Peter viu as lágrimas correndo pelo rosto dela e correu para a BMW de Charlie, estacionada na entrada da casa. Charlie estava deslizando para o banco de trás com Amanda, que ainda chorava em aparente agonia, e, antes que Peter pudesse decidir para onde deveria ir, Sarah abriu a porta do motorista com um puxão e pulou para dentro. Peter mal teve tempo de ir para o banco do passageiro antes de Sarah sair em velocidade, cuspindo pedregulhos atrás deles.

No banco de trás, Charlie embalava Amanda, que estava em silêncio então; Peter conseguia ouvir as palavras "minha cabeça" de vez em quando, mas, além disso, seus gritos haviam sido reduzidos a gemidos baixos. Sarah derrapou para a via principal, os pneus guinchando conforme ela acelerava na direção do hospital de Ridgefield. Peter sentia-se completamente impotente, nada além de um espectador do drama familiar.

Sentado no banco do passageiro do novo carro de Charlie Ridgefield, Peter Byerly, que começara aquela manhã com tanta esperança duas horas antes, sentiu um medo crescente de que sua vida houvesse acabado.

Kingham, terça-feira, 21 de fevereiro de 1995

— Olhe — disse Liz —, eu fui trancada nesta capela com você e desci para esta maldita masmorra, mas isto é loucura. Não vou descer essas escadas para Deus sabe onde.

— Não vamos sair por onde entramos — falou Peter, enfiando o conteúdo do túmulo de Gardner na bolsa. — Então, é melhor tentarmos isso.

Olhando para a abertura à sua frente, Peter pensou na mesma hora em Alice seguindo o Coelho Branco despreocupada pelo seu buraco. A imagem claustrofóbica de Alice do manuscrito do Museu Britânico piscou diante dele, mas, pelo menos naquela hora, a curiosidade e a adrenalina pareciam estar ganhando a batalha contra o pânico e a claustrofobia, conforme ele começava a descer, hesitante, os degraus de pedra úmidos, passando os dedos de uma mão contra a parede de pedra áspera enquanto a outra segurava a lanterna e a alça da bolsa com ainda mais firmeza.

— Peter — chamou Liz lá de cima —, há mais alguma coisa no fundo da caixa. Você não quer ler?

— Leremos quando chegarmos aonde quer que isso leve — respondeu Peter, descendo mais um degrau.

— Está escuro aqui sem a lanterna — disse Liz, com histeria na voz.

Peter parou e virou a lanterna para trás de si.

— Bem, então venha — falou.

Ficou tudo em silêncio por um momento, e, depois, ele ouviu passos lentos na escada acima dele. Um minuto depois, sentiu a mão de Liz em seu ombro e voltou a avançar enquanto ela se orientava atrás dele.

— Eu falei que tenho claustrofobia? — perguntou Liz. — Ah, espere, eu disse... Quando você me atraiu para este buraco do inferno.

— Eu também tenho — contou Peter, mas, conforme continuava a descer, ele sentia uma estranha calma. — Isto não é tão ruim.

— É o que você pensa — disse Liz.

A escada se curvava um pouco enquanto eles desciam e, assim, quando Peter chegou ao final, não fazia ideia de para qual direção estava virado. À sua frente, a lanterna revelou uma passagem baixa e estreita inclinando-se para baixo e desaparecendo em outra curva. O túnel era alto apenas o suficiente para Peter ficar em pé e quase não era mais largo que os ombros dele.

— Foram 52 degraus — comentou Liz, sua mão agarrando o ombro de Peter com força.

— Você contou?

— Quão profundo você acha que descemos? — indagou Liz. — Não, não responda.

Peter começou a seguir em frente, mas foi puxado por Liz, que segurava sua camisa.

— Tem certeza de que devemos fazer isso? — ela perguntou. — Não gosto disso, não gosto mesmo.

— Parece completamente inofensivo — respondeu Peter.

— Não consigo ver — declarou Liz. — Você está bloqueando toda a luz da maldita lanterna.

— Na verdade, não há muita luz da lanterna, então é melhor irmos em frente — disse Peter.

— Bem, eu me sinto muito melhor agora — falou Liz, mas, dessa vez, ela seguiu Peter quando ele começou a avançar, embora não afrouxasse o aperto na camisa dele. — Pelo menos você é mais alto que eu — ela comentou, forçando uma risada. — Então vai ser a sua cabeça que vai rachar no teto.

Peter na verdade pensara naquela possibilidade, e balançou a lanterna levemente para cima e para baixo enquanto andava, iluminando o chão e o teto alternadamente. Seguiu um pouco mais rápido, quase puxando Liz com ele, esperando que conseguissem chegar à saída antes de a lanterna se apagar por completo.

— Pergunto-me se foi aqui que esconderam todos aqueles soldados na Guerra Civil — comentou Peter.

— Pergunto-me se algum deles morreu aqui — falou Liz.

Depois de mais um minuto andando, ela acrescentou:

— Estamos em uma descida bem íngreme.

— Talvez tenhamos de passar embaixo do rio — supôs Peter.

— Droga — soltou Liz, parando de novo. — Não consigo. Não consigo andar debaixo de uma merda de rio. Temos que voltar.

— Você já dirigiu pelo Túnel Lincoln? — perguntou Peter.

— Não, eu não dirigi pelo maldito Túnel Lincoln — Liz respondeu. — Sou de Londres, nós temos pontes.

Peter sentiu o envelope de comprimidos aninhado no bolso do seu casaco e pensou se deveria dar um para ela, mas decidiu que era melhor apenas continuar forçando-a a seguir em frente.

— Vamos — ele disse. — Você consegue. Estou com você. Aqui, segure minha mão.

Peter estendeu a mão livre para trás e Liz a agarrou com força, quase esmagando os dedos dele, mas Peter não reclamou. Se ele pudesse de alguma forma mostrar sua calma para ela por meio daquele contato, valia a pena sentir um pouco de dor.

— Pronta? — ele disse.

— Não — respondeu Liz. — Mas vamos mesmo assim.

Seguiram em silêncio por vários minutos; a respiração acelerada de Liz e seus sapatos escorregando nas pedras eram os únicos sons no túnel. Peter não mencionou que o feixe de luz da lanterna diminuíra ao ponto de ficar inútil e que era apenas por segurar a bolsa em frente do corpo que ele podia esperar detectar alguma barreira repentina. De segundo em segundo, Liz apertava a mão dele com firmeza, e Peter viu-se gostando da necessidade que ela tinha dele. Enquanto ela precisasse dele para se acalmar, ele mesmo não entraria em pânico.

— Acho que estamos começando a subir de novo — ele comentou depois de mais alguns minutos.

— Na direção da luz? — perguntou Liz. — Você vê alguma luz?

— Ainda não — disse Peter, tentando puxá-la mais rápido.

Ele sentira um arrepio repentino, como se o frio do rio estivesse invadindo o túnel, mas esperava que fosse apenas porque tinha atingido a parte mais baixa do caminho, onde séculos de frio estavam à espreita.

— Por que está tão escuro? — falou Liz um momento depois. — Parece escuro pra caramba. Peter, pare. Pare, está escuro demais.

Mais uma vez ela parou, puxando com força a mão de Peter e, com a mão livre, a camisa dele. Peter sentiu o braço dela deslizar em volta do seu peito e a cabeça dela se apertar contra as costas dele conforme a luz da lanterna enfim apagava. Os dois estavam na escuridão absoluta. Ele ouviu Liz começar a chorar baixinho.

— Está tudo bem — ele disse. Apenas feche os olhos e me deixe guiá-la.

Peter respirou fundo e deixou suas costas relaxarem contra Liz. De repente ele se lembrou da forma como Amanda costumava chegar sorrateira por trás dele e envolvê-lo com os braços, puxando-o firme contra o peito, para ele sentir os seios dela contra suas costas.

— Continue em frente — Amanda disse naquele momento. — Você consegue. Você consegue chegar à outra ponta. Você consegue sair.

Ele deu um passo à frente, e Liz afrouxou o aperto, ainda segurando a mão dele. A respiração dela parecia mais estável.

— Olhos fechados? — perguntou Peter.

— Sim — sussurrou Liz.

— Agora, estamos apenas andando pelo corredor do seu apartamento tarde da noite. Apenas um passo de cada vez.

Os dois andaram pelo que pareceu, para Peter, uma eternidade. Ele não ousou falar, por medo de disparar mais pânico em Liz. A inclinação do piso ficou mais íngreme aos poucos, mas, apesar da subida, ele apertou o passo o máximo que ousava. Tentou não pensar na possibilidade de não ter saída, de eles terem de se virar naquele espaço apertado e refazer o caminho.

— Quão longe acha que chegamos? — disse Liz, a voz mais segura do que estivera desde que eles tinham entrado no túnel.

— Devemos estar chegando — supôs Peter, que não tinha como saber, mas não conseguia pensar em mais nada a dizer.

Eles tinham andado dois quilômetros? Três? Com certeza, se estivessem caminhando por tanto tempo na superfície, teriam chegado a Chipping Norton. Peter tentara não pensar em tempo nem em distância, mas tinha de presumir que já havia se passado uma hora desde que tinham descido a escada da cripta.

— Peter — chamou Liz.

— O que foi? — Peter perguntou, ainda seguindo em frente.

— O som é diferente.

— Seus olhos ainda estão fechados? — indagou Peter.

— Sim, o som está diferente. Aqui parece mais oco ou algo assim.

— Talvez estejamos chegando ao final — disse Peter.

— E se não conseguirmos sair? — falou Liz, balançando a mão de Peter na sua. — E se chegarmos ao final e não conseguirmos sair?

— Vamos conseguir sair.

— Você não sabe — devolveu Liz, seu tom de voz aumentando. — Como pode saber? E se tivermos de voltar? Acho que não consigo voltar. Ah, que merda, vamos morrer aqui, não vamos? Vamos morrer nesta bosta de lugar.

Ela parou de novo, forçando Peter a parar também, e ele podia ouvi-la chorar, soluçando e arfando bastante.

— Não vamos morrer — disse Peter.

— Como você sabe? — choramingou Liz, sua voz ecoando pelo túnel. — Como pode saber?

— Vou contar como sei — começou Peter, apertando a mão de Liz com delicadeza. — Apenas respire fundo e escute que eu contarei.

Ele a ouviu respirar devagar e os sons engasgados dos seus soluços desapareceram.

— Conte — ela sussurrou.

— Nunca contei isso a ninguém, mas posso confiar em você, certo?

— Sim — disse Liz, suavemente.

— Certo — falou Peter.

Ainda segurando a mão dela, ele começou a avançar de novo enquanto falava.

— Desde que Amanda, minha esposa, desde que ela morreu, às vezes ela fala comigo. Eu não estou dizendo que imagino a voz dela ou que me lembro de coisas que ela disse, mas ela simplesmente aparece e diz coisas. Às vezes é quando preciso muito dela, e às vezes é quando eu menos espero. Como quando almoçamos naquele restaurante italiano, lembra?

— Sim — respondeu Liz.

— Bem, ela estava lá. Apenas por um segundo, ela estava em pé do outro lado do salão e me disse para contar a você a história da ópera.

Liz ficou em silêncio.

— Sei que parece que sou louco, mas acredite, não sou. E, sempre que ela me diz para fazer alguma coisa, acaba sendo o certo a fazer. De qualquer forma, ela esteve aqui há algum tempo, não muito depois de começarmos, e disse que conseguiríamos. Ela disse que conseguiríamos chegar ao outro lado e sair.

— Sério? — perguntou Liz, e Peter ficou aliviado por ouvir na voz dela não ceticismo nem sarcasmo, mas esperança.

— Sério — garantiu Peter.

Enquanto ele pronunciava a palavra, bateu o dedo do pé com força em alguma coisa e quase caiu para a frente.

— O que é?

— Acho que são mais degraus — contou Peter, sentindo a escuridão com o pé.

— Não posso descer mais — declarou Liz. — Simplesmente não posso.

— Eles não descem — disse Peter. — Eles sobem.

E eles começaram a subir.

Peter não se sentira sem fôlego durante toda a jornada subterrânea, mas viu-se ofegando em busca de ar conforme os degraus se curvavam, dando voltas e voltas.

— São 52 — disse Liz. — Foi a quantidade que descemos.

Mas, ainda assim, os degraus subiam na escuridão. Por fim, Peter parou.

— Preciso descansar — ele avisou.

— Continue — incentivou Liz. — Consigo aguentar a dor nas pernas se pelo menos sairmos daqui.

E, assim, eles continuaram subindo.

— Foram 200 — falou Liz alguns minutos depois. — A propósito, eu estou de olhos abertos agora.

Peter levantou o pé para o degrau seguinte e não sentiu nada.

— Acho que estamos no topo — disse, deslizando o pé pela pedra lisa.

Deu mais dois passos para a frente e sua bolsa bateu em algo sólido. Ele parou e, por cima do som da sua respiração ofegante, podia ouvir Liz.

— Que exista uma saída — ela dizia. — Que exista uma saída.

Peter apoiou a bolsa no chão e largou a mão de Liz. Ela agarrou a camisa dele enquanto ele passava a mão na parede à sua frente.

— É madeira — comentou.

— É uma porta? — perguntou Liz.

— Deve ser — disse Peter, embora soubesse que podia também ser uma parede sólida.

Ele passou a mão pela barreira começando pela parte de cima e descendo, tocando de leve a madeira com as pontas dos dedos para evitar farpas.

— Vamos — falou Liz. — Ache a saída.

Assim que ele ouviu a respiração dela acelerar de novo, Peter sentiu algo gelado e duro.

— Espere — ele disse. — Parece uma maçaneta.

Peter apertou para baixo o que parecia um trinco de ferro e empurrou o ombro contra a madeira. No instante seguinte, estava tropeçando para a frente, para o calor e a luz ofuscante, conforme Liz o empurrava pela porta. Por um momento, Peter não pôde ver nada e ouvia apenas Liz chorando e rindo ao mesmo. Antes de seus olhos se adaptarem o suficiente para ele reconhecer os arredores, ouviu a voz de John Alderson.

— Ah, Senhor Byerly. Que legal da sua parte fazer uma visita. E vejo que trouxe uma amiga.

Peter não percebeu que estivera tensionando os músculos na última hora, mas sentiu uma onda de relaxamento varrê-lo enquanto Alderson o convidava para sentar e ajudava Liz a pegar um lugar perto do fogo. Ela ainda estava tremendo, mas olhou para Peter e sorriu, e ele soube que ela se recuperaria. Ele não dissera a ela seu medo de que, se a passagem levasse para a Mansão Evenlode, eles seriam recebidos por Júlia Alderson brandindo a espingarda do seu amado. Serem recebidos, em vez disso, pela gentileza do irmão dela foi realmente um alívio.

— Vocês parecem ter tido uma experiência assustadora — disse John.

Peter percebeu que estava coberto de lama e arranhões. A dor do tornozelo torcido, esquecida na intensidade da trilha subterrânea, havia ressurgido.

— É um túnel — contou Peter. — Um túnel até a capela da família Gardner.

— Extraordinário — falou John.

— Minha amiga aqui é um pouco claustrofóbica— comentou Peter. — E ficamos lá um bom tempo.

— Eu tinha ouvido falar dessa passagem — afirmou John. — Meu avô costumava contar histórias sobre o intercâmbio secreto entre os Alderson e os Gardner; a cooperação no subterrâneo enquanto a briga estourava na superfície. Nunca acreditei nisso até Thomas Gardner aparecer bêbado na minha biblioteca certa noite.

— Então você sabia? — perguntou Peter.

— Ah, sim — disse John —, embora eu nunca tenha tido coragem para fazer a jornada. Como nossa amiga, não gosto de lugares apertados.

Ele fechou a porta da passagem, que desapareceu sem deixar rastros no painel da parede, e deu a Peter sua bolsa.

— O Senhor Gardner usou o túnel em diversas ocasiões, apesar de nunca ter encontrado o que eu esperava que encontrasse na cripta da família.

Antes de Peter poder cruzar seu olhar com o dela para fazê-la se calar, Liz, que parecia bem recuperada, disse:

— Você está falando da coleção de documentos de Phillip Gardner? Nós encontramos.

— Encontraram, é? — disse John, sorrindo. — Eu esperava que encontrassem quando os prendi lá.

— Você... — falou Liz, incapaz de articular o restante do seu pensamento e lutando para se desculpar com Peter pelo olhar.

— Eu acho que você gostaria de vê-la — contou Peter, com muita calma, como se eles estivessem discutindo um simples acordo de negócios.

Ele abriu a bolsa e colocou a mão dentro, juntando a pilha de documentos e tirando-a.

— Fique à vontade para colocá-los na mesa — disse John, colocando a mão no bolso do seu casaco. — E não pense em ir a lugar algum.

Tirou uma pistola e balançou-a para a mesa da biblioteca, onde Peter examinara o *Pandosto* pela primeira vez. Parecia quase impossível ter sido menos de uma semana antes.

— Você nos prendeu? — perguntou Liz, curiosidade e raiva misturadas na sua voz. — Seu cretino.

— Fiquei muito ocupado nos últimos dias tentando estar um passo à frente de vocês — contou Alderson. — Nem tudo foi bem de acordo com o plano, mas as coisas funcionaram no final... E vocês me trouxeram um pequeno bônus.

Ele fez um gesto com a cabeça na direção da pilha de documentos.

— Mas eles não pertencem a você — disse Liz. — Nem pertencem a Thomas Gardner. Phillip Gardner os deixou para os descendentes de seu filho ilegítimo. Encontramos o testamento dele.

— Minha querida, ninguém além de vocês verá esse testamento, e é de conhecimento geral entre vários dos principais negociantes de documentos que eu tenho uma velha coleção de família que estou pronto para vender. Garanto que não haverá dúvidas quanto ao dono.

— Mas, se você nos prendeu... — começou Peter. — Digo, pensamos que Thomas Gardner e Júlia tinham...

Peter deixou o pensamento pairando no ar.

— Minha irmã Júlia? Sim, ela devia ter ajudado, mas aquele idiota do Gardner conseguiu um álibi no pior momento possível. Não que eu realmente tenha confiado em Gardner para fazer o trabalho sujo por mim, mas ele daria um ótimo bode expiatório. Foi por isso que pedi a Júlia para seduzi-lo, para início de conversa.

— Então você sabia a respeito de Thomas e Júlia? — indagou Peter.

— Claro que sabia — respondeu Alderson. — Foi ideia minha. Assim como foi ideia minha tentá-lo com o *Pandosto*. Mas você provou ser curioso demais, e medidas tiveram de ser tomadas.

— Então foi você que... — disse Peter.

— Fui eu que matei Graham Sykes, saqueei o escritório e o apartamento da mocinha procurando o livro maldito dele... Sim, fiz tudo isso. E, se Thomas Gardner não tivesse dado um tiro em si mesmo, ele teria levado a culpa depois de Júlia testemunhar contra ele. Para minha sorte, você conseguiu deixar um monte de evidências no local do crime. Acho que será um caso rápido de resolver.

— Eu vou testemunhar a favor dele — garantiu Liz, ficando em pé e dando um passo na direção de Alderson.

— Não será necessário — falou Alderson, virando a arma para ela e fazendo um gesto para que ela se sentasse de novo. — Não vai haver julgamento.

Liz se sentou, seu rosto empalidecendo de repente.

— Agora — começou Alderson, virando-se para Peter. — Acho que você tem mais uma coisa que me pertence.

— O *Pandosto* — disse Peter.

— Minha irmã deu a você uma semana para conseguir a venda. Seu tempo acabou.

— É uma falsificação — ele avisou —, mas acho que você sabia disso, ou o teria levado à Sotheby's ou à Christie's.

— Sim — confirmou John —, mas foi muito mais fácil entregar a você. Eu esperava que você não tivesse nem os recursos nem a esperteza para provar que é falso. E, é claro, seu ego o fez querer acreditar que tinha encontrado um grande tesouro. Estou errado?

— Não completamente — respondeu Peter.

— É uma pena, de verdade. Se você fosse um pouco menos esperto, algum americano rico estaria babando sobre o *Pandosto*, você e eu estaríamos bem ricos e eu não seria forçado a cometer três assassinatos e começar tudo de novo com outro vendedor de livros.

— Três assassinatos? — disse Liz.

— Bem, não posso deixá-los viver, sabendo o que vocês sabem. Quando eu contar à polícia que o assassino de Graham Sykes e sua cúmplice vieram atrás de mim em minha própria casa, é natural que não tenham dificuldade para aceitar minha legítima defesa. Vamos beber? — Alderson perguntou, balançando a arma na direção do decantador de vidro decorado. — Não sou totalmente mal-educado.

Kingham, 1879

Enquanto os empregados que empacotavam os pertences da Sra. Gardner faziam barulho sem parar batendo as coisas no andar de cima, Phillip Gardner lia de novo a carta que dera fim ao seu casamento e às suas esperanças de salvar a Casa Evenlode da ruína. Essas perdas não eram nada, porém, diante da dor que enchia seu peito sempre que ele lia as palavras que dançavam à sua frente. Só naquele momento percebia que poderia ter vivido com a vergonha de condenar a propriedade da família à ruína, mas ter primeiro maltratado e, depois, perdido a única mulher que amara de verdade era mais do que ele podia aguentar.

Seu triunfo sobre Reginald Alderson parecia então uma infantilidade, e a dor de perder Isabel unia-se à vergonha que ele sentia por sua cumplicidade na destruição de um grande tesouro. Apenas naquele momento ocorria-lhe que poderia ter feito duas falsificações, devolvendo uma para Mayhew como o livro original e guardando o verdadeiro *Pandosto*. Não era por ganância que queria ter pensado no plano antes, mas por um desejo repentino e intenso de preservar um grande pedaço da história literária. Mas Phillip estivera cego de ódio e arrogância.

À medida que lia as palavras da carta da Srta. Prickett vez após outra, o planejamento de suas ações ia ficando cada vez mais claro. Ele juntou alguns papéis e livros, saiu da casa pela porta da cozinha e fez uma última caminhada até a toca na qual se dedicara a seu ofício de falsificador. Enquanto entrava na capela, a Sra. Gardner entrava na charrete que a levaria até a estação de trem. Nunca mais se veriam.

Na luz de um curto dia de novembro que se apagava, Benjamin Mayhew desceu a Piccadilly na direção da St. James Street para jantar com William Smith em seu clube. Tinha tratado do *Pandosto,* e, apesar de saber que ele poderia ter-lhe trazido fama, poderia, com a mesma intensidade, ter-lhe trazido ruína e notoriedade; afinal, ele tinha roubado o livro, para início de conversa. Tecnicamente, nem era mais seu livro; ele dera um comprovante de compra falso a Phillip Gardner.

Apenas ele e Gardner sabiam a verdade sobre o *Pandosto*, e Benjamin pensou que talvez devesse escrever toda a história do livro e o que ele revelava de verdade, caso alguma coisa acontecesse a ele. Se o fizesse, iria, é claro, planejar para que o segredo fosse mantido até depois da morte de William Smith.

Ocupado assim com seus pensamentos, Mayhew ultrapassou o limite da calçada para a Haymarket imaginando a surpresa de um estudioso do futuro ao descobrir que a famosa falsificação do *Pandosto* fora copiada de uma relíquia genuína. A imagem era forte o bastante para sua mente bloquear o som de cascos se aproximando, e poderia ser dito com precisão que, quando Benjamin Mayhew foi derrubado pela carruagem, ele não fazia ideia do que o atingira.

Enquanto Benjamin Mayhew morria nas pedras da Haymarket, Phillip Gardner erguia-se pelo buraco no chão da capela da família, usando a corda que ele baixara para a escuridão algumas horas antes. Tinha feito seus preparativos finais. Estava orgulhoso da maneira como aplicara suas habilidades artísticas ao trabalho de entalhar uma inscrição adequada no seu túmulo na cripta. Depois, selara sua coleção de documentos, ao lado de sua confissão e das cartas de Isabel e da Srta. Prickett, naquele subterrâneo. Seu túmulo não teria mais nada. Que ele fosse um monumento à tolice, Phillip pensou, um tributo vazio ao que acontece com um homem que coloca o dinheiro acima do amor, a rivalidade acima da integridade, a falsificação acima da realidade.

Levara apenas uma hora para dar os toques finais no *Pandosto*. No final da lista de nomes de donos, colocara duas adições. A primeira, ele via como apólice de seguro. Se o *Pandosto* chamasse a atenção de estudiosos, queria direcioná-los a Mayhew, na esperança de que o livreiro admitisse que, exceto pela única adição de Phillip, as anotações das margens haviam sido copiadas da letra de Shakespeare mesmo. Assim, ele acrescentou a anotação "B. Mayhew para William H. Smith". Abaixo dela, escreveu a lápis na própria letra "A.I./C.E.". Embora não tivesse significado para a maioria das pessoas, para Reginald Alderson serviria como lembrete de quem enganara quem.

Phillip esperava que Mayhew lhe perdoasse pela mudança de plano, mas sabia por experiência própria que a angústia privada podia ser mais dolorosa do que a humilhação pública, e ele queria que Alderson soubesse até onde fora ludibriado. Alderson teria uma noite de alegria, quando encontrasse o *Pandosto* na mesa da biblioteca; na manhã seguinte, tudo seria estilhaçado com a entrega da carta final de Phillip. Se Alderson um dia fosse tolo o bastante para revelar o *Pandosto* para o público, Smith ainda poderia rir dos stratfordianos, mas Phillip não se importava mais em deixar Mayhew ou Smith feliz.

• • •

Antes de fazer as entregas sorrateiras à Mansão Evenlode, Phillip voltara para seus únicos amores verdadeiros: a pintura e Isabel. Em apenas uma hora, havia criado o que sabia que seria sua segunda obra-prima, e seu único trabalho verdadeiramente original. Ele a pintou como se lembrava melhor dela, escovando o cabelo diante do espelho depois de eles fazerem amor. Enquanto se lembrava daquela gloriosa tarde, parecia a Phillip que havia sido o único momento de sua vida em que fora feliz de verdade. Evocar o rosto de Isabel mais uma vez e deixá-lo fluir de sua memória através do pincel e para o papel era, na opinião dele, pela primeira e última vez, o que significava ser um artista.

Por mais de uma hora depois de a pintura ter secado, ficou olhando para Isabel: o único rosto que já olhara para ele com amor incondicional, o rosto que ele traíra e banira.

Mesmo depois de ter colocado a pintura dentro do livro no qual ela ficaria escondida na biblioteca de Alderson e deslizado a falsa lápide que escondia a entrada da cripta de volta para o lugar, Phillip ainda via aquele rosto. Ele esperava que sua pintura pudesse um dia ser revelada; não para que ele fosse lembrado, mas para que sua adorada Isabel pudesse mais uma vez sorrir para uma alma sortuda dali a anos.

A casa estava silenciosa quando ele voltou; os empregados haviam ido com a patroa, pois sabiam quem pagava os salários. A chuva acabara de começar a cair enquanto Peter subia por uma janela da casa principal para o topo da parede na ala oeste não finalizada. Três andares abaixo, em meio à névoa, ele podia ver as pilhas de pedra calcária recém-extraída, a entrega final dos materiais de construção que chegaram apenas alguns dias antes. Phillip perguntou-se se a Sra. Gardner havia pagado a conta.

Ridgefield, 1994

Sentado na sala de espera do hospital hora após hora enquanto Amanda passava por uma bateria de exames, Peter sentia-se mais sozinho do que nunca. Era verdade que Sarah e Charlie Ridgefield estavam lá, sentados juntos do outro lado da sala, um deles às vezes se levantava e cruzava o espaço para olhar pela janela, mas eles não falavam — nem um com o outro nem com Peter —, e Peter sentiu que eles o culpavam de alguma forma pelo que acontecera a Amanda. Ele sabia racionalmente que aquilo não podia ser verdade, que a ideia de falar antes de ouvir o veredito do médico era tão horrorosa para eles quanto para Peter; mas a razão provavelmente não ganharia a batalha contra a emoção naquele dia, e, conforme o tempo se arrastava até ganhar um ritmo glacial, Peter vasculhava a memória para descobrir o que ele poderia ter feito para deixar Amanda doente. Ele não conseguia nem olhar para Sarah e Charlie e, assim, nem viu quando a mãe de Amanda levantou-se e andou até o outro lado da sala. Ela se sentou no sofá ao lado de Peter e segurou a mão dele sem falar. Ele ainda não conseguia olhar para ela, mas sentiu lágrimas quentes em suas bochechas à medida que suas emoções enfim admitiam o que sua razão sempre soubera: ele não estava sozinho.

O gesto de inclusão de Sarah enfim deu a Peter força para fazer mais do que apenas esperar. De um telefone público no corredor, ele ligou para Cynthia.

— Estou indo para aí — a amiga de Amanda dissera, e havia tanta compaixão e apoio e agonia compartilhada naquelas poucas palavras que Peter começou a chorar.

— Você faria uma coisa para mim antes? — ele disse.

— Qualquer coisa — respondeu Cynthia.

— Você poderia parar na minha casa e me trazer uma coisa?

Uma hora depois, o médico enfim emergiu para falar com eles.

— Estamos olhando os resultados da ressonância magnética dela — ele disse. — Não saberemos nada definitivo por mais algum tempo.

— O que vocês sabem que não é definitivo? — perguntou Charlie Ridgefield. — Do que suspeitam? O que é provável?

— Eu prefiro não especular até termos os resultados — o médico respondeu.

— Se acha que está nos poupando deixando de contar o que vocês temem que seja, não está — falou Charlie, com um toque de raiva invadindo sua voz. — Não tem como ficarmos com mais medo do que estamos agora.

— Ela tomou uma boa quantidade de analgésicos e sedativos — explicou o médico —, então está um pouco grogue. Mas acho que não tem problema um de vocês ir vê-la.

Sarah pegou sua bolsa, mas Charlie colocou uma mão no ombro dela.

— Deve ser o Peter — ele disse, e Peter soube então que seu sogro não o culpava, não estivera tentando evitá-lo.

— Venha comigo — chamou o médico.

Ela está linda, Peter pensou quando viu a esposa deitada na cama do hospital. Ela estivera muito pálida pela manhã, quando Charlie a carregara para o pronto-socorro, mas a cor tinha voltado, e, mesmo sabendo que ela diria que seu cabelo estava bagunçado,

Peter não se importava. Ela era a coisa mais linda que ele já vira. Ele se sentou ao lado dela e ela levou um momento para focá-lo e sussurrar "Peter", e, naquelas duas sílabas e naqueles olhos, Peter viu tudo — a garota sentada bem ereta na sala de leitura da biblioteca; as conversas tarde da noite na lanchonete; o doce ato de amor na Sala Devereaux; as viagens para a Inglaterra, dando as mãos quando o avião decolava —, naquela bela mulher, ele viu tudo que era bom e certo em sua vida.

— Você me salvou, sabia? — ele disse. — Nunca lhe disse isso antes, mas você me salvou.

Ele tinha medo de que ela não entendesse do que ele estava falando, mas ela sorriu e sussurrou:

— Eu sei.

Ela deslizou uma mão quente de debaixo das cobertas e disse:

— Segure minha mão enquanto eu durmo.

Peter pegou a mão e viu os olhos dela se fecharem. A respiração dela diminuiu e ele inclinou a cabeça contra o peito dela e ouviu o som das batidas do seu coração e rezou para o médico nunca chegar. Ele não queria ouvir os resultados dos exames e um diagnóstico e uma taxa de sobrevivência; ele queria apenas segurar a mão de Amanda para sempre e ouvir o coração dela bater e bater.

— Não podemos fazer nenhuma promessa quanto à cirurgia — disse o Dr. Owen —, mas há motivos para ficarmos otimistas.

Peter estava de pé no pequeno consultório com Sarah e Charlie e o neurocirurgião, que estava apontando uma série de imagens da ressonância magnética. Eles pareciam arte moderna, foi tudo o que Peter conseguiu pensar. Amanda os odiaria.

— Com um tumor desse tipo, há casos de recuperação total, mas tenho de avisá-los de que a sobrevida em cinco anos é de apenas cerca de 10%.

— Ela estará nos 10% —afirmou Charlie, puxando a esposa para abraçá-la.

— E, é claro, há riscos de complicações se desenvolverem como resultado da cirurgia. Sempre que se corta o cérebro, há riscos.

Pela segunda vez na vida, Peter preparou-se para dar um diagnóstico a Amanda, desta vez para dizer que ela tinha câncer no cérebro, que teria de passar por horas de cirurgia e vários meses de radiação. Ela estava acordada quando ele entrou no quarto, parecendo mais alerta do que estivera na sua visita anterior.

— Tenho algo para você — ele disse. — Cynthia trouxe.

Ele levantou o exemplar de *At the Back of the North Wind* que reencadernara para ela oito anos antes. Amanda sempre deixava o livro ao lado da cama, mesmo quando eles viajavam.

— É tão bonito — ela disse. — Acho que você me ganhou com este livro.

— Hank disse que eu nunca fiz um trabalho de encadernação tão bom como este.

— É porque este foi encadernado com muito amor, você sabe disso, Peter.

Ela apertou o livro contra o peito, e Peter mordeu a língua com força para não chorar. Ela sempre fora a forte, mas, naquele momento, ele sabia que teria de ser o pilar de força dela e não tinha certeza se servia para o papel.

— Tenho notícias do médico para você — ele contou.

Peter ficou no quarto de Amanda naquela noite, dormindo e acordando na cadeira ao lado da cama. Tarde da noite, ele a sentiu tocar na sua mão e sentou-se para a frente para olhar nos olhos dela à pouca luz.

— O que foi? — ele perguntou.

— Faça amor comigo — ela disse.

— Está louca? — falou Peter, segurando uma risada. — Estamos em um quarto de hospital.

— Eu sei — ela afirmou, puxando-o para si com tanta força que ele não teve escolha a não ser se levantar da cadeira e deitar no canto da cama. — Mas amanhã vão raspar meu cabelo e cortar um buraco na minha cabeça e, depois, vão passar seis meses jogando radiação venenosa em mim, então posso não me sentir sexy por um tempo.

— Mas não podemos aqui — argumentou Peter, conforme ela começava a desabotoar a camisa dele.

Ela deslizou as mãos ao redor do pescoço dele e puxou-o, beijando-o longa e intensamente.

— E estou assustada — ela sussurrou no ouvido dele. — Estou muito assustada e preciso de você dentro de mim porque, quando fazemos amor, todo o resto desaparece.

E, assim, Peter entrou debaixo das cobertas com ela e, por uma hora, tudo desapareceu mesmo e eles estavam de volta à Sala Devereaux, loucos de amor, rindo muito e esperando não serem pegos, e eles choraram quando chegaram ao clímax e nenhum conseguiu descobrir, enquanto estavam deitados nos braços um do outro depois, se aquelas tinham sido lágrimas de alegria ou amor ou medo ou tristeza ou todas essas emoções juntas.

Aconteceu rápido, o médico contou a eles, quando ela estava na sala de recuperação depois da operação. Ela ainda estava anestesiada. Não sentiu nada. Derrames não são um efeito colateral incomum naquele tipo de condição. Fizemos tudo o que podíamos para reanimá-la, mas a paciente expirou.

Como a assinatura de uma revista, pensou Peter. O período durante o qual tenho permissão para ser feliz expirou.

Peter atravessou a semana seguinte entorpecido. Pode ter falado com Sarah e Charlie Ridgefield, com Cynthia e outros amigos de Amanda que foram à visita ou ao funeral, mas, se tinha sido o caso, seu corpo conduzira aquelas conversas sem consenso ou cooperação da sua mente ou do seu coração. Aquelas partes dele estava congeladas; congeladas para sempre, ele pensou, e o que estava congelado podia evitar enfrentar a magnitude da perda.

No enterro, Peter temia que aquele congelamento permanente pudesse começar a derreter, enquanto ele colocava no caixão de Amanda um livro de capa de couro azul: seu amado exemplar de *At the Back of the North Wind* no qual ele derramara tanto amor. Quando ele se reergueu, Cynthia estendeu-lhe a mão, mas ele a dispensou e desceu rapidamente o morro até os carros que aguardavam. Antes de qualquer um poder alcançá-lo, ele se trancou no banco de trás de um carro de aluguel e deu ao motorista o endereço de sua casa. Lá, ele fechou as cortinas, desligou o telefone e tentou encontrar um jeito de viver que não envolvesse... bem, nada.

Não havia como esquecer Amanda. Tudo na casa o fazia lembrar dela — não apenas os móveis e os tapetes e as cores das paredes, tudo escolhido por ela, mas o copo no qual ela bebera seu suco de laranja diário e a pipoca de micro-ondas que ela comprara para ele comer quando assistissem a filmes juntos. Amanda estava em toda parte, e não estava em parte alguma.

E, depois, ela começou a visitá-lo. No começo, apenas o observava enquanto ele lia um livro ou enchia uma tigela de cereal, mas, em pouco tempo, ela começou a falar. Ele raramente falava também, mas ouvia. E, quando ela pediu para ele, por favor, ir ver o Dr. Strayer, ele lavou umas roupas e saiu pela primeira vez em quase um mês. Tinha perdido nove quilos, sua pele estava pálida e ele piscou à luz desconhecida do sol, mas dirigiu os 4,8 quilômetros para ir à consulta que marcara com o Dr. Strayer no dia anterior.

Peter recusou-se a usar a palavra recuperação; dizer que estava começando sua recuperação seria admitir que Amanda tinha ido embora. E, assim, como Peter não estava pronto para dar os passos necessários para lidar com sua tristeza, o Dr. Strayer, que temia que seu paciente voltasse para sua casa escurecida para sempre, fez uma lista para ele. Dez coisas que precisava fazer para salvar sua própria vida.

Peter grudara a lista na geladeira, mas, três meses após a morte de Amanda, ele ainda tinha lhe dado pouca atenção. As cortinas continuavam puxadas, o telefone continuava desligado, ele se arriscara a sair apenas para ver o Dr. Strayer e em passeios tarde da noite até a mercearia. Ele vira Sarah e Charlie apenas uma vez desde o funeral, quando fora chamado ao escritório do advogado para assinar os papéis referentes à distribuição dos bens de Amanda. Apesar da óbvia preocupação deles, Peter conversou pouco com os dois e deixou o escritório antes de a tinta secar. Ninguém que viu aquele homem acabado correndo pelo estacionamento teria imaginado que ele acabara de herdar um pouco mais de 14 milhões de dólares.

Pouco depois do Dia do Trabalho, conforme os estudantes voltavam e se acomodavam no campus de Ridgefield, Peter estava executando a ação diária de abrir a correspondência quando descobriu uma conta do empreiteiro que estivera reformando o chalé na Inglaterra. "Balanço final", dizia a fatura. O trabalho estava completo. Deixar Ridgefield de repente pareceu a Peter a coisa óbvia a fazer. Três dias depois, ele tinha empacotado seus livros de consulta e organizado para que fossem mandados para Oxfordshire, e um táxi o esperava do lado de fora para levá-lo ao aeroporto. Parou na cozinha ao lado da mala e deu uma última olhada ao redor antes de desligar a luz. Enquanto o táxi buzinava com impaciência, olhou a geladeira e viu a lista do Dr. Strayer. Arrancou-a da porta e enfiou-a no bolso do casaco.

Kingham, 1879

Conforme a chuva escorria pelas altas janelas da biblioteca, Reginald Alderson releu a extraordinária coleção de anotações nas margens do exemplar de *Pandosto* que aparecera na mesa da sua biblioteca na noite anterior. O pacote não fora postado; ele presumiu que Phillip Gardner o tivesse entregado pessoalmente, embora não tivesse tido a chance de perguntar ao mordomo. Tremeu ao pensar que era então o guardião de tal tesouro, pois lera o suficiente sobre Shakespeare para saber o quanto o *Pandosto* era um documento espetacular. Nunca imaginara que sua chantagem com Gardner renderia tantos frutos.

Estava tão distraído com o livro, e seu potencial de torná-lo o colecionador mais famoso do país — o "*Pandosto* de Alderson" a imprensa o chamaria — que não reparou em uma fileira de dez livros em uma prateleira baixa da sua biblioteca que não estivera ali no dia anterior. Ele estava se imaginando dando uma palestra no Salão Egípcio lotado quando o mordomo chegou com a correspondência da manhã.

Reginald estava acostumado a ver a letra inclinada de Phillip Gardner em pacotes que continham documentos da coleção do vizinho. O pacote daquele dia era grosso, e Reginald supôs serem novos tesouros. Abriu o envelope e tirou o conteúdo. Quando uma dúzia de aquarelas medíocres derramou-se sobre a mesa, Reginald teve um pressentimento ruim. Pegou a carta por cima da pilha de pinturas e leu. As palavras de Gardner causaram uma dor em seu peito que não diminuiu quando ele voltou a respirar. Toda a ideia de apresentar o seu precioso *Pandosto* para um público devoto evaporou.

Ele estava prestes a jogar o livro sem valor no fogo quando o mordomo voltou, desta vez conduzindo o policial da região até a biblioteca.

— Lamento perturbá-lo, senhor — disse o policial—, mas houve uma morte na Casa Evenlode. O Senhor Phillip Gardner.

Entre suas muitas responsabilidades na freguesia, Reginald Alderson atuara pelos três anos anteriores como chefe de investigações de mortes suspeitas, uma formalidade na maior parte do tempo, já que não acontecera uma única morte suspeita na região naquele tempo.

O inquérito da morte de Phillip Gardner foi realizado na sala de visitas da Casa Evenlode. Reginald Alderson organizara tudo para que as lareiras fossem acesas, pois os empregados haviam desaparecido misteriosamente. Ele não perdeu tempo discutindo esse fato ou o desaparecimento da Sra. Gardner durante o interrogatório da única testemunha: o construtor que encontrou o corpo do falecido na pilha de blocos de calcário. Além do policial, do policial assistente e da testemunha, o irmão mais novo do falecido e herdeiro da propriedade era a única outra pessoa na sala para ouvir o veredito rapidamente anunciado por Reginald de morte acidental. Reginald achou que tal veredito seria a melhor maneira de evitar mais investigações que pudessem revelar sua coleção de falsificações e até a chantagem feita com Gardner. Como Reginald tinha posse da única evidência de que Gardner, na verdade, havia se suicidado, ninguém questionou o veredito.

Phillip Gardner foi enterrado logo ao lado da capela da família. O único de luto, Nicholas Gardner, incumbido do fardo das dívidas de uma propriedade que ele nunca quisera, não teve nem o dinheiro nem a disposição de erguer uma lápide.

Reginald colocou primeiro o *Pandosto* e, depois, o restante da sua coleção de falsificações conseguida ilegalmente em uma caixa de madeira em que pôs o rótulo "Nunca vender" e trancou-a no armário da biblioteca. Pelo restante de seus dias, que foram muitos, ele usou a chave daquele armário em um cordão de couro em volta do pescoço; um lembrete constante de como fora enganado.

Ele não seria enganado de novo. Reginald passou o resto da vida indo de um negócio inteligente para o outro, enchendo o caixa da propriedade da família, enquanto a Casa Evenlode, abandonada e negligenciada por Nicholas Gardner, caía em ruínas. Durante ventos fortíssimos no dia seguinte ao Natal de 1898, toda a Kingham e as pessoas até de Chipping Norton ouviram o grande trovão da queda da ala oeste, não finalizada, da Casa Evenlode. Reginald Alderson andou até lá no dia seguinte para alegrar-se em silêncio com a derrocada dos Gardner.

Três dias depois, Reginald, que não devia ter se arriscado a sair no frio com a idade avançada, estava em seu leito de morte. Pela primeira vez em quase 20 anos, desamarrou o cordão que segurava a chave do pescoço, apresentando-a com solenidade ao filho. Depois, contou a Edward Alderson a história do *Pandosto* e dos documentos falsificados, fazendo-o jurar proteger a chave com a vida e compartilhar o segredo da caixa escondida apenas com o herdeiro da Mansão Evenlode.

Edward Alderson viveu até quase os 90 anos; o suficiente para ver o filho ser morto na Primeira Guerra Mundial e o neto, na Segunda Guerra. Foi apenas em 1955 que ele passou o segredo dos documentos de Evenlode para o bisneto, John Alderson, que acabara de completar 18 anos. John sempre gostara muito das aquarelas penduradas no seu quarto de criança e ficara chocado ao descobrir a participação delas em um segredo de família.

Durante 40 anos, John guardou aquele segredo, mas, no começo da década de 1990, perdeu uma fortuna em obrigações especulativas e, conforme as dívidas da propriedade da família se acumulavam e seu filho começava a perguntar sobre a herança, John pensou na possibilidade de que a caixa há muito escondida acabasse sendo sua salvação. E, depois, a Senhorita O'Hara voltou da loja certo dia e mencionou de passagem que um negociante americano de livros raros estava morando em Kingham.

Kingham, quarta-feira, 22 de fevereiro de 1995

Os sinos da St. Andrews soaram meia-noite enquanto John Alderson balançava a arma preguiçosamente na direção de Peter.

— Talvez você sirva — ele disse. — Vou apontar a arma para a sua namorada para o caso de você decidir fazer alguma bobagem heroica.

Peter levantou-se e cruzou a sala. Havia dois copos de cristal na bandeja de prata perto do decanter. Peter ficou feliz em dar as costas para Alderson por um momento.

— Uísque? — ele perguntou ao tirar a tampa da garrafa e, lentamente, iniciar a tarefa de servir as bebidas.

— Eu acho que ele acalma meus nervos quando estou em uma situação difícil — disse John. — Talvez faça o mesmo por vocês.

— Quem disse que estou nervoso? — falou Peter, ainda surpreso por não estar.

— Ao encarar a morte, a maioria das pessoas fica um pouco tensa — comentou Alderson.

— Então você já passou por isso? — questionou Peter.

— Apenas Graham Sykes. Não o descreveria como nervoso, mas bravo, no entanto. Ele na verdade mordeu meu braço antes de eu poder despachá-lo.

Peter tentou esconder seu nojo ao imaginar o velho teimoso lutando pela vida. Ele se virou e entregou um copo ao anfitrião.

— Você entendeu mal — disse Alderson. — As bebidas são para vocês dois.

— Ela não bebe — avisou Peter, lançando para Liz um olhar silenciador que teve o efeito exato que ele queria. — E, para ser sincero, não tenho certeza se eu deveria beber. Como sei que você não envenenou o uísque?

— Você é igual a todos os americanos — disse Alderson. — Vocês leram muitas histórias de mistérios com assassinatos em antigas casas inglesas. O que Agatha Christie fez com a imagem deste país?

— Ainda assim — continuou Peter, oferecendo um copo a Alderson.

— Muito bem — concordou Alderson. — Saúde.

Ele bebeu o conteúdo de uma vez e colocou o copo com força em uma mesa ao lado da sua cadeira.

— Viu? Sem convulsões, sem espuma na boca. Apenas uma boa dose de uísque escocês.

— Percebi que você não bebeu à minha saúde — disse Peter, bebericando no seu copo e apoiando-o de novo.

— Teria sido um pouco hipócrita, não acha? Agora, pode devolver meu *Pandosto*, por favor?

Peter colocou a mão dentro da bolsa e tirou o livro cuja história ele estivera rastreando nos últimos dias. Puxando-o do seu envelope protetor, entregou-o a Alderson.

— Talvez a falsificação seja mesmo sua — ele comentou —, mas tenho certeza de que haverá uma grande discussão sobre quem é o dono do original.

— Não existe um original — contou Alderson, arrancando o *livro* de Peter. — Quero dizer, havia um, mas foi destruído há muito tempo.

— Pelo contrário — disse Peter. — Já segurei o original em minhas mãos. Não está longe daqui.

— Duvido — falou Alderson.

— Duvide o quanto quiser — continuou Peter —, mas é verdade.

Liz olhou para Peter com uma expressão questionadora e ele balançou a cabeça dizendo "não" para ela, imperceptivelmente.

— É verdade, eu também vi — declarou Liz.

— Você eu sei que está mentindo — falou Alderson. — Ouça como sua voz treme.

— Talvez seja porque você está prestes a me matar — sugeriu Liz.

— Na verdade, ela está mentindo — disse Peter com a voz firme — Mas eu não.

— Acontece que — começou Alderson, levantando-se e cruzando a sala até a escrivaninha em frente às janelas com cortinas — eu tenho uma prova bem aqui de que o original foi destruído.

Ele abriu a gaveta da escrivaninha de onde a irmã, Júlia, tirara a chave do armário do *Pandosto* na semana anterior e pegou um envelope pequeno e amarelado.

— A última carta de Phillip Gardner para o meu trisavô. Talvez você queira ler.

Ele jogou a carta na direção de Liz, ainda mantendo a arma firme na outra mão. Enquanto ela pegava o envelope do chão, Alderson voltou para a sua cadeira.

Liz tirou a carta do envelope, desdobrou-a e ficou andando em frente à lareira enquanto lia a letra então familiar de Phillip Gardner.

> Senhor Alderson,
>
> Quando você ler isto, eu terei acabado com a minha vida e, assim, não haverá como você se vingar do que eu fiz. Cada um dos documentos que você extorquiu com tanto vigor de mim nos últimos dois anos é uma falsificação. Devo agradecê-lo por me ajudar a encontrar minha verdadeira vocação como artista. A prova é minha obra-prima, o *Pandosto* que você recebeu recentemente.

> Cada documento da sua coleção inclui uma pista da sua própria falsidade e, se você ou seus herdeiros um dia tentarem vender qualquer um dos itens, sem dúvida serão revelados como o que são. Os originais estão guardados em segurança para os meus herdeiros. A exceção a isso é, infelizmente, o *Pandosto*. Embora o original tenha pertencido a mim, ele foi destruído por Benjamin Mayhew, pois ele queria proteger a reputação de outro cliente.
>
> E, assim, Senhor Alderson, eu ganhei. Agora, vou para o meu descanso e você ficará para viver com o conhecimento de que sua chantagem não valeu de nada.

— Então foi destruído — disse Liz.

— Infelizmente sim — respondeu Alderson, que parecia bem relaxado na sua cadeira naquele momento.

— Bobagem! — disse Peter. — Tudo o que a carta prova é que Gardner pensou que Mayhew o destruiu.

— Foi destruído — afirmou Alderson, quase em uma voz sonhadora.

— Tolice — disse Peter. — Mayhew era vendedor de livros. Pode ter querido proteger a fantasiazinha de William H. Smith sobre Francis Bacon, mas ainda era vendedor de livros. Você não poderia entendê-lo como eu entendo.

— Porque você é vendedor de livros também? — zombou Alderson.

— Exatamente — respondeu Peter. — E estou dizendo que nenhum vendedor de livros, mesmo um envolvido em falsificações e segredos, destruiria um tesouro como o *Pandosto*.

— Você é tão arrogante — falou Alderson. —Acha que todos no mundo pensam como você. É bem americano.

— Talvez eu seja — disse Peter —, mas também estou certo, e você sabe que estou certo. Se você não achasse que existe pelo menos uma chance de o original ter sobrevivido, já teria me matado.

Peter se sentou no canto da escrivaninha, forçando Alderson a se virar um pouco na cadeira para conseguir manter a arma apontada para ele. Pareceu ser um esforço para Alderson, cujo braço balançou quando tentou mirar.

— Se o que você diz é verdade — começou Alderson —, se vendedores de livros são tão empenhados em preservar tesouros, diga-me onde está o original, mesmo sabendo que vou matá-lo. Você fará de tudo para garantir que o *Pandosto* seja descoberto e sobreviva.

— É verdade — concordou Peter, ficando em pé e andando em frente à escrivaninha enquanto fazia um aceno discreto com a cabeça para Liz. — Vou contar. Mas, em troca, quero que poupe a vida da minha amiga aqui.

Alderson virou-se em direção à lareira para ver Liz, mas era tarde demais. Enquanto Peter falava, ela se arrastara para trás da cadeira de Alderson. No segundo antes de ela agir, Alderson pareceu tentar ficar em pé, mas seu corpo não respondia e sua mão perdeu o controle, ainda agarrada à arma. Antes de ele poder se virar para vê-la, Liz desceu o atiçador de ferro com força no braço dele, produzindo o som enjoativo de algo sendo esmagado. Alderson urrou de dor conforme a arma caía de sua mão e deslizava pelo chão na direção de Peter.

Peter pegou a arma bem a tempo de apontá-la para Júlia Alderson quando ela entrou correndo na sala. Não mais a mulher retraída que ele conhecera na semana anterior. Júlia, controlada e nervosamente alerta, parecia pronta para comandar a situação, mas, quando viu o cano da pistola do irmão apontado para ela, virou-se para a porta. Peter deu dois passos rápidos pelo aposento e agarrou o braço de Júlia, puxando-a de volta para a biblioteca e fechando a porta.

— Você não vai a lugar nenhum — disse.

Por um momento, não houve som além da respiração ofegante de Júlia, a respiração equilibrada dos outros e um barulho ocasional no fogo que se apagava. John Alderson perdera a consciência.

— Senhorita Alderson — falou Liz, enfim. — Temo que eu esteja um pouco adiantada para o chá.

— Liguei para a polícia — soltou Júlia. — Podem ter sido mais espertos que meu irmão, mas ainda assim serão acusados de assassinato.

— Não parece provável — comentou Peter, soltando o braço de Júlia, mas mantendo a arma virada para ela. — Acho que isto dirá à polícia quem é o verdadeiro assassino.

Peter colocou a mão dentro da bolsa e tirou o gravador de minicassete que usara para gravar suas anotações na Biblioteca Britânica. Apertou um botão e o guincho da fita sendo rebobinada encheu a sala. Apertou outro botão e o guincho foi substituído pela voz de John Alderson.

— Fui eu que matei Graham Sykes, saqueei o escritório e o apartamento da mocinha procurando o livro maldito dele... Sim, fiz tudo isso.

— Isso e a marca dos dentes de Graham Sykes no braço do seu irmão devem ser mais do que suficientes para condená-lo — afirmou Peter.

A conversa foi interrompida de novo, enquanto o efeito da fita era assimilado na sala.

— Podemos levar meu irmão para o hospital? — Júlia perguntou, enfim, toda sua atitude murchando com a derrota.

— Chame uma ambulância — disse Peter para Liz. — Diga que o Senhor Alderson teve uma overdose de remédios para ansiedade.

Quando Peter e Liz acabaram de dar seus depoimentos para a polícia, o céu do sul já estava começando a clarear. John Alderson fora levado ao hospital, onde seria preso poucas horas depois pelo assassinato de Graham Sykes. Júlia Alderson foi tirada da casa e acusada de cúmplice de assassinato. A polícia pegara todos os documentos — falsificações e originais — com a gravação de Peter da confissão de Alderson como evidências.

— Há mais do que apenas um assassinato aqui — um policial dissera a Peter quando colocava os documentos no banco de trás do carro. — Alguém tem de decidir a quem pertencem todas essas coisas.

— Não se esqueça disto — falou Peter, entregando ao policial a brilhante falsificação do *Pandosto* de Phillip Gardner.

Ele sentiu apenas uma pequena pontada de perda quando o policial jogou o *Pandosto* no carro e desapareceu de vista.

A polícia se ofereceu para levar Peter e Liz de volta a Kingham e deixá-los no chalé de Peter.

— E o nosso quarto no Mill House? — perguntou Liz conforme o carro saía da Mansão Evenlode.

— Eu tenho um quarto de hóspedes muito bom — respondeu Peter. — Nunca foi usado.

Mas nenhum dos dois sentiu muita vontade de dormir quando eles chegaram ao chalé, e, assim, Peter fez um bule de chá e serviu uma xícara para cada um.

— Você sabe que me salvou — disse Liz, depois de tomar um longo gole de chá.

— Salvei?

— Naquele túnel maldito. Eu nunca teria chegado ao final dele se não fosse por você.

— Você nunca teria ficado presa lá embaixo se não fosse por mim — afirmou Peter.

— Ainda assim — continuou Liz —, você me salvou. Então, obrigada.

— De nada — respondeu Peter. — E obrigado por quebrar o braço de Alderson.

— Não foi nada — disse Liz, rindo. — Eu faço isso sempre. Então, o que foi aquilo que você deu a ele?

— Um sedativo — falou Peter. — Eu tenho síndrome do pânico.

— Você poderia ter me enganado — comentou Liz. — Parecia que era eu quem estava em pânico.

— Espere até amanhã, quando a adrenalina esgotar — disse Peter. — De qualquer maneira, eu tinha um saco de comprimidos no bolso do casaco e acho que eles foram esmagados quando eu estava passando por aquele buraco no chão da capela. Pensei em dar um a você no túnel... Foi quando percebi que não havia nada além de pó. Por isso, quando o Alderson me ofereceu uma bebida, eu me imaginei em um enredo da Agatha Christie e coloquei o pó no copo.

— E, depois, desafiou-o a tomar.

— Eu realmente não achei que ele fosse idiota o bastante para cair nessa — disse Peter.

— Acho que ele não lê livros de mistério o bastante — falou Liz, rindo de novo.

— Fico me perguntando o que disparou o comportamento dele — comentou Peter.

— Quem, Alderson?

— Não, Phillip Gardner. Por que ele decidiu cometer suicídio? Acha que ele se sentiu culpado pelo *Pandosto*?

— Provavelmente foi a carta da Senhorita Prickett — respondeu Liz.

— Que carta?

— Você nunca me deixou lê-la para você — contou Liz, puxando um envelope do bolso do seu sobretudo. — Lembra-se de que eu disse que havia mais uma coisa na caixa que você encontrou no túmulo do Gardner? Era isso. Eu li enquanto você falava com a polícia.

— O que diz? — indagou Peter.

Liz desdobrou o papel grosso.

— Bem, de um lado estava escrita outra confissão.

Ela leu.

Ao receber esta carta, eu fui para minha oficina, onde pintei a única verdadeira obra de arte que já fluiu por mim, um retrato de minha amada Isabel. Como o restante das minhas criações, vou escondê-la na biblioteca de Reginald Alderson. Lá, até que uma alma sortuda olhe naqueles olhos mais uma vez, ela ficará, tendo escapado com segurança da Casa Evenlode e tão imortal quanto posso torná-la.

— Então, meu retrato...

— É de Isabel — afirmou Liz. — A amante de Phillip Gardner.

— O que a carta diz? — perguntou Peter.

Liz virou o papel e leu:

Meu caro Senhor Gardner,

Escrevo para dividir com você uma notícia de grande tristeza para nós dois. Um mês atrás, a Senhorita Isabel ficou doente e, ontem à noite, deixou esta vida, que lhe trouxe tanta alegria e tanto sofrimento. Falei com ela em segredo algumas horas antes de ela nos deixar, e seus pensamentos eram dirigidos apenas para você. Você deve saber que ela não o culpa de nenhuma forma pelo que aconteceu e me pediu para escrever e dizer que, no final, ela sentiu apenas amor por você. Se um dia você quiser entrar em contato com seu filho, pode escrever a ele por mim, pois a família Devereaux teve a delicadeza de me manter como governanta de Phillip. Sei que você amou Isabel e ela o amou; eu a amei também e espero que saiba que compartilho sua perda.

Afetuosamente,

Evangeline Prickett

— Qual era o nome da família? — perguntou Peter.

— Devereaux. Por quê? Já ouviu falar deles?

— Meu Deus — disse Peter. — Lembra-se do testamento de Gardner? No qual ele disse que deixava seus livros e documentos para o herdeiro vivo mais novo do seu filho?

— Lembro — respondeu Liz.

— Acho que posso ser eu.

Assim que ela dissera aquele nome, Peter lembrou-se da árvore genealógica que encontrara entre os papéis de Amanda Devereaux. O pai de Amanda era Phillip Devereaux, a mãe dele era Isabel e seu pai fora listado apenas como "desconhecido".

— Você pode ser o dono legítimo de todos aqueles documentos? — perguntou Liz.

— Não apenas deles, mas do *Pandosto* também.

— Mas o *Pandosto* é falso — disse Liz. — Nós mesmos provamos.

— Não o que está com a polícia — declarou Peter —, o verdadeiro.

— É, o que foi tudo aquilo lá na mansão sobre saber onde o *Pandosto* verdadeiro estava? Era só um blefe, certo?

— Não me importa quão desonesto Benjamin Mayhew era — começou Peter. — Nenhum vendedor de livros teria destruído algo tão espetacular quanto o *Pandosto*. E eu não diria que sei onde está, mas tenho uma boa ideia.

Peter colocou a mão dentro da bolsa e tirou a faca de encadernador. Na mesa do jardim de inverno estava a elaborada capa dobrável na qual o *Pandosto* fora guardado. Pareciam ter se passado meses desde que Peter identificara a caixa, feita para o *Pandosto* parecer um livro muito mais grosso, como uma construção vitoriana. Ele abriu a aba mais interna e inseriu a faca na junção onde a aba se encontrava com o corpo da capa. Com um movimento rápido, ele fatiou com perfeição o tecido. Virou a capa e repetiu o movimento nos dois outros lados, deixando uma aba de tecido solta, presa apenas de um lado. Peter apoiou a faca e arrancou a aba. Lá, confortavelmente aninhado onde fora colocado mais de 100 anos antes, estava um livro amarelado e batido, do mesmo tamanho e da mesma forma do *Pandosto* que Peter carregara pela Inglaterra nos dias anteriores.

Ele virou a caixa e o livro caiu na mesa. A encadernação estava mais gasta que a do *Pandosto* de Alderson, e Peter abriu a capa com cuidado. Liz inclinou-se sobre o ombro dele enquanto eles liam a lista de nomes na guarda; uma lista que incluía Wm. Shakspere, Stratford, mas não fazia menção a Mayhew, Smith, A.I. ou C.E. O último nome da lista era Phillip Gardner. Na página 16 não havia menção à morte de Walter Raleigh.

No centro da guarda fixa de trás havia uma impressão retangular.

— O que é isto? — perguntou Liz.

Peter passou a faca por baixo de uma ponta solta da guarda fixa e puxou o papel da encadernação. Ele ergueu a capa traseira e um pedaço de papel dobrado flutuou para a mesa. Peter apoiou o livro, desdobrou o papel e leu:

> Harbottle,
>
> Desculpe-me pelo mensageiro, mas tenho negócios a tratar em Stratford. Acho que vai encontrar um pouco de você mesmo em *Conto de inverno*. Peço perdão por danificar o seu *Pandosto*, mas o devolvo com esta carta e meu agradecimento.
>
> W. Shakespeare

— É o verdadeiro? — perguntou Liz, em um sussurro de admiração.

— Parece que sim — respondeu Peter, sorrindo. — Parece que sim.

Kingham, sexta-feira, 23 de junho de 1995

Peter arrumou a gravata mais uma vez no espelho antes de descer as escadas para um café da manhã rápido e uma xícara de chá. O trem para Londres não sairia em menos de uma hora, mas era uma manhã de verão tão agradável que ele queria ir andando até a estação.

Levara quatro meses para equipes de advogados e genealogistas de Oxfordshire, da Louisiana e da Carolina do Norte chegarem à mesma conclusão em que Peter pensara naquela manhã em seu chalé: que o herdeiro vivo mais novo de Phillip Devereaux, filho ilegítimo de Phillip Gardner, não era ninguém além de Peter Byerly. De acordo com um comprovante de compra encontrado em meio aos papéis que estavam em seu túmulo, Phillip Gardner fora o dono legal do *Pandosto* verdadeiro; determinou-se que a falsificação fora sua propriedade também.

Durante esse tempo, Peter voltara à Carolina do Norte para uma longa estada com os Ridgefield. Ele e Sarah faziam longas caminhadas quase todo dia em Ridgefield Gardens, observando os narcisos florirem e, depois, os cornisos e as azaleias. Às vezes eles conversavam sobre uma ou outra das Amandas, mas, com frequência, não falavam de nada importante. Eles eram amigos, Peter descobrira, e gostava disso.

Peter levara o *Pandosto* para Ridgefield com a intenção de mostrá-lo a Francis Leland, que ficara devidamente impressionado. Com a ajuda de Hank Christiansen, ele fizera alguns poucos trabalhos de reparo no volume, para ficar pronto para aquela manhã. O *Pandosto* falsificado ele dera a Francis Leland, para ficar guardado na Sala Devereaux ao lado das falsificações de Thomas Wise. Peter também doara o retrato de Isabel Devereaux feito por Gardner para o departamento de Coleções Especiais, onde ele foi então exposto na estante abaixo do significativamente mais imponente retrato da neta de Isabel, Amanda.

Cynthia fizera uma visita no final de abril, e ela e Peter ficaram acordados até tarde assistindo a filmes antigos na televisão. Certa noite, ela deslizou para o lado dele no sofá e colocou o braço ao redor do seu corpo, puxando-o para si e beijando-o com suavidade. Foi muito agradável, pensou Peter, mas ele não tinha vontade de levar as coisas adiante.

— É a Amanda? — disse Cynthia.

— Não — respondeu Peter. — É apenas que...

— Você não gosta de mim — falou Cynthia.

— Não, eu gosto de você. Como amiga, eu gosto de você. Você foi ótima, Cynthia.

— Bem, não precisa ser nada além de amigos para ter um casinho. Digo, estamos na década de 1990.

— Eu sei — disse Peter. — É só que...

— Ah, meu Deus, tem outra mulher, não tem? — perguntou Cynthia, rindo e dando um soquinho no ombro de Peter. — Você tem uma namorada.

— Bem, eu não a chamaria exatamente de namorada — contou Peter.

— Certo — falou Cynthia —, conte tudo sobre ela.

Quando Peter retornou à Inglaterra, havia ainda apenas poucas pessoas que sabiam da existência do *Pandosto*, mas isso mudaria em poucas horas em um evento televisionado para o mundo todo, no qual ele doaria o volume para a Biblioteca Britânica em memória de Amanda Byerly. Depois da cerimônia, o livro ficaria abrigado na exposição permanente da biblioteca, em uma estante que incluía itens da coleção de Robert Cotton. Cotton, afinal, fora o último dono legítimo do *Pandosto*, até onde Peter podia adivinhar.

Nos anos seguintes, alguns dos mais antigos antistratfordianos continuariam a negar a autenticidade das *anotações de margem do Pandosto*, mas elas passaram em todos os testes, inclusive no teste de migração de íons, que enfim revelara a falsificação de Mark Hofmann do "Oath of a Freeman". O professor Kashimoto, como prometido, retratou seu posicionamento, primeiro em uma ligação privada para Peter e, depois, em uma conferência literária em São Francisco. Muitos outros fizeram o mesmo depois, e os poucos que continuaram a proclamar o conde de Oxford ou Christopher Marlowe ou Francis Bacon como autores das peças foram ficando menos numerosos conforme os anos passaram. Os formandos em Letras do mundo, a maioria dos quais vira o *Pandosto*, pessoalmente ou em um dos *fac-símiles* publicados em grande quantidade, não ofereciam mais solo fértil para o recrutamento dos antistratfordianos, e, no final da década, aqueles que negavam a William Shakespeare seu lugar de direito eram apenas um punhado de excêntricos, culpados justamente do que eles acusaram a academia durante tantos anos: chegar a conclusões sem levar em conta os registros de evidências.

Sarah e Charlie Ridgefield haviam voado para Londres na manhã anterior e estavam hospedados no Russel Hotel com Francis

Leland, Hank Christiansen e Cynthia. Peter insistira em pagar os quartos de todos.

Peter estava acabando de lavar a louça do café da manhã quando viu Amanda em pé, no canto da cozinha. Ele não a vira muito nos meses anteriores, embora tivessem conversado depois de Cynthia tê-lo beijado.

— É um grande dia para você — ela disse.

— Para nós — declarou Peter. — É um presente em sua honra.

— É o que você sempre quis — ela continuou. — Achar um livro que mudasse a história da literatura.

— Eu queria poder compartilhar com você — ele afirmou.

— Estarei lá — garantiu Amanda.

— Sinto sua falta — disse Peter —, mas dói um pouco menos do que doía antes.

— Você não me verá mais — ela contou.

— Eu sei — falou Peter.

— Sempre o amarei — disse Amanda —, mas preciso ir agora, e você também.

E ela desapareceu.

Peter respirou fundo e, depois, olhou mais uma vez ao redor da cozinha. Depois da cerimônia, Liz iria para lá passar o fim de semana e ele queria que tudo estivesse perfeito. Os balcões estavam limpos, os pratos estavam guardados; a única bagunça era o papel enrolado da lista do Dr. Strayer, preso no quadro de mensagens. Peter leu a lista rapidamente e deu risada. Em um movimento rápido e preciso, ele a arrancou do quadro e a jogou na lata de lixo.

Dois minutos depois, estava andando em direção à estação, o *Pandosto* debaixo do braço, a quente brisa do verão varrendo-o para o centro da vida.

Agradecimentos

Sou grato a muitas pessoas que ajudaram a inspirar, florescer e lapidar este livro, em particular aos meus mentores no mundo dos colecionadores de livros, Bob Lovett, Stuart Wright, o falecido Stan Marx e Justin Schiller; àqueles que alimentam minha vida de escritor, em especial Phyllis Barber, Chris Noël, Walter Wetherell, Diane Lefer, Sandra Adams e Peggy Elam; às primeiras leitoras, Janice Lovett, Stephanie Lovett e Nina Weigl, pelos excelentes conselhos; a David Lovett, por me apresentar ao meu agente; a Anna Worral, pelo apoio no início; a David Gernert, por sua fé no livro e seus conselhos de especialista nas revisões; a todos da Gernert Agency que ajudaram a trazer o livro ao mundo; e a Kathryn Court e Tara Singh, por sua orientação e brilhante edição.

Obrigado a todos os bibliotecários do mundo que habitam lugares como a Sala Devereaux e me ajudaram nas pesquisas e me receberam em seus santuários ao longo dos anos.

Gostaria de agradecer às pessoas da Kingham real, que é um lugar mais bonito, receptivo e cheio de paz do que eu poderia esperar retratar na sua versão fictícia. Em especial, agradeço à família Stockwell por seu amor e sua amizade ao longo de tantos anos.

Assim como muitas pessoas são responsáveis pelo livro que você está segurando, também muitas fontes ajudaram a criar as seções históricas do romance. Estou em dívida particularmente com as seguintes: pelos detalhes sobre William Shakespeare e outros escritores elisabetanos, *Roaring Boys: Shakespeare's Rat Pack*, de Judith Cook; *Como Shakespeare se tornou Shakespeare*, de Stephen Greenblatt, e *Shakespeare*, de Bill Bryson; por suas descrições de reparos de livros, restauração e encadernação, *A Degree of Mastery: A Journey Through Book Arts Apprenticeship*, de Annie Tremmel Wilcox; e pela saga das falsificações de Mark Hofmann, *Salamander: The Story of the Mormon Forgery Murders*, de Linda Sillitoe e Allen Robert. Nem é necessário dizer que todos os livros citados no texto foram fontes importantes, e as citações são, com pequenas edições, tiradas das fontes originais.

Acima de tudo, quero expressar minha gratidão para com meus filhos, Jordan e Lucy, por seu amor e sua inspiração, e minha esposa, cujo amor e fé me dão suporte todos os dias.

Nota do autor

Todos os livros publicados mencionados no texto e seus detalhes bibliográficos são reais, embora, obviamente, alguns exemplares específicos, inscrições e anotações nas margens tenham sido inventados para esta narrativa. Não se sabe de nenhum exemplar completo da primeira edição do *Pandosto* de Robert Greene, no qual Shakespeare baseou o *Conto de inverno*, que tenha sobrevivido. Apenas dois exemplares do quarto ruim de *Hamlet* são conhecidos.

Inventei cenas, ações e diálogos para personagens históricos, mas os detalhes biográficos básicos das pessoas reais a seguir são mais ou menos iguais aos mencionados no texto: os escritores elisabetanos e seus conhecidos William Shakespeare, Robert Greene, Christopher Marlowe, Thomas Nashe, George Peele, John Lyly, Emma Ball (e seu filho Fortunatus), Sra. Isam e Richard Burbage; os colecionadores de livros e bibliotecários Robert Cotton, John Bagford, John Warburton, Humfrey Wanley, Robert e Edward Harley e Henry Clay e Emily Jordan Folger; os falsificadores William Henry Ireland, Thomas Wise, John Payne Collier e Mark Hofmann; e os bibliógrafos e estudiosos Edmond Malone, John Carter, Graham Pollard, William Henry Smith e Charlton Hinman.

É uma triste verdade para a literatura inglesa que a combinação da falta de cuidado de John Warburton e da ignorância de sua cozinheira Betsy Baker tenha levado à destruição de mais de 50 manuscritos de peças elisabetanas e jacobinas, ficando apenas cinco preservadas por meio de fontes distintas. O restante perdeu-se para sempre.